Od świtu po świt

AF ROMANCE

Bogdan Stanisław
Świecimski

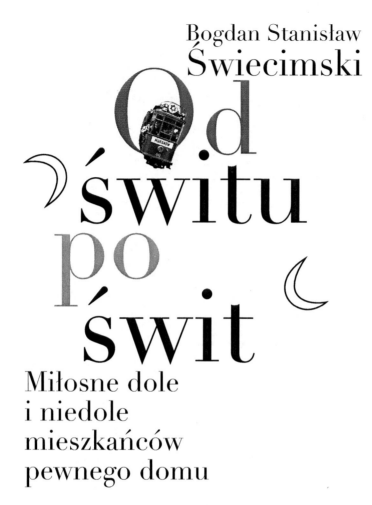

Od
świtu
po
świt

Miłosne dole
i niedole
mieszkańców
pewnego domu

Ludowa Spółdzielnia Wydawnicza
Warszawa

Projekt okładki
Barbara Kuropiejska-Przybyszewska

Redakcja
Jerzy Dobrzański

© Copyright by Bogdan Świecimski 2013

ISBN 978-83-205-5542-4

Łamanie
Ledor

Wydawca
Ludowa Spółdzielnia Wydawnicza
01-445 Warszawa, ul. E. Ciołka 15 lok. 8
tel./fax (22) 620 57 18
e-mail: biuro@lsw.pl
www.lsw.pl

Od Wydawcy

Powieść *Od świtu po świt* jest skróconą wersją powieści o tym samym głównym tytule, która ukazała się nakładem Wydawnictwa Pisarze pl. W niniejszym wydaniu powieść składa się z 12. przeplatających się wątków, a co ważniejsze treści pominiętych wątków (3) zostały wykorzystane w innych wątkach.

Powieść ma oryginalną strukturę, dotąd nieobecnej w polskiej literaturze.

Rzecz o miłości, na ogół sprowadzanej do seksu, gdyż zdaniem Autora we współczesnym świecie on rządzi miłością, tłumiąc inne uczucia. Ponadto powieść zawiera wątek kryminalny.

Akcja powieści dzieje się w roku 2009 i rejestruje rzeczywistość tamtego okresu – sprawy, jakimi wtedy żyli mieszkańcy warszawskiego Muranowa i nie tylko oni.

Z uwagi na dużą liczbę wątków, na ostatniej stronie książki został zamieszczony Przewodnik po książce.

Życzymy miłej i pożytecznej lektury, która powinna skłonić Czytelnika do refleksji...

Prolog

TEN NASZ DZIWNY ŚWIAT

Zanim usłyszał krzyk, Jakub Smuga, autor kilkunastu powieści i zbiorów opowiadań, powróciwszy z kina puścił płytę z utworami ulubionego piosenkarza, usiadł przy biurku i w przypływie długo wyczekiwanej weny, zainspirowany zarówno znaną piosenką, jak i niedawno obejrzanym filmem, pospiesznie wklepywał do komputera kolejną powieść. Zaczął od wizji pogrążającej się w ciemnościach Warszawy.

Ten nasz dziwny świat

Po gorącym czerwcowym dniu nadszedł ciepły, parny wieczór. Ulice Warszawy, dumnej z pięknej, pieczołowicie odbudowanej Starówki, z którą bez szans na powodzenie konkurują wznoszone po roku 1989 ambitne i chełpliwe wieżowce – po południu zaludniane pracownikami licznych biur, urzędów i banków, a o zmierzchu także spacerowiczami – z wolna pustoszały. Zmęczeni pracą i upałem warszawiacy wracali do swoich domów, aby wziąć prysznic, zjeść kolację i zasiąść przed telewizorem.

Z mieszczącego się w śródmieściu kina, w którym odbywa się przegląd dawnych filmów, wychodzili widzowie pojedynczo lub parami. W większości po pięćdziesiątce, lecz także całkiem starzy, emeryci; również młodzi, dwudziestokilkuletni, zapewne studenci. W sali panowała duchota, lecz na zewnątrz było równie duszno, toteż po ich twarzach spływały stróżki potu, którego ślady widać także na koszulach, bluzkach i sukienkach. Ale oni nie zwracają na to uwagi, przejęci tym, co przed chwilą widzieli. Oglądali *Pieski świat*, pełen paradoksów życiowych obraz sprzed kilkudziesięciu lat.

Jednym z widzów był Michał Krawczyk, młody, niespełna trzydziestoletni mężczyzna o pociągłej twarzy i dużych, najczęściej smutnych oczach. Podróżował po świecie oglądając różne jego kształty i barwy – dzielnice niewyobrażalnej nędzy i dzielnice dostatku czy też przepychu, kapiące od złota – a mimo to kilka zarejestrowanych na taśmie filmowej scen z życia mieszkańców Ziemi, do głębi go poruszyło. Podobnie odebrali film pozostali widzowie. Domyślił się tego z ich zachowania. Wychodzili z kina na ogół posępni, z zafrasowanymi minami. Faktycznie nasz świat jest pieski, zły, okrutny, choć czasami niezrozumiały i śmieszny, no i obojętny na nieszczęścia ludzi. I jak w tym świecie żyć? Na czym się oprzeć? A przecież film przedstawił tylko niewielki fragment rzeczywistości, w dodatku tej sprzed kilkudziesięciu lat. Przez ten czas świat nie zaprzestał swego makabrycznego tańca. W Indonezji w walce o władzę poległo 200 tysięcy ludzi, w Kambodży w wyniku chorób, głodu i masowych egzekucji, dokonywanych w imię lepszej przyszłości, zginęło dwa miliony osób, w Rwandzie – „kraju Tysiąca Wzgórz", w iście rajskiej krainie, w ciągu 100 dni plemię Hutu zamordowało blisko milion osób z plemienia Tutsi i tych, którzy ich wspierali, także sąsiadów, krewnych, nawet współmałżonków. Mniej więcej w tym czasie, na oczach europejskich oddziałów ONZ dokonano w Bośni masakry, w wyniku której zginęło osiem tysięcy muzułmanów, a potem tsunami w Azji pochłonęło 200 tysięcy ofiar. Przejęte przez terrorystów samoloty z pasażerami zniszczyły nowojorskie wieże, pozbawiając życia trzech tysięcy nowojorczyków. Ponadto liczne wybuchy wulkanów, huragany, trzęsienia ziemi i inne, przez samych ludzi zawinione nieszczęścia, a także liczne, coraz liczniejsze gwałty i zbrodnie. Z rzeki wyłowiono worek z pociętym na kawałki ciałem kobiety, w beczce po kiszonej kapuście odkryto zwłoki pięciorga niemowląt, wcześniej trzymane w lodówce; lekarze i pielęgniarze z pogotowia porozumieli się z zakładami pogrzebowymi i dla obopólnego zysku wstrzykiwali uśmiercający pawulon zniedołężniałym pacjentom. Tak wygląda ten nasz świat. Dzieją się w nim także rzeczy dobre, wielkie i piękne, czego przykładem jest człowiek rzucający się w ogień, by uratować drugiego człowieka, ale więcej, dużo więcej jest tych złych, od których cierpnie skóra. Tego nigdy nie było. Podobno grozi światu zagłada, Majowie ją przepowiedzieli, ma nastąpić za trzy, cztery lata, a według niektórych wcześniej, pod koniec tego lub na początku przyszłego roku.

Tak odebrano film nakręcony przed blisko pięćdziesięciu laty, obraz, który matka Michała, chodząc wówczas do szkoły, oglądała w latach sześćdziesiątych i potem długo wspominała. Mówiła, że przy niektórych scenach młodzi się śmiali. Teraz też młodzi się śmiali, ale jak kiedyś ich rówieśnikom, miny im się wydłużały, gdy po zabawnej scenie następowała okrutna. W każdym razie wychodząc na ulicę zauważył, że ręce kobiet pobiegły w stronę rąk towarzyszących im mężczyzn, aby znaleźć u nich pocieszenie i nadzieję. Mężczyźni wyglądali na bezradnych. Chcieliby, żeby było inaczej, ale co oni mogą? Światem rządzą bogaci przemysłowcy i bankierzy, a także mafie, wielkie korporacje i różnego rodzaju grupy interesu i wpływu. Oni narzucają światu taki a nie inny kształt, one nadzorują media i każą im karmić ludzi lekkostrawną papką.

Michał opuszczając kino, kątem oka dostrzegł stojącego w pobliżu drzwi starszego mężczyznę, którego wcześniej widział w barze. Odniósł wrażenie, że ów mężczyzna go obserwuje, ale zignorował jego wzrok. Za to zatrzymał na chwilę spojrzenie na dwojgu swych sąsiadów, *którzy po* wyjściu z kina w zamyśleniu kierowali się w stronę domu. On nie chciał jeszcze wracać. Mieszkał sam, a film przyprawił go o tak podły nastrój, że musiał strzelić sobie wódkę i z kimś porozmawiać. Zdążając do baru minął kilkoro osób, z którymi oglądał *Pieski świat*. Wszyscy wciąż go przeżywali, niektórzy żałowali, że nie poszli na inny film. Przejęci byli także ci, którzy dwa dni wcześniej obejrzeli *Kanał* i zostali przez niego niejako uodpornieni na zło świata. Przechodząc obok jednych i drugich wsłuchiwał się w ich głosy, z wyrazu twarzy odgadywał myśli.

Okropny film. Więcej na taki nie pójdę. Podobne filmy odbierają ochotę do życia.

– Śmiejesz się! Po tym, co widzieliśmy!

– Zosiu, niektóre sceny były naprawdę śmieszne, jak ta z facetem uciekającym przed tabunem kobiet. Biedak wdrapał się na drzewo, ale z niego spadł, baby go dopadły i przeleciały.

– Faktycznie, to była śmieszna scena. Ale była też ta z pieskiem, którego zagnano na pożarcie do kojca z wściekłymi i wygłodniałymi psami.

– A podobał ci się ten chudzina, trzydziestoczteroletni kacyk, dla którego tuczono w klatkach kobiety? Musiały ważyć co najmniej sto dwadzieścia kilogramów, lżejsze go nie interesowały. Jego żona ważyła sto trzydzieści kilogramów, a faworyta sto pięćdziesiąt.

– Tylko to zapamiętałeś?

– Nie tylko, ale głównie to, bo ociekających krwią obrazów jest pełno w telewizji oraz w kolorowych gazetach.

Świat wcale taki nie jest. Owszem, dużo w nim zła, ale przeważa dobro. I ono zwycięży, jeśli będziemy postępować zgodnie ze wskazówkami Chrystusa i pójdziemy jego drogą.

– Wyobraź sobie, puściła się z Darkiem.
– Skąd wiesz?
– Nakryłem ich w jego pokoju. Danka była naćpana, więc tylko plunąłem jej w twarz, a Darkowi tak przyłożyłem, że zapamięta mnie do końca życia, bo rozkwasiłem mu gębę, złamałem nos i wybiłem dwa zęby.

– Słuchasz mnie?
– Słucham.
– Kiedy widzę, że nie.
– Myślę o tym morskim żółwiu, co po próbnej eksplozji jądrowej stracił orientację i zamiast do morza, powędrował w głąb lądu, po rozgrzanym słońcem piasku.
– Świniobicie też było straszne.
– Ale nie tak jak śmierć tego żółwia.

To subiektywny obraz świata, skażony sceptycyzmem, a nawet cynizmem. Jak się spojrzy na niego innym, życzliwym okiem, co innego się w nim zobaczy.

W Bogu nasza nadzieja i przyszłość. Jeśli śpi, jak najprędzej trzeba go obudzić, inaczej całe jego dzieło rozpadnie się w drobny mak.

Taki jest nasz świat. Zwycięża w nim egoizm i siła pieniądza. One decydują o kształcie świata, a nie Bóg, którego przecież nie ma. Bo gdyby był, nie pozwoliłby na te wszystkie jatki, jakie się zdarzyły, zdarzają i pewnie będą się zdarzać. Trzeba sobie dać w żyłę, bez tego nie idzie wytrzymać.

Zbliżając się do pawilonu, w którym mieścił się barek, Michał minął sąsiadów, ukłonił się im, ale tylko sąsiadka mu się odkłoniła, jej mąż go nie zauważył.

Inżynier Walczak kroczy w zamyśleniu obok żony.
– Kiedy zakończysz budowę naszego bloku? – pyta kobieta.
– Za dwa, trzy miesiące.
– To znaczy, że wkrótce czeka nas przeprowadzka.
– Tak, zaraz po wakacjach.

– Zżyłam się z sąsiadami, więc żal mi będzie ich opuścić, ale musimy myśleć o dziecku, żeby miało własny pokój.

– Czujesz je?

– Już mnie kopie. Niedługo poznamy jego płeć. Chciałbyś chłopca czy dziewczynkę?

– Wszystko jedno, byle urodziło się zdrowe i przeżyło nas. Bo w końcu o to w życiu chodzi. Jest ono ciągiem narodzin i śmierci.

– Zapomniałeś o miłości.

Inżynier Walczak otacza żonę ramieniem, przytula ją do siebie.

– O, znowu kopnęło! To chyba chłopak.

– Damy mu na imię Mateusz, po dziadku. Popatrz, brał udział w trzech wojnach, a zginął w więzieniu, zakatowany przez komuchów, których przed wojną popierał i ukrywał, gdy deptała im po piętach granatowa policja.

Nie dostrzegłszy w barze znajomej twarzy, Michał wychylił na stojąco wódkę i podążył w stronę Starego Miasta oraz lepiej mu znanego baru, który sobie upodobał między innymi dlatego, że nosił jego imię.

Tymczasem ci, z którymi oglądał *Pieski świat*, docierają do swych domów lub jadą w ich stronę tramwajem bądź autobusem – coraz ciemniejszymi uliczkami, za dnia nagrzanego miasta, które jeszcze nie położyło się do snu.

W pobliżu Dworca Centralnego i dwóch najbliższych hoteli spacerują prostytutki. Stare i wysłużone, o twarzach zniszczonych przez alkohol i niesprzyjający urodzie nocny tryb życia, ale za to tanie; stoją w bramach domów zlokalizowanych przy bocznych uliczkach. Czekają na klientów, najlepiej na bani, bo nie grymaszą, płacą z góry, za ekstra obsługę coś dodadzą, a jeśli nie, same wezmą.

– Ile chcesz?

– Stówę.

– Tyle nie dam.

– A ile dasz?

– Pół stówy.

– Dorzuć trzy dyszki, to się zgodzę.

Ulice oddalone od dworca i centrum miasta są już pustawe. Mieszkańcy stojących przy nich domów, niegdyś spędzający wieczory gromadnie na świeżym a ciepłym powietrzu, teraz z puszką zmrożonego w lodówce piwa w ręku lub herbatką w szklance siedzą w fotelu albo na wersalce i oglądają program telewizyjny, przeplatany reklamami i paplaniną polityków. Jednak nie wszystkie ulice pustoszeją, nie te na Pradze, w sąsiedztwie Bazaru Różyckiego, gdzie w bramach stoją kobitki i miejscowe chłopaki, także ci po pięćdziesiątce, co jakiś czas zdążający do nocnego sklepu po piwo lub owocówkę czy też coś mocniejszego, jeśli zbajerowany przez nich turysta bądź szukający wrażeń i folkloru mieszkaniec śródmiejskiej dzielnicy da kasę. Stare chłopaki chętnie powracają do dawnych czasów, kiedy na Pradze nie było żadnego marketu, za to kwitło życie na Bazarze Różyckiego. Chadzali wtedy po Ząbkowskiej Jurry i Himilsbach, w knajpie popijali i nikt ich nie ruszył, bo to byli artyści. Artystą był także Aron, co mieszkał w pracowni po Jurnym, Bo Jurry, niezły gazer i malarz, wyskoczył przez okno, z czwartego piętra, bracie, na beton. Podobno niektórzy go widują, jak chodzi po Ząbkowskiej i szuka meliny, bo go suszy. Himilsbach, literat i aktor, dawniej kamieniarz, też poszedł do piachu. A co z Aronem, co za Jaruzela ukrywał się przed psami, tego nie wiadomo.

Toczy się życie również w okolicach Ronda Wiatraczna i placu Szembeka, a także na Woli i na Żoliborzu przy placu Wilsona. W wielu miejscach można o tej porze coś odkryć, ale i stracić, jeśli nie na ulicach, to w parkach.

Na ławce bezdomni popijają piwo. Kasę na nie dostali od zagranicznych turystów, obiadek zjedli w darmowej stołówce, prowadzonej przez Kościół, a spanko będą mieli pod gołym niebem, tu w parku lub na działkach, gdzie w razie deszczu mogą znaleźć schronienie pod wystającym daszkiem altanki albo w samej altance, jeśli ją otworzą bez wyważania drzwi, bo inaczej nie można. Trzeba uszanować czyjąś własność. Liczą się z nią także zimą, wczesną wiosną i późną jesienią, gdy jest mroźno i w wypatrzonej altance spędzają noc, a jeśli nie w niej, to w piwnicach jakiegoś bloku, w kanałach lub na Centralnym, na ławce lub w tunelu. Z darmowej noclegowni nie wszyscy chcą skorzystać, bo nie można tam pić ani przyjść pijanym. A oni nie cierpią ograniczeń, tych w noclegowniach i każdych innych, żadnych. Dlatego opuścili dom, żonę, rodzinę. Mierżą ich rzekome uroki życia domowego, nie chcą żyć w klatce domowych obowiązków. Chcą być wolni. Niebo nad głową, a w niej szmerek i uczucie szczęścia z istnienia, z oddechu, z bezinteresownego bycia z innymi, z braterstwa. To co, napijemy się, nie?

Kilkadziesiąt kroków dalej jakaś młoda para obejmuje się i bzyka. Na ławce niewygodnie i może ktoś zobaczyć, więc ona nie chciała, ale on nalegał, no i tak namiętnie całował, że sama odczuła potrzebę. Na ich widok przechodząca aleja para uśmiecha się i przytula do siebie. Oni też będą to robić, lecz nie tutaj, tylko w domu, i to zaraz, jak tylko do niego zajdą.

W pobliżu parku zatrzymał się autobus, wysiada z niego młoda kobieta i starszawy mężczyzna. Idą w tym samym kierunku, ona przed nim. Ogląda się i widząc za sobą obcego mężczyznę, przyspiesza kroku. Mijając czteropiętrowy blok, jeszcze raz się ogląda i jeszcze bardziej przyspiesza kroku, niemal biegnie. Tymczasem zza bloku wychodzi grupa nastolatków. Widzą nadchodzącą kobietę, widzą też idącego za nią mężczyznę. Dwóch zostaje na ulicy, żeby mieć oko na faceta, czterej pozostali biorą w kleszcze zaskoczoną ich obecnością kobietę i grożąc jej pokaleczeniem twarzy, prowadzą za blok, w głąb placyku ze śmietnikiem i ławką. Mężczyzna krzyczy i chce za nimi pobiec, żeby ratować kobietę, lecz ci dwaj, którzy zostali na ulicy, zagradzają mu drogę, jeden wyciąga z kieszeni nóż, drugi trzymaną w ręku butelkę po piwie rozbija o krawędź chodnika, zatrzymując w dłoni wyszczerbioną szyjkę.

Nędznie ubrany sześćdziesięciolatek popijał samotnie wino owocowe, gdy dopadła go grupa kiboli. Jutro mają ustawkę, warto potrenować. Gościu się zaprawił, wygląda na menela i na pewno śmierdzi, więc trzeba mu dołożyć, żeby tu więcej nie przychodził i nie psuł powietrza. Skopiemy go, bo szkoda brudzić rąk. To do roboty, chłopaki. Najlepiej w brzuch i klatę, a i łepetyny nie oszczędzajcie, wygląda jak piłka.

Nie trwało to długo, zaledwie kilka minut. Potem kibole odeszli. Sześćdziesięciolatek osłabiony kopniakami i upływem krwi, nie mogąc podnieść się z ziemi, ze zmasakrowaną twarzą i obolałym ciałem, zaczął się czołgać przez park i w poprzek ulicy, w stronę najbliższego budynku.

Ulice opustoszały, ale po Starym Mieście jeszcze spacerują ludzie, w większości turyści, wśród których jest wiele Niemców, starych i młodych. Starzy zachowują się cicho, nienagannie, z poczuciem winy. Ich ojcowie zniszczyli prawie całą Warszawę, choć mogli i powinni ją oszczędzić. Patrzą na podświetlone kamieniczki, podziwiają ich kunsztowne fasady. Wiedzieli, że Polacy wykazali się w powstaniu rzadkim heroizmem i ofiarnością, ale nie przypuszczali, że tak szybko i z takim pietyzmem odbudują swoją stolicę. Wyciszeni, pełni uznania dla kunsztu i wysiłku Polaków, z naganą spoglądają na młodych, którzy swym głośnym zachowaniem mogą kogoś urazić i wywołać przykre wspomnienia. Co tam wojna. Była, minęła, trzeba żyć w przyjaźni i myśleć o tym, co nas łączy, a nie dzieli. Polacy są sympatyczni i gościnni, dziewczyny piękne. Chodźmy na piwo, przy nim sobie pogadamy. Przechadzająca się po Starym Mieście para dwudziestolatków przyłącza się do grupy młodych Niemców i razem podążają do baru.

Michał był rozgoryczony. Znany mu z widzenia bywalec barku, z którym chciał się podzielić swymi myślami, odwrócił się do niego plecami, drugi zaczął mu wciskać gazetowy kit, a Olek, który zawsze chętnie z nim rozmawiał, i to na różne tematy, tego wieczoru był zaprzątnięty krajową polityką, *Pieski świat* go nie interesował. Oczywiście widział go, ale dawno temu. Nie będzie wracał do spraw, które – kurczę – odbierają człowiekowi chęć do życia. Jedna wódka to nic, strzel sobie drugą. I nie mów więcej o tych okropnościach, pełno ich było i jest. W Azji, Afryce, a także w Europie i w Stanach po ataku na nowojorskie wieże i tym huraganie, nie pamiętam, jak się ten skubany wiaterek nazywa, wyleciało mi z głowy. A co myślisz o Kaczorach? Naśmiewają się z Lecha, a to mądry facet, tyle że z wyglądu mało atrakcyjny, kurdupel, no i niezdara, safanduła, brakuje mu jaj. Churchill też był mały, a ponadto strasznie gruby, lecz dynamiczny i z charyzmą, u wszystkich znajdował posłuchi nikt mu nie podskoczył, potrafił postawić na swoim. Tak, to był prawdziwy mąż stanu. A Lechowi bardziej pasuje katedra profesorska niż prezydentura. Ale jego, a nie Tuska wybrał naród i pismaki powinni to uszanować, a nie wykorzystywać jego najdrobniejsze potknięcia do naśmiewania się z człowieka. Gdyby na jego miejscu był Jarek, to by na to nie pozwolił. Facet potrafi mówić, ma język jak brzytwa i nie da sobie w kaszę dmuchać. Przegrał wybory, bo za dużo chciał i zbyt szerokim frontem atakował. Napoleonem to on nie jest, ale dobrych intencji i energii mu nie brakuje. Zamierzał oczyścić kraj z korupcji, układów i przekrętów. Chwalebny to zamiar, ale nie do zrealizowania, w każdym razie nieu nas, gdzie łapownik siedzi na łapowniku i łapownikiem pogania. Pewnie nie przesadzę, jeśli powiem, że przynajmniej połowa Polaków brała lub dawała łapówkę. Takie były i wciąż są czasy, że aby coś załatwić, trzeba posmarować. Wszyscy brali, lekarze, pielęgniarki, urzędnicy, pracownicy sądowi i gliny, a wielu naukowców i artystów ma na sumieniu współpracę z esbecją. Mówią, że robili to, żeby móc wyjechać na Zachód i dla dobra kraju wzbogacić swój naukowy i artystyczny dorobek, co by ich usprawiedliwiało, gdyby później niektórzy z nich nie donosili na kolegów. Lekarze i prokuratorzy oraz sędziowie też znaleźli dla siebie usprawiedliwienie – w dobru pacjentów i obowiązujących przepisach. A tu naraz wchodzi do akcji Jarek i postanawia z pomocą Ziobry uzdrowić kraj. Ludzie wpadają w panikę. Skoro oskarżył wybitnego chirurga, to i nas, którzy nie jesteśmy tak wybitni, lecz braliśmy łapówki, i to większe niż doktor G., też może oskarżyć, no i ograniczyć dopływ gotówki. Może też ukarać tych, co łapówki dawali. A nam, którzy mówiliśmy esbekom tylko to, o czym wszyscy wiedzieli, grozi wykluczenie z uczelni. Zatem huzia na Józia. Musiał Jarek przegrać, gdyż miał przeciwko sobie nie tylko szerokie grono ludzi, ale i media, zwłaszcza prywatne, w które zaangażowany jest zagraniczny kapitał. Nie podobał się Zachodowi, bo żądał, a nie prosił, jak robi to Tusk, który wiedząc komu się ukłonić a kogo pocałować w rękę, czyni to bez umiaru, lecz trzeba przyznać, z wdziękiem. Dzięki temu wdziękowi oraz sprytowi i rzekomej znajomości cen na rynku wygrał wybory, i zawdzięcza swą popularność, zwodząc ludzi obietnicami, gładkimi słowami, przymilnym uśmiechem i chytrym spojrzeniem, w którym jego zwolennicy dopatrują się inteligencji, mądrości i wyrozumiałości dla ludzkich wad. Wszystko zatem wskazuje, że w kolejnych wyborach prezydenckich pokona Lecha, którego mi żal, bo to przyzwoity człowiek, a czuję, że Tusk i jego ferajna zrobią wszystko, żeby go zniszczyć. To za Lecha, no i Jarka. To łebski facet, no i bezinteresowny, a przy tym z wizją. Gdyby wygrał wybory, dalej by tworzyli z Lechem parę, która wiele dobrego dla kraju mogłaby dokonać. Ale wygrał Tusk i jego kolesie z boiska, dla których liczy się tylko władza i kasa. Jemu zależy na samej władzy, ona mu wystarcza, nie wchodzi w żadne brudne sprawy. A jego ludzie wchodzą. Nie ma na to dowodów, bo je skrzętnie ukrywają, ale w końcu wyjdą na jaw i ukażą, co ci faceci są warci. Bazują na głupocie i naiwności rodaków. Przed kamerami stroją mądre miny i czarują telewidzów nie tylko nienagannym wyglądem, lecz także rzekomą znajomością omawianych spraw, a przecież niewiele o nich wiedzą i swoje niekompetencje osłaniają jakąś wymówką lub kłamstwem. A że boją się Kaczorów, podkładają Lechowi świnie i naigrywają się z niego, a Jarkiem straszą społeczeństwo, kreując go na wroga demokracji i największe zagrożenie dla Polski. Tak tym wizerunkiem ogłupili naród, że ten w większości jest za Tuskiem i jego drużyną. Naprawdę sprytny z niego facet, całą gębą polityk. Nie ma żadnej wizji, za to ma pod ręką obietnice, których oczywiście nie dotrzyma, bo po co, skoro podoba się ludziom i umie grać na ich naiwności. Na europejskich salonach jednak mało się liczy, bo za łaskawy uśmiech pani Merkel tańczy tak, jak mu ona zagra, no i pozwoli Putin. Potem jego ludzie mówią, że dzięki swej genialnej polityce uzyskał dla kraju to i owo, że wiele mu zawdzięczamy. Mówią to i straszą Kaczorami, więc ci nie wygrają następnych wyborów, ale w dużej części będzie to ich wina. Dobrze, że walczyli z korupcją i innymi chwastami, ale popełnili taktyczny błąd, walcząc na wielu frontach, czym narazili się wielu środowiskom i więcej niż połowie Polaków, którzy bojąc się, aby ich grzeszki nie zostały wykryte, tak znienawidzili bliźniaków, że gdy o nich słyszą, pienią się z nienawiści. Dlatego Jarek, choć ma tęgą głowę i jest prawdziwym, a nie malowanym patriotą, nie osiągnie z PiS-em zwycięstwa w wyborach do Sejmu. Chyba, że zdarzy się coś, co ludzi odgłupi i wyzwoli ze strachu, i co Jarkowi każe zmienić ton i taktykę. To za Jarka. Wiem, że nie czytasz *Wyborczej* i nie jesteś pod wpływem jej propagandy, więc wypijmy za to, żeby naszym bliźniakom wiodło się lepiej niż dotąd. Na Marka nie zwracaj uwagi. Ma głowę nabitą prorządową makulaturą i jak powiesz coś złego o rządzie, to się indyczy i będzie cię miał za wroga demokracji. A jeśli idzie o *Pieski świat* i inne okropności, to wyciągnij z Internetu artykuł *Najszybsze ludobójstwo w historii*. Rzecz dotyczy Rwandy. Tam dopiero się działo. No, nie ociągaj się, pijemy!

Do baru weszła grupa Niemców i w niewielkiej salce zrobiło się głośno od ich szwargotu. Wychyliwszy trzecią z kolei wódkę Michał uregulował rachunek i wyszedł na ulicę.

Do zamkniętej dla pojazdów ulicy Freta podjechał jasnoniebieski nissan, z którego wyszła naćpana nastolatka. Podążając w stronę jednej z kamieniczek odniosła wrażenie, że ta do niej mruga i ma na głowie śmieszną czapkę ze świetlistym pomponem. Musi ją poprawić, bo jest przekrzywiona. Wszystko jest przekrzywione, jej spódniczka też. Nie ma majtek. Co się z nimi stało? A były to cenne, pamiątkowe majtki, dostała je od ciotki i miała na sobie w dniu, w którym straciła cnotę. Wtedy bolało, a dziś nie. Tylko dlaczego tak szybko odjechał? Ma jej telefon, więc zadzwoni, a jeśli nie, trudno, znajdzie sobie innego i dołączy do koleżanek, które nie czekają, aż któryś z chłopaków je poderwie, same ich podrywają.

W uchylonych drzwiach pojawił się duży, wychudzony szczur. W piwnicy, skąd wypełzł, nie było już myszy ani niczego, czym mógłby się posilić. Wysunął do przodu pyszczek i wywąchawszy miły zapach mięsa, pomknął na tyły pobliskiej restauracji.

Na Rynek Główny zajechała dorożka, warszawska karoca. Wygramolił się z niej podchmielony gwiazdor telewizyjny, po nim także na rauszu niedawno odkryta i lansowana młodziutka piosenkarka. Trzymając się za ręce podążyli w stronę *Fukiera*. Stojący w drzwiach cerber z szacunkiem wpuszcza ich do środka, a czuwającego w pobliżu fotoreportera przegania groźnym warknięciem.

I oto w drzwiach pojawiła się znana ze skandali, ale i ciekawych występów scenicznych Loda, elektryzująca mężczyzn piosenkarka, której zgrabne nogi, jędrny tyłeczek i wzmocnione silikonem piersi paparazzi często fotografowali. Jeden z nich miał wyjątkowe szczęście. Za wysokie honorarium przekazał kolorowej gazecie jej sutek, który wysunął się spod jedwabnego stanika i wyglądał tak pociągająco, że z wrażenia omal nie wypuścił z rąk aparatu. I jego miał teraz przed oczami, gdy przepchnąwszy się do przodu przez tabun kolegów po fachu, robił Lodzie zdjęcia. Tymczasem dwaj towarzyszący jej ochroniarze utworzyli z rąk koszyczek i usadowiwszy na niej Lodę, niczym królową, którą chciała być i w tej chwili była. Na polecenie nieodstępującego od niej Wergala, demonicznego kochanka, ponieśli ją w stronę warszawskiej karocy – dumną i pyszną, z idącym za nią księciem ciemności, jej oblubieńcem, który chwilę później zasiadł na koźle, trzasnął z bata i karoca potoczyła się w stronę Zamku Królewskiego.

Biegnący za dorożką paparazzi nie zwrócili uwagi na tęgiego mężczyznę, który wyszedł z *Krokodyla* sąsiedniej knajpy i po kilku krokach padł na ziemię. Nadchodząca z przeciwnej strony para też go zlekceważyła. Wyglądał na pijanego, a oni nie cierpieli pijaków. Nie zauważyli, że zanim padł na ziemię, złapał się za serce. Zauważył to jednak Michał, toteż podbiegł do leżącego i stwierdziwszy, że ten stracił przytomność, zadzwonił na pogotowie.

Droga do domu prowadziła przez park. Usiadł na ławce, zaczerpnął głęboko powietrza. Mężczyzna, któremu udzielił pomocy, miał zawał.

Gdyby nie pogotowie, już by nie żył. On też ma chore serce. Nie wiedział o tym, bo go nie bolało, ale lekarz pierwszego kontaktu stwierdził arytmię i dał mu skierowanie do kardiologa. Na jutro ma u niego umówioną wizytę, o dziesiątej, więc nie pójdzie do pracy.

Siedział jakiś czas na ławce, pod ciemnoniebieskim niebem z połyskującym księżycem, potem wolnym krokiem przemierzył park, przeszedł na drugą stronę ulicy i zatrzymał się niezdecydowany, bo choć postanowił wrócić do domu, coś go pchało w inną stronę. I ruszył w tę stronę, ale po chwili, nie wiedząc gdzie i po co zdąża, zawrócił i znalazłszy się na znanej mu od trzech miesięcy trasie skierował się do domu.

Był już przed domem, gdy przez dochodzące z niego stłumione dźwięki, które towarzyszyły nadawanemu przez telewizję filmowi, przedarł się krzyk, a właściwie krótki, a głośny jęk. Usłyszawszy go, zlustrował wzrokiem uchylone na noc okna. W kilku paliło się przyćmione światło, w jednym jasne. Mężczyzna, który po chwili się w nim pojawił, rozglądnął się po ulicy i na nim zatrzymał wzrok, jakby jego podejrzewał o ów krzyk. Odpowiadając na mylny trop sąsiada, potrząsnął przecząco głową i ręką wskazał dom, po czym uspokojony względną ciszą, jaka z powrotem zapanowała, przeszedł na drugą, tylną stronę budynku i skierował się ku drzwiom prowadzącym do klatki schodowej.

Jakub Smuga stał jeszcze chwilę w oknie, po czym przeszedł się po pokoju i zerknął na monitor komputera. Wyprowadziwszy Michała z parku, przerwał pisanie, aby zastanowić się nad kolejnym akapitem, lecz gdy go wymyślił i chciał zapisać, oderwał go od biurka krótki krzyk, przypominający rozpaczliwy jęk. Przekonany, że usłyszał go z ulicy, wyjrzał przez okno i osłupiał. Michał, bohater jego powieści, który po opuszczeniu parku powinien się natknąć na kolegę i pójść z nim na zorganizowaną w pobliżu imprezę, na której miał spotkać wymarzoną dziewczynę, stał przed domem. Nie dowierzając oczom, przetarł je ręką i rozejrzał się po dobrze mu znanej i pustej ulicy, a potem z powrotem spojrzał tam, gdzie zobaczył Michała i gdzie ten wciąż stał – realny, w realnej, a nie powieściowej rzeczywistości, stał i wpatrzony w niego potrząsnął głową, a następnie wskazał ręką dom, jakby chciał powiedzieć, że nie on krzyknął, tylko ktoś inny z ich domu. Jakub S. usiadł w fotelu i sięgnął po stojącą na stoliku szklankę z sokiem grejpfrutowym.

To, co zamierza napisać, musi dobrze przemyśleć. Nie powinno się pisać w ciemno, czy też na wyczucie, bez z góry wyznaczonego celu. Pisanie powieści to właśnie zdążanie do niego, podróż tylko z grubsza wytyczoną trasą, którą należy zmienić, gdy nas zawodzi i prowadzi donikąd. Ponadto, wyruszając na nią trzeba wiedzieć, o czym i o kim ma się pisać. A on jeszcze tego nie wie. Powróciła do niego wena, jednak z tekstu, który mu podyktowała, niewiele, a właściwie nic nie wynikało.

Podniósł się z fotela, podszedł do biurka, spojrzał na otwarty w komputerze dokument i pośpiesznie, na stojąco dopisał do niego krótki akapit, wspominając w nim o krzyku i geście Michała, wskazującym mu ich dom. Potem spojrzał na leżące na półce notatki, przeniósł je na biurko. Raz i drugi przeszedł się niespokojnie po pokoju, usiadł w fotelu i nabił fajkę tytoniem. Był podniecony, jak zawsze, kiedy wpadł mu do głowy atrakcyjny pomysł. Różnie z nimi bywało, w różnych okolicznościach się rodziły, tym razem podsunął mu go ów krzyk, on go zainspirował, no i gest Michał. Już zna kształt swojej przyszłej książki, zna jej początek i koniec. A o to głównie chodzi, żeby wiedzieć, od czego zacząć i na czym zakończyć. To, co na brudno napisał w ciągu dwóch godzin, to tylko wprawka, zaraz ją skasuje, nie, zostawi jako prolog, przygrywkę do powieści, w której przedstawi jeden dzień z życia mieszkańców jego domu, dzień poprzedzony nocnym krzykiem, którego przyczyn będzie dociekał, z czego powstanie wątek obyczajowy, a może kryminalny. A wątków w jego książce będzie więcej, kilka, może nawet kilkanaście, wszystkie oparte na faktach z życia sąsiadów, o których już dużo wie – z rozmów na ławce przed domem i nie tylko – a to, czego jeszcze nie wie, a będzie mu potrzebne, dowie się w trakcie pisania. Zajmie mu to rok lub dwa, może więcej, bo musi zgłębić i opisać przeszłość kilkunastu czy nawet kilkudziesięciu osób, no i tak skonstruować całość, żeby zainteresowała potencjalnych czytelników. Prawdopodobnie przedstawi ją w kształcie reportażu, nie, co najwyżej quasi-reportażu, gdyż sięgnie do przeszłości sąsiadów i umieści w domu kilkoro obcych ludzi, a kilkoro postaci obdarzy cechami innych osób. Ponadto splecie ze sobą wątki i ich przebieg zawrze w trzech lub czterech częściach. Niecierpliwych i mniej wyrobionych czytelników może to odwieść od czytania, więc napisze dla nich przewodnik po książce, w którym wskaże stronice dotyczące kilku czy też kilkunastu co ważniejszych wątków.

A będą one różne. Głównie miłosne, ale także obyczajowe, no i jakiś sensacyjny, czy też kryminalny, bo takie teraz budzą największą ciekawość. Podobnie ciekawostki z życia sławnych aktorów, piosenkarek czy innych celebrytów. Siebie też w książce umieści – a dlaczego nie – tyle że pod innym nazwiskiem, z nieco inną biografią, chociaż jeszcze się nad tym zastanowi, bo chce, żeby rzecz była autentyczna i przekazała prawdę o ludziach.

Oczywiście będzie w niej Michał, ale nie jako główny bohater, lecz jeden z bohaterów, bo niewiele o nim wie, a w domu jest sporo ciekawych ludzi, jak to wynika z zapisków, które wcześniej sporządził, jakby przeczuł, że je wykorzysta. Nie, w książce nie będzie głównego bohatera, lecz kilka, a może kilkanaście, czy też kilkanaścioro postaci, których historie splecie ze sobą i powiąże z codziennym życiem domu, a może i miasta. W ten sposób powstanie rzecz wielowątkowa i polifoniczna, na wiele, kilkanaście czy nawet więcej głosów, a czyich, okaże się, gdy przebierze swoje zapiski.

Tak wyobraża sobie swoją książkę, i tak ją napisze. Zaproponuje wydawcy także zapis elektroniczny, żeby ten czy ów z czytelników mógł do niego wpisać swoją historię, oczywiście skróconą i odpowiednio rozmieszczoną, zgraną z całością. A czytelnikom, którzy to zrobią, zaproponuje przekazanie wzbogaconej całości koledze czy koleżance, dzięki czemu rzecz się będzie rozrastać i obejmować coraz szersze grono postaci. Spowoduje to powstanie powieści otwartej i totalnej, jakiej nikt przed nim nie napisał. Zacznie ją jutro, jak zawsze, z samego rana, o piątej. A teraz musi się przespać. Weźmie proszek na sen, ten co zwykle, po którym natychmiast zasypia i już po czterech godzinach budzi się wyspany, zregenerowany, z pomysłami i chęcią do pracy – oczywiście po kawie i fajeczce, wypalonej przy muzyce z dwójki.

Jutro wszystko się zacznie – praca, która potwornie wyczerpuje, ale i daje satysfakcję, przynajmniej w trakcie pisania, tym razem wielowarstwowej i wielowątkowej powieści otwartej, złożonej z trzech lub czterech części.

Posortowawszy leżące na biurku zapiski, Jakub S. połknął pół pigułki nasennej – tylko pół, bo po całej budził się dwie godziny później, niby lepiej, bo bardziej wyspany, lecz z umysłem zamulonym, który wyłącznie po połówce stawał się sprawny i produktywny, kreatywny i przyjazny wyobraźni, no i bardziej odporny na realną rzeczywistość, gdy ta wdzierała się do pokoju odgłosem śmieciarki, dziennikiem radiowym, głośną muzyką lub reklamą – pościelił tapczan i ułożył się do snu.

Tymczasem jego sąsiedzi, a wśród nich bohaterowie zamyślonej przez niego książki, w ogromnej większości już spali bądź przygotowywali się do snu, czy też siedzieli w fotelach albo na krzesłach, przykuci do nich emitowanym przez telewizję filmem. Spośród tych ostatnich tylko Mirosław Wójcik, z zawodu dziennikarz, usłyszał krzyk. Ponadto usłyszało go kilkoro innych osób, a mianowicie Stefan Nowak, nauczyciel historii, Anna Kozioł, archiwistka, Zbigniew Piątek, funkcjonariusz policji i Kazimierz R., początkujący chirurg, no i Michał Krawczyk. Za to nie usłyszał go Henryk Dubiel, rosły i przystojny sześćdziesięciolatek, ani też Danuta Krysicka, sprzedawczyni w pobliskim sklepie, choć obydwoje nie spali i nie oglądali telewizji.

Jeśli idzie o Stefana Nowaka, jak już wiadomo, z zawodu historyka, to wyrwany z koszmarnego snu, doszedł do wniosku, że ów krzyk był echem tego snu, toteż obrócił się na drugi bok – prawy, bo na lewym nawiedzały go koszmary, w których przed kimś uciekał, stał naprzeciw plutonu egzekucyjnego lub, jak tym razem, maszerował z grupą wychudzonych mężczyzn i kobiet z obwisłymi piersiami, trzymającymi na rękach dzieci o dużych brzuszkach i nóżkach jak patyczki – poprawił pod głową poduszkę i z powrotem zasnął. Anna Kozioł natomiast przekonana, że tenże krzyk doszedł ją z telewizora, którego zapomniała wyłączyć na noc, natychmiast go zgasiła i powróciła na wersalkę z nadzieją, że dośni swój piękny sen, w którym znajdowała się w otoczeniu rozkwitłych drzew i zmierzała aleją w stronę oplecionej winoroślami altany, gdzie czekał na nią ukochany. Z kolei Zbigniew Piątek, który wrócił do domu późno i jadł w kuchni kolację, pomyślał, że to żona krzyknęła przez sen, więc poszedł do niej, obudził ją i wziął w ramiona. Chirurg Kazimierz Rogala przywykł w szpitalu do jęków i krzyków, a ten domowy ledwie usłyszał, a już doszło z łazienki wołanie żony, na które od razu zareagował – podał żonie szlafroczek i chwilę później pachnącą lawendą wziął na ręce i zaniósł do sypialni. Do sypialni podążył również Mirosław Wójcik, ale po to, żeby sprawdzić, czy krzyk, który przedarł się przez głosy dochodzące ze ściszonego telewizora, obudził brzemienną żonę, a że tylko poprawiła się na pościeli, powrócił na fotel, na którym od kilku dni czuwał nocą przy tej, która wkrótce miała mu urodzić córkę. Henryk Dębicki już ten etap dawno przeszedł, i to dwukrotnie, przeszedł też inne życiowe etapy, a teraz miał przed sobą nowy, bardzo dla niego ważny, być może najważniejszy, w każdym razie w tym momencie, bo mimo późnej godziny, z głową pełną nadziei i planów na najbliższe dni i lata chodził niecierpliwie po pokoju jak więzień po celi, którą wkrótce miał opuścić; chodził w tę i z powrotem, od drzwi do okna, przy którym zatrzymywał się na chwilę, spoglądał na rozgwieżdżone niebo i kontynuował swą wędrówkę tak dalece pochłonięty swoimi śmiałymi zamiarami, że nie usłyszał nie tylko donośnego głosu żony z sąsiedniego pomieszczenia, ale i głośniejszego od niego krzyku. Cierpiąca na bezsenność Danuta Krynicka natomiast miała w uszach zatyczki i nic nie słyszała, a ponieważ zdjęła na noc okulary, widziała tylko wiszący nad komódką i oświetlony blaskiem księżyca święty obrazek i jeszcze coś jej drogiego, co było zawieszone na tym samym gwoździu i przypominało dwa długie warkocze, jakie za młodu nosiła. Co zaś do Michała Krawczyka, to uspokojony dochodzącymi z domu swojskimi odgłosami, ograniczonymi do fonii towarzyszącej wyświetlanemu w telewizji obrazowi, wszedł do windy i znalazłszy się w swoim mieszkaniu, wziął prysznic, włączył komputer i wyszukał w Internecie artykuł, który mu polecił kolega. Artykuł był bardzo długi i porażający, opisywał zbrodnie popełnione w rozgrzanej słońcem i namiętnościami Afryce, w której był dwa lata temu, lecz nie tam, gdzie trzynaście lat wcześniej codziennie mordowano tysiące ludzi, w tym kobiety i dzieci, a także krewnych, bo należeli do innego plemienia lub byli mu przyjaźni. Przeczytał zaledwie kilka akapitów tekstu, więcej nie był w stanie. Całość jednak skopiował na drukarce i przesycone krwią i cierpieniem kartki położył na biurku. Jutro się z nimi zmierzy. Posłał wersalkę i długo się na niej przewracał, aż zmógł go sen. Jakiś czas później zjechała na dół winda a w telewizji zakończył się emitowany przez telewizję, pełen seksu i przemocy film, po którym dały o sobie znać pośpiesznie słane wersalki i tapczany. Potem w całym domu zapanowała głęboka cisza. Pokryte gęsto gwiazdami niebo zapowiadało pogodny dzień. Dzień, w którym Jakub Smuga postanowił podjąć pracę nad kolejną powieścią, której bohaterami będą współmieszkańcy jego domu.

Najmłodszy z jej bohaterów, czternastoletni Grzesiek, syn Magdy i Karola Sobiesiaków, najwidoczniej nie mógł się doczekać tego dnia, bo śpiąc nerwowo obudził się, wyrwany ze snu przez Żyda, o którym opowiadał mu stary Franciszek. Jutro mają śledzić jego lot nad osiedlem, ale on już dzisiaj, przed chwila go zobaczył. Miał długą, rozwianą brodę, przyglądał się mu badawczo i chciał coś powiedzieć, ale nie rzekł ani słowa. Może jutro powie. Uspokojony tym, z powrotem przymknął oczy i po chwili zapadł w sen, w którym już wszyscy byli pogrążeni, cały dom.

A leżące na biurku Michała kartki przypominały o przejmujących zgrozą zbrodniach, które mimo ich ogromu świat przełknął między jednym a drugim posiłkiem, tłumacząc je złą polityką, kulturalnym i gospodarczym zacofaniem oraz zaszłościami historycznymi, co było prawdą, ale nie całą, jak wynikało z tekstu skopiowanego artykułu, którego początek i fragmenty wydobył z ciemności księżyc, niemy świadek ludzkich radości i tragedii.

Najszybsze ludobójstwo w historii
Milion ludzi w 100 dni

Wbrew powszechnej opinii, nie był to po prostu wybuch uśpionej nienawiści, który spowodował, że nagle plemię Hutu zaczęło mordować swoich rodaków Tutsi. Ludobójstwo nigdy nie jest spontaniczne, nagłe. Historyczna wrogość nie wystarczy do tego, by podjąć próbę eksterminacji całej grupy etnicznej.

To, co zdarzyło się w Rwandzie, było efektem starannie przygotowanego planu eksterminacji, której fundamenty budowano przez wiele lat. To ludobójstwo było częścią polityki rządzącej grupy. Podobnie jak nazistowski Holocaust czy czystki przeprowadzone przez reżim Khmerów w Kambodży.

Palenie domów. Gwałcenie kobiet i dziewczynek, często przez żołnierzy zarażonych wirusem HIV. Rozbijanie noworodków o ścianę. Rozcinanie brzuchów ciężarnych. Zabijanie dzieci na oczach matek, znieważanie żon przed mężami. Okaleczanie, obcinanie kończyn. Pościgi, ciosy w plecy. Masakry w kościołach, szkołach i szpitalach, gdzie tysiące osób próbowało znaleźć schronienie. Wrzucanie granatów do pomieszczeń pełnych ludzi. Dekapitacje. Sprawdzanie, ile ludzkich czaszek może przebić pojedynczy pocisk.

Świat widział to już wielokrotnie. Świat już w tym punkcie był.

Tym razem jednak działo się to nie tylko przy akceptacji społeczeństwa, ale przy jego aktywnym udziale. I milczeniu świata.

Na ulicach ustawiono setki blokad, gdzie sprawdzano karty identyfikacyjne. Przy każdej blokadzie leżały martwe ciała, które wieczorami były w ciężarówkach wywożone do masowych grobów. Zapis „Tutsi" w dowodzie równał się wyrokowi śmierci.

Znane są liczne przypadki morderstw dokonywanych na swoich krewnych, również żonach i mężach... Dziesiątki tysięcy ciał zostało wrzuconych do rzek, szczególnie największej – Nyabarongo. Wiele osób, zwłaszcza kobiet, wolało popełnić samobójstwo skacząc w toń, niż stać się ofiarami gwałtów i maczet. Po kilku tygodniach ludobójstwa akweny wodne były pełne trupów. Mieszkańcy sąsiednich państw przestali jeść ryby, które „żywiły się ludzkimi zwłokami.

Ludobójstwo w Rwandzie było orgią zabijania. Po paru tygodniach społeczeństwo tak bardzo przywykło do mordowania, że stało się ono rozrywką, sportem. Nikt nie zajmował się rolą, nikt nie hodował zwierząt. Jedyną czynnością, która pochłaniała cały kraj, było dobijanie coraz mniej licznych Tutsich i umiarkowanych Hutu.

Część pierwsza

BUDZI SIĘ DZIEŃ

Dom jak kilka innych wysokich budynków, postawionych na gruzach getta, w sąsiedztwie wielokroć liczniejszych, znacznie niższych bloków, zbudowanych kilka lat wcześniej, częściowo z cegły z rozbiórki kamienic, które przed wojną tętniły życiem, a które w czasie okupacji Niemcy spalili lub wysadzili w powietrze w ramach likwidacji getta i ostatecznej rozprawy z Żydami. W warszawskim getcie zgromadzono ich czterysta tysięcy. Niewielu z nich uratowało życie. Trzysta tysięcy zginęło w piecach krematoryjnych obozu w Treblince, inni w drodze do niego, a jeszcze inni w samym getcie, z głodu i chorób, czy też w Powstaniu. Mało Żydów w nim uczestniczyło, gdyż do końca, nawet wtedy, gdy rozstrzeliwano ich braci i palono domy, wierzyli, że Bóg się nad nimi zlituje i uratuje od śmierci z rąk Niemców. Ale Bóg uratował tylko tych, i to nie wszystkich, którzy z pomocą Polaków, za złoto i pieniądze, ale niekoniecznie, niekiedy z dobrego serca, uciekli z getta i przedostali się na tereny Związku Radzieckiego albo ukryli na wsi. Teraz niektórzy, zwłaszcza amerykańscy Żydzi pomstują na Polaków, zarzucając im zoologiczny antysemityzm i udział w Holocauście. Tak, temu zaprzeczyć się nie da, byli tacy, co wydawali Żydów Niemcom, czy też za ich ukrycie żądali złota, ale trzeba pamiętać o tym, że ukrywającym Żydów groziła kara śmierci, a Niemcy byli skrupulatni w przestrzeganiu ustanowionego przez siebie prawa. Teraz owi amerykańscy Żydzi – ci lub potomkowie tych, co w czasie wojny nie zrobili nic, albo zrobili bardzo mało, żeby ratować swoich polskich braci – przyjeżdżają z wycieczkami pod Pomnik Bohaterów Getta i z dumą wysłuchują opowieści o bohaterstwie uczestników Powstania, mając Polakom za złe, że im nie pomogli, choć wiadomo, że nic by to nie dało.

W przedstawionym tu domu mieszka grubo ponad stu lokatorów, w większości w średnim wieku, znających historię getta z książek i opowieści rodziców. Tylko dwóch osiemdziesięciolatków zna ją z autopsji. Jeden z nich, a mianowicie Leopold Dekiel, był na jego terenie, lecz został z niego przepędzony przez policję żydowską. Niemniej zapamiętał gęsto zaludnione kamienice, w których przed wojną też mieszkali Żydzi, lecz nie wynędzniali, prawie trupy, a zdrowi, obrotni, choć niekoniecznie bogaci, jako że ci mieli domy lub mieszkania w innych rejonach stolicy. Był tu w tamtych czasach. Towarzyszył rodzicom, którzy dali krawcowi stare ubranie do przenicowania. W drodze powrotnej kupili w jatce podroby, okrawki i kości, gdyż na lepsze mięso nie było ich stać. Z tego też powodu omijali z daleka inne sklepy, kuszące smakowitymi zapachami i różnorodnością artykułów. Było gorąco, więc matka kupiła mu loda. Miał apetyt także na ciastko z kremem, lecz nie śmiał o nie prosić, bo ojciec bardzo mało zarabiał i matka musiała się liczyć z każdym groszem. Franciszek Lizak, rówieśnik Leopolda, lepiej pamiętał tamtejsze kamienice i ulice, gdyż przed wojną bardzo często spacerował po gwarnych wtedy Nalewkach, a w czasie wojny, gdy wszystkich warszawskich Żydów zgromadzono w getcie, przekradał się do niego z cebulą lub jabłkiem, czy też kromką chleba dla pięknej Sabiny i jej kuzyna, z którym chodził do jednej klasy i z widzenia znał wielu Żydów, którzy dawniej tu mieszkali i mieli swoje warsztaty lub sklepy. On też twierdzi, że co roku widuje nocą nad osiedlem starego Żyda z długą rozwianą brodą, do złudzenia przypominającego dobrze mu znanego Szulca, ojca Sabiny, właściciela sklepu z półkami uginającymi się od beli wszelkiego koloru, gatunku i grubości wełny, wśród których królowała ta najlepsza, bielska. I właśnie z belą takiej wełny pojawiał się raz w roku nad osiedlem i szybował w okolice dawnych Nalewek, gdzie miał swój sklep i gdzie mieszkał z dwoma córkami, no i żoną, Klarą. Franciszek P. widywał go ze swego okna, które wychodzi na tę właśnie ulicę. Jak utrzymuje, zawsze miało to miejsce późnym wieczorem, mniej więcej o godzinie dwudziestej drugiej, dziesiątego czerwca, w rocznicę tragicznej śmierci Szulca. Zaprzyjaźniony z Franciszkiem czternastoletni Grzesiek, najmłodszy syn Sobiesiaków, słyszał od rodziców, że ów Żyd tylko się Franciszkowi zwiduje. Nie wierzył dorosłym, więc wyczytawszy w Internecie o dziwnych, trudnych do zrozumienia zjawiskach, niedawno zapytał Franciszka czy w tym roku też

Szulc przyleci, a gdy Franciszek to potwierdził, postanowił owego Żyda zobaczyć – z okna mieszkania Franciszka lub z dachu. I właśnie w tym dniu toczyć się będzie ta opowieść. Opowieść o mieszkańcach domu stojącego na osiedlu, nad którym spodziewany jest przelot handlarza materiałami z wełny. Jeszcze trwa noc, a już w jednym z okien zapłonęło światło. Kilka minut wcześniej zgasło przyćmione światło w innym oknie, za którym siedzący dotąd w fotelu Mirosław Wójcik przeniósł się na tapczan, wyłączywszy laptop i nocną lampkę. Ożywione przez niego rury kanalizacyjne i wodne szybko ucichły, ale dały znać o sobie już po kilkunastu minutach, kiedy obudził się Jakub Smuga.

A

Każdy swój dzień zaczynał od prysznica i kawy, a gdy mu sprzyjała wena i pisał powieść lub opowiadanie, puszczał płytę z muzyką poważną, nabijał fajeczkę tytoniem i mając w pamięci ostatni akapit napisanego tekstu, obmyślał następny. Punktualnie o piątej siadał przy biurku i z przerwą na śniadanie, a potem na rozprostowanie kości, pracował osiem, dziewięć godzin. Potem jadł obiad w domu lub w barze, a po nim siadał na ławeczce przed domem albo spacerował po mieście i rozmawiał z sąsiadami bądź z przygodnymi znajomymi, aby usłyszane od nich historie zanotować w domu na luźnych kartkach i odłożyć je na półkę, by czekały na sprzyjający im czas. Dużo przeżył, dużo widział i dużo przemyślał, więc miał o czym pisać. I pisał. To było treścią jego życia i drugą wielką miłością. Pierwsza go zawiodła. Kobieta, którą kochał nad życie, pojechała z córką do Stanów i tam została, poinformowawszy go, że postanowiła się z nim rozstać. Próbował odwieść ją od rozwodu, lecz bezskutecznie, co spowodowało, że popadł w głęboką depresję i dwa razy próbował popełnić samobójstwo. Pozbierał się dopiero po ośmiu latach, gdy porzuciwszy życie na obczyźnie, często na granicy ubóstwa, wspomagane pracą na zmywaku, powrócił do kraju i zaczął się realizować w pisarstwie. W ciągu niespełna dwudziestu lat wydał kilkanaście powieści i zbiorów opowiadań. Dawniej też pisał, ale sporadycznie, na marginesie miłości do Maryli i pasierbicy, bez wiary w swój talent i towarzyszącej każdej autentycznej twórczości potrzeby tworzenia. Teraz tę potrzebę nie tylko odczuwał, ale i uzależnił się od niej. Pisał, bo chciał i musiał, bo nie mógł się obejść bez pisania, bo było mu ono potrzebne jak woda przeznaczonej pod uprawę ziemi, bo kochał pisać, mimo że niekiedy całymi godzinami poszukiwał językowego ekwiwalentu do tego, co chciał wyrazić. W swoich książkach przedstawiał wizje współczesnego świata i ostrzegał czytelników przed niebezpieczeństwami, jakie im zagrażają, toteż miały one zabarwienie pesymistyczne, wychodziły w niewielkich nakładach i nie przysparzały mu popularności. Ale się tym nie zrażał, pisał dalej, między innymi dlatego, że w ostatniej książce pominął jakąś ważną sprawę lub niedostatecznie ją naświetlił. Można zatem powiedzieć, że każda następna książka była uzupełnieniem poprzedniej, a wszystkie składały się na jedną grubą księgę, w której ukazywał paradoksy współczesnego świata, rozpad wartości i jego wpływ na sytuację i zachowanie ludzi. I tak przez dwadzieścia lat żył od książki do książki. One były dla niego najważniejsze, im podporządkował swoje myśli i działania, spychając na dalszy plan życie towarzyskie i intymne. Starzał się i coraz mniej interesowały go kobiety, a koledzy po piórze na ogół przypominali się wtedy, gdy oddawał do druku kolejną powieść czy też zbiór opowiadań i zmęczony pracą, czuł się pusty i jałowy, niezdolny do twórczego myślenia. Wiedział, że tak musi być, że jest to naturalna reakcja organizmu na wielomiesięczny wysiłek umysłowy, więc się tym nie martwił. Wyjeżdżał na tydzień nad morze lub w góry, a potem dużo czytał, odświeżał jakiś dawny romans lub nawiązywał nowy, no i spotykał się z kolegami, rozmawiając z nimi o literaturze i pogłębiającym się kryzysie kultury. Trwało to miesiąc, dwa, najwyżej trzy, aż nie przyszedł mu do głowy pomysł na nową książkę. Ostatnio czekał na niego dłużej. Znacznie dłużej. Zaniepokojony tym szukał natchnienia w muzyce – na ogół poważnej, lecz także jazzowej lub rockowej – i przeczesywał Internet oraz gazety z nadzieją, że znajdzie w nich wydarzenie, na którego kanwie będzie mógł osnuć powieść lub przynajmniej opowiadanie. Niestety, muzyka trafiała mu tylko do ucha, a wydarzenia z Internetu i gazet przelatywały przez głowę, nie zostawiając w niej żadnej twórczej myśli. Odłożone na półkę notatki z rozmów z sąsiadami i przygodnymi znajomymi też go nie inspirowały. Zapisane na kartkach historie w większości były banalne, już wykorzystane w literaturze i serialach telewizyjnych, a te ciekawsze, nad którymi warto było popracować, wymagały przetworzenia, na co nie miał pomysłu. Na nic nie miał pomysłu, na żadne, choćby najmniejsze opowiadanie. Przywykł do wczesnego wstawania, toteż budził się o czwartej rano, brał prysznic i parzył kawę, lecz po wypaleniu fajeczki nie siadał przy biurku, jak to czynił, gdy dopisywała mu wena, lecz wracał na tapczan i patrzył w sufit, a potem z pustką w głowie snuł się po pokoju i coraz bliższy stwierdzenia, że już się wypisał i nic więcej z siebie nie wyciśnie, spoglądał to na wiszącą nad biurkiem fiszkę, to na komódkę, gdzie miał dwa opakowania proszków na sen, odłożone na czarną godzinę. Nie sięgał po nie, bo wciąż miał nadzieję, że przypłynie do niego energia twórcza, która pobudzi wyobraźnię, a ta mu podsunie interesujący temat do książki i pomoże napisać ją tak, żeby okazała się lepsza od jego dotychczasowych książek, przewyższając je bogactwem treści i inną, dotąd nieznaną formą. Mierzył wysoko, zdawał sobie z tego sprawę i liczył się z tym, że może nie sprostać swojej ambicji, ale jak spaść – myślał – to z wysokiej góry, a nie z pagórka. Mijały jednak dni, tygodnie, miesiące, a on wciąż budził się z pustką w głowie i z pustką w głowie zasypiał.

Wszystko już było – usłyszał przy piwie, zapisał na karteczce i opatrzywszy znakiem zapytania, powiesił nad biurkiem słowa, które przez dłuższy czas pobudzały go do przemyśleń i poszukiwań twórczych, aby w końcu stać się swoistym alibi, usprawiedliwiającym jego zastój twórczy. Bo skoro wszystko już było, po co pisać? Twórczość to odkrywanie nowych lądów, to nieustanne parcie do przodu. Człapanie w miejscu, a tym bardziej cofanie się niegodne jest twórcy – myślał chodząc po pokoju. – Musi on kroczyć własną, przez siebie wyznaczoną drogą – konkludował popijając kolejną kawę – ukazywać własne widzenie świata, przeczucia, myśli, wyobrażenia i niepokoje. Tak wyglądała jego dotychczasowa droga, i taką pozostanie, więc gdy się okaże, że naprawdę nie ma nic więcej do powiedzenia, odłoży pióro i zajmie się czym innym. Nie, jeszcze coś napisze, i to nośną, jedyną w swoim rodzaju, najkrótszą w historii powieść, którą zacznie od zapisanych na fiszce słów i na nich rzecz zakończy, na tych trzech słowach: wszystko już było, proponując czytelnikom elektroniczną podróż do zasobów bibliotek. Wykoncypowawszy to kilka dni temu, zachichotał i poszedł do baru uczęszczanego przez kolegów, którzy już dawno się wypisali i szukali pociesznia w piwie, wyrzekając na coraz niższą kulturę rodaków, merkantylizm wydawnictw i wyjaławiające oddziaływanie telewizji i bulwarowych gazet. Ubawili się jego pomysłem, ktoś mu go pozazdrościł, a jego nazajutrz rano coś tknęło, zerknął na wiszącą nad biurkiem fiszkę i zamiast snuć się po mieszkaniu poszedł na dworzec kolejowy i pojechał do Łodzi. Jednak w rodzinnym mieście nie znalazł tego, czego szukał, nie ono go zainspirowało do napisania kolejnej książki, lecz wczorajszy spacer, czyjś nocny krzyk, no i Michał.

Niewiele o nim wie i gdyby go nie zobaczył w windzie i przed domem, do głowy by mu nie przyszło, że od trzech miesięcy jest jego sąsiadem. W windzie znajdowało się kilka osób, a Michał na nikogo nie spojrzał, miał zamyśloną twarz i opuszczony wzrok, a gdy na chwilę go podniósł, powiało od niego przejmującym smutkiem. Dotąd nie nawiązał z nikim znajomości, toteż sąsiedzi mieli go za milczka i odludka. O nim też tak mówiono, dopóki nie usiadł na ławce przed domem i nie wyznał Franciszkowi, że jest pisarzem, że samotność dobrze służy jego twórczości. A co do Michała, to albo ktoś go głęboko zranił, albo sam kogoś skrzywdził i wciąż to przeżywa. W każdym razie musi się z nim zaznajomić i dowiedzieć, co go gnębi.

Podniósł się z fotela i podszedł do biurka, lecz zanim sięgnął po leżący na nim stos zapisanych kartek, spalił fiszkę z paraliżującymi go do wczoraj słowami. Nieważne czy coś było, czy też nie, liczy się, czy to coś zostało ukazane we wszystkich aspektach, sytuacjach i uwarunkowaniach, a że te się zmieniają, więc i to coś się zmienia, w każdym razie w naszych oczach. Sztuka zawsze się zajmowała i będzie zajmować dwoma podstawowymi sprawami, a mianowicie miłością i śmiercią, przedstawiając je w zmiennej rzeczywistości. Odkrywanie nowych lądów to nic innego, tylko spojrzenie na te same sprawy innym okiem, z innej, naszej perspektywy, i to wszystko. Wziął swoje zapiski i powrócił na fotel. Przypomniawszy sobie o wczorajszym krzyku pomyślał, że na nim mógłby oprzeć swoją powieść, ale natychmiast tę myśl porzucił, bo wiodła do kryminału, co ograniczyłoby zakres i ciężar wypowiedzi. Może w jego książce znajdzie się wątek kryminalny, lecz bez odniesienia do nocnego krzyku, który najprawdopodobniej przedarł się przez czyjś sen. Owszem, wspomni o nim, ale tylko wspomni, chyba że się okaże, iż wpłynął na czyjeś zachowanie lub miał związek z czyjąś historią. Dowie się tego od Franciszka, którego przy okazji wypyta o Michała i poprosi o pomoc w nawiązaniu z nim znajomości. Spyta go także o tych współlokatorów, których historie weźmie na warsztat. Położył zapiski na stoliku i poprawiwszy się w fotelu, zaczął je przeglądać i segregować, czerwonym pisakiem znacząc te, których bohaterowie zaludnią jego książkę, a ich sprawy staną się jej tworzywem, podporządkowanym jego zamysłowi, ale i bliskim naturalnemu biegowi rzeczy, bliskim rzeczywistości, bliskim realnemu życiu domu, które się w nim toczy i obejmuje także jego.

Dochodziła piąta, gdy znowu odezwały się rury kanalizacyjne i wodne, a to za sprawą Jadwigi Kupisz, jasnowłosej piękności, która dopiero teraz wróciła do domu. Kilka minut później do plusku wody w jej wannie dołączył warkot rur w mieszkaniu Antoniego Sobisiaka, kierowcy MPO. Po jego wyjściu, w domu zapanowała długa cisza, którą przerwał dopiero zatrudniony w pogotowiu Bronisław Lizak. A potem rury prawie nieprzerwanie szumiały i warczały, zaspakajając potrzeby budzących się bardzo wcześnie starych ludzi, no i tych, którzy wybierali się do pracy, uczelni i szkół czy też do sklepów lub innych miejsc. Wtedy również bardzo często dawała o sobie znać winda, aby po jakimś czasie przyłączyć się do innych odgłosów powszedniego poranka, które z początku rozpoznawalne i przykre dla uszu sąsiadów, szybko zaczęły się zlewać ze sobą, tworząc jednobrzmiący szum, tym znośniejszy, że cichszy od tego z ulicy.

B

Odprowadziwszy męża do drzwi, Małgorzata Sobiesiak wróciła do kuchni, sprzątnęła ze stołu szklankę po kawie i talerz z niedojedzoną kanapką, sięgnęła po czystą kartkę i spisała artykuły, w które musi się zaopatrzyć, żeby uczcić dzisiejszy dzień, no i przygotować się do jutrzejszego. Antoni wie, że będą mieli gości, ale z jakiej okazji, tego mu nie powiedziała. Powie, jak usiądą do uroczystej kolacji i postawi na stole butelkę żubrówki. Antoni bardzo ją lubi, ona też, lecz rzadko i mało pije, tylko dla towarzystwa.

Przechodzi do przedpokoju, zagląda do sypialni, gdzie śpi Grzesiek, jej najmłodszy syn, po czym idzie do stołowego i rozgląda się po podłodze i meblach. Czeka ją dużo roboty. Ale to nic, przywykła do tego, a Antoni jest zadowolony, gdy w domu panuje porządek. Rano nic nie powiedział, tylko ją pocałował, co rzadko robił, ostatnio bardzo rzadko, więc chyba pamięta, jaki dziś dzień.

C1

Kazimierz Rogala, lekarz ze specjalizacją w zakresie chirurgii, całuje w policzek żonę, uprzedzając ją, że wróci dopiero pod wieczór, bo ma trudną operację, a potem godziny przyjęć w poradni.

– Zanosi się na upał – mówi – taki jak wczoraj, więc idź na basen albo weź wóz i pojedź nad Zalew Zegrzyński. Tylko nie jedź sama, zabierz ze sobą Bożenę.

– Bożena ma dzisiaj zaręczyny – informuje go Krystyna.

Życzył Bożenie jak najlepiej, toteż usłyszana wiadomość go ucieszyła, ale i trochę zabolała, czego Krystyna musiała się domyśleć, bo dostrzegł na jej twarzy lekki uśmiech

– Z kim? – pyta z trudem ukrywanym zainteresowaniem.

– Z chłopakiem w jej wieku. Był u niej dwa razy i pani Cecylia go chwali.

– A ona? Kocha go?

– Inaczej by się z nim nie zaręczała.

Kazimierz R. spogląda na zegarek, sięga do kieszeni po kluczyki od samochodu.

– W takim razie zadzwoń po inną koleżankę – mówi – a jeśli pojedziesz sama, uważaj na siebie i trzymaj się blisko ludzi, żeby nikt ci nie zrobił krzywdy.

Wręczywszy żonie kluczyki, poszedł na przystanek autobusowy. W pobliżu przystanku natknął się na Bożenę. Był zaskoczony jej widokiem, bo o tej porze nigdy jej nie widział; nie chodziła do pracy, poranki i przedpołudnia spędzała w domu, pomagając matce w krawiectwie. Teraz gdzieś spieszyła, twarz miała zmęczoną, podkrążone oczy, co oznaczało, że się nie wyspała. Przypomniawszy sobie nocny krzyk, pomyślał, że to on zakłócił jej sen, lecz gdy o nim wspomniał, Bożena wykonała niewyraźny gest i oznajmiła, że przyjdzie do niego do szpitala, bo musi z nim porozmawiać. Nie było mu to na rękę, miał zaplanowaną operację i dwie asysty, a ponadto czekały go inne obowiązki, toteż chciał przełożyć ich rozmowę na inny dzień, ale nadjechał jego autobus i zdążył tylko powiedzieć, żeby najpierw do niego zadzwoniła. O czekającym Bożenę zaręczynach i jej narzeczonym nie rozmawiali. Porozmawiają, gdy do niego przyjdzie.

D1

Stefan Nowak, którego nocny krzyk wyzwolił z sennego koszmaru, obudził się wcześniej niż chciał, więc po powrocie z łazienki próbował z powrotem zasnąć, a że nie pozwalała mu na to nadawana przez radio muzyka, dochodząca z mieszkania sąsiada, zaparzył kawę i usiadł przy biurku, na którym leżał spory stosik kartek ze sprawdzianem. Zadał uczniom kilka pytań, na które otrzymał żenujące odpowiedzi. W pisemnych pracach domowych wykazywali sporą wiedzę, a w sprawdzianach się kompromitowali. Pewnie dlatego, że prace domowe pisali z pomocą rodziców lub Wikipedii, zaś przy pisaniu sprawdzianu mogli liczyć wyłącznie na siebie. Jak mogą nie znać daty uchwalenia Konstytucji 3 Maja, nie mówiąc już o sytuacji, w jakiej została uchwalona, i o osobach, które ją przygotowały. Niewiele wiedzą o powstaniach, a o I wojnie światowej na ogół tylko to, że dała Polsce niepodległość. I że stało się to z pomocą Matki Boskiej, która swymi szatami osłoniła walczącą nad Wisłą armię. Kto im to powiedział? Pewnie siostra katechetka, nikt inny. Takie bajeczki dobre są dla przedszkolaków, a nie uczniów gimnazjum. Przyczyny wybuchu wojny i jej wpływ na losy Rosji i Niemiec opisał w dużym skrócie tylko jeden uczeń. Pozostali nic na ten temat nie napisali. Może źle sformułował pytanie? Nie, dobrze je sformułował. *Co wiesz o I wojnie światowej?* I otrzymał odpowiedzi, jakże bolesne dla pedagoga. Nic o niej nie wiedzą, choć poświęcił jej dwie godziny lekcyjne. II wojnę światową też będzie omawiał, i to we wszystkich klasach, bo wybiera się z uczniami do Krakowa, a potem do Oświęcimia, żeby im unaocznić zimne okrucieństwo hitlerowców i losy ludzi przewiezionych do obozu koncentracyjnego. To będzie dodatkowa lekcja z historii, dzieciaki na pewno ją zapamiętają. On ją odbył, gdy miał dwanaście lat. Widział wtedy baraki z piętrowymi pryczami, komory gazowe, krematoria, stosy włosów, okularów i butów. Zamordowano tam ponad milion osób, niektórzy historycy utrzymują, że dużo więcej, dwa, trzy, cztery miliony, w ogromnej większości Żydów, unicestwianych w ramach opracowanego przez Himmlera planu „ostatecznego rozwiązania kwestii żydowskiej". Stali cierpliwie w kolejce przekonani, że będą się mogli umyć, a z sitek natryskowych zamiast wody, spłynął śmiercionośny gaz. Śniły mu się potem te komory, jak również rampa kolejowa i marsze ku śmierci. Ostatnio też mu się te marsze śniły, pewnie dlatego, że postanowił ponownie pojechać do Oświęcimia, tym razem z dzieciakami. Najpierw pokaże im Wawel i inne zabytki Krakowa, potem zabierze ich do obozu w Auschwitz. Co on im tam powie? Nic nie będzie mówił, po obozie śmierci oprowadzi ich przewodnik. Jak dzieciaki to przeżyją? Czy tak jak on? Chyba nie. Kino, telewizja i Internet oswoiły je z okrucieństwem i śmiercią. Będą poruszeni, ale z pewnością nie tak jak kiedyś on i jego rówieśnicy. To inna młodzież, mniej wrażliwa, mniej empatyczna, no i zobojętniała na przeszłość. Dobrze zrobił, że wyprawę do Krakowa rozszerzył o Oświęcim. I dobrze, że poprzedzi ją lekcją poświęconą ostatniej wojnie i jej ofiarom. Nie chodzi mu o to, żeby uczniowie nie mogli potem zasnąć, co zresztą im nie grozi, ale o to, żeby zdali sobie sprawę z ogromu zła wyrządzonego przez nazistów owładniętych ideą wyższości rasowej. I właśnie to będzie miał na uwadze na lekcjach poświęconych II wojnie światowej. W swojej klasie już tę lekcję miał, lecz musi ją powtórzyć, bo nie przebiegła tak, jak ją zaplanował. Mówiąc o II wojnie światowej stwierdził, że największe straty poniosła w niej ludność cywilna, której Niemcy nie oszczędzali, co spowodowało, że zginęło kilkanaście razy więcej cywilów niż żołnierzy. I chciał ten wątek rozwinąć, gdy odezwał się Włodarczyk:

– Amerykanie też nie oszczędzali cywilów. Inaczej nie zrzuciliby atomówek na miasta japońskie.

– Chcieli zmusić Japonię do kapitulacji – wyjaśnił.

– Nie musieli, mogli poczekać, Japończycy i tak by się poddali.

– Ale wtedy Amerykanie nie sprawdziliby działania atomówki – zauważył inny uczeń, Krawczyk.

– To fakt – przyznał Włodarczyk z ironicznym uśmieszkiem. – Musieli się przekonać, ile osób potrafi wyeliminować jedna niewielka bombka. I co zniszczy, jakie ślady pozostawi po sobie.

– Dobrze, że Amerykanie pierwsi ją skonstruowali, bo gdyby Niemcom się to udało, nie byłoby nas na świecie.

– Jakim świecie! Ten, co jest, wcale mi się nie podoba. Myślałem, że nie będzie więcej wojen, a zaledwie zakończyła się ta z Niemcami i Japończykami, zaczęła się wojna w Korei, potem w Wietnamie, Indonezji i Laosie, potem w Ruandzie i w innych miejscach. A teraz trwa na Bliskim Wschodzie, w Iraku i Afganistanie.

– To islamscy terroryści są za nie odpowiedzialni – powiedział, włączając się do rozmowy uczniów – bo opanowali kilka samolotów pasażerskich i rozbili je o nowojorskie wieże.

– I polując na tych terrorystów – zareplikował Włodarzyk – zabija się niewinnych ludzi. Dla Niemców nasi partyzanci też byli terrorystami, bo wysadzali pociągi i organizowali zamachy na hitlerowców.

– Nasi partyzanci wysadzali pociągi z amunicją, a nie budynki z ludźmi, jak Al Kaida – zauważył. – Nie można ich zrównywać. To nieuczciwe.

– On tak mówi – powiedział Krawczyk – bo poznał mahometankę i się w niej zakochał.

Włodarczyk się zmieszał, opuścił głowę, ale zaraz ją podniósł.

– Amerykanom chodzi o panowanie nad źródłami ropy naftowej – powiedział – rynki zbytu dla swoich towarów i zaszczepienie demokracji opartej na kulcie pieniądza i wartościach, które niszczą tradycje i każą ludziom żyć według obcych wzorów.

Zaskoczyły go słowa Włodarczyka. Nie spodziewał się po niespełna piętnastoletnim chłopaku tak krytycznej i w zasadzie celnej oceny polityki amerykańskiej.

– A wojny – kontynuował Włodarczyk, jakby to on był nauczycielem i prowadził lekcję z najnowszej historii – zawsze się gdzieś toczyły i będą się toczyć, bo są nimi zainteresowani ci, co produkują broń i ci, co nią handlują, a także ci, co chcą zdobyć lub utrzymać władzę. Czy to was nie wkurza! Bo mnie tak. Wkurza mnie wiele rzeczy, między innymi to, że jedni zarabiają miliony i opływają w luksusy, a inni giną na wojnach, umierają z głodu lub egzystują w skrajnej nędzy.

– Tych co głodują jest coraz mniej – stwierdził – a ci z milionami napędzają gospodarkę.

– Niekoniecznie, a jeśli już, to we własnym interesie i tak jak chcą. Oni rządzą światem i od nich zależy, jak żyjemy i będziemy żyć.

– Nie od nich, tylko od nas samych – powiedział.

– I od Boga – rzucił któryś z uczniów. – A ci, którzy nami rządzą, muszą się liczyć z opinią publiczną.

– Opinię publiczną mają w nosie – odpowiedział Włodarczyk. – A tych, którzy się im sprzeciwią, przekupują lub niszczą. Trudno w takim świecie żyć. No bo jak? – rozglądnął się po klasie i spojrzał na niego z wyrazem rozgoryczenia na twarzy. – Niech pan powie, jak!

– Tak, żeby nie było wojen – odparł jak typowy belfer, mentorskim tonem, choć postanowił, że przynajmniej w rozmowach z uczniami swojej klasy będzie go unikał – żeby ludzie nie umierali z głodu i żeby na świecie zapanowała sprawiedliwość.

Uśmieszki i szepty uczniów dały mu do zrozumienia, że udzielona Włodarczykowi odpowiedź nie przekonała ich, co więcej, wydała się im naiwna i podważyła autorytet, jakim się u nich cieszył. Oglądają przecież telewizję i dobrze wiedzą, co się dzieje na świecie i co może spotkać tego, który chciałby go zmienić na lepszy.

– Jeszcze o tym porozmawiamy – powiedział skonfundowany reakcją klasy – na najbliższej lekcji wychowawczej.

Ale na tejże lekcji rozmawiali o czym innym, o współżyciu seksualnym i narkotykach, a to na polecenie dyrektora szkoły, gdyż kolejna uczennica zaszła w ciążę, a policja zatrzymała przed szkołą dealera.

– Podobno chciałeś kupić narkotyk – zwrócił się do Włodarczyka, którego policjanci wylegitymowali.

– Inni kupowali, więc i ja chciałem.

– Po co?

– Żeby wiedzieć, jak wtedy jest?

– Jest inaczej, ale tylko przez pewien czas.

– I właśnie o to chodzi, o to inaczej.

– Ono nie zawsze jest miłe, a jak trwa, można narobić głupstw, których potem się żałuje.

– Skąd pan wie?

– Jak byłem studentem, to się tym interesowałem, a ponadto sam brałem.

– Co?

– Trawkę, ale tylko dwa czy trzy razy. Potem powiedziałem jej stop, bo nie chciałem się uzależnić.

– Trawka nie uzależnia.

– Może nie fizycznie, ale psychicznie na pewno. A jeśli idzie o twarde narkotyki...

– Amfa daje kopa – stwierdził siedzący obok Włodarczyka Walczak.

– Ekstazy też.

– Próbowałeś? – zapytał.

Walczak nie odpowiedział, opuścił głowę.

– Wierzcie mi, nie warto próbować, bo narkotyki naprawdę uzależniają i niszczą organizm. Ponadto biją po kieszeni i sprawiają, że ci, co tak się od nich uzależnili, że muszą je brać, a nie mają pieniędzy, zaczynają kraść lub się prostytuują, co dotyczy głównie dziewcząt.

– Dziewczyny nie tylko dla drag się puszczają – zauważył Włodarczyk.

– A dla czego jeszcze?

– Dla atrakcyjnych ciuchów, żeby wyglądać lepiej niż koleżanki i zaimponować chłopakom.

– Mnie chodzi o te, które biorą.

– Mało jest takich, a jeśli są, ma pan rację, dla działki wszystko zrobią, czego tylko facet zażąda, nawet najobrzydliwszy staruch.

– Ano właśnie, takie są skutki uzależnienia. Dotyka ono nie tylko psychiki, ale i organizmu, który o kolejną dawkę narkotyku dopomina się bólem głowy, serca lub wątroby.

– Uzależniają się tylko ludzie o słabym charakterze.

– Na studiach miałem kolegę, który też tak mówił. Zaczął od trawki, potem brał LSD, kompot i jeszcze coś, aż któryś z narkotyków przedawkował i facet znalazł się w szpitalu, gdzie musiano go odtruć.

– I odechciało mu się brać, co?

– Tak, bo poszedł na odwyk.

– Jak mój kuzyn, który od tej pory już nie ćpa, pięć lat.

– Kolega, o którym wspomniałem, wytrzymał tylko dwa lata. Potem znowu zaczął ćpać, znowu przedawkował, ale do szpitala już się nie dostał, trafił do piachu.

W klasie zapanowała głęboka cisza. Stwierdziwszy, że w wystarczającym stopniu uzmysłowił uczniom niebezpieczeństwo grożące im ze strony narkotyków, przeszedł do drugiej zleconej mu przez dyrektora sprawy.

– Jak się czuje Bronka? – zwrócił się do Czesi Lisieckiej,

– Ta z trzeciej klasy, co spodziewa się dziecka, tak?

– Tak.

– Widziałam ją dzisiaj, ale z nią nie rozmawiałam.

– Ja z nią rozmawiałam – odezwała się Grażyna Bednarek. – Jest w szóstym miesiącu i za trzy miesiące będzie mamą. Chciała iść na zabieg, ale się rozmyśliła i wcale tego nie żałuje.

– Ja na jej miejscu poszłabym na skrobankę – powiedziała Czesia.

– W szóstym miesiącu!

– Nie, w drugim lub trzecim.

– I pozbawiłabyś życia swojego dziecka!

– Wtedy nie byłoby to jeszcze dziecko.

– A co?

– Dwu- czy też trzymiesięczny embrion, jeszcze nie człowiek.

– Właśnie, że człowiek. Tak stanowi Kościół i prawo.

– Dawniej nasze prawo inaczej na to patrzyło i kobiety nie musiały jeździć na zabieg do innych krajów, prawda, proszę pana?

Zamyślił się, toteż nie usłyszawszy ostatnich słów Bożeny, nie zareagował na nie.

– Dawniej zabiegi były u nas legalne i lekarze chętnie ich dokonywali – powiedziała Bożena wpatrując się w niego.

– Bardzo chętnie – przyznał – bo na nich dobrze zarabiali. Tyle że niektórzy dokonywali ich niestarannie, narażając swoje pacjentki na komplikacje, niekiedy na bezpłodność.

– Nie słyszałam, żeby taki zabieg mógł być powodem bezpłodności kobiet. Jedna z koleżanek mojej mamy urodziła potem dwoje dzieci, druga czworo.

– A moja ciotka nie może mieć żadnego – powiedziała Grażyna – i rozgląda się za dzieckiem do adopcji, najchętniej noworodkiem.

– Może Bronka odda jej swoje?

– Co ty! Bronka swojego dziecka nikomu nie odda. Sama je wychowa.

– Bez męża? Przecież jej chłopak się z nią nie ożeni. Zabawił się z nią, był jej pierwszym i jedynym chłopcem, a nie chce się przyznać do ojcostwa.

– Pętak.

– Jasne, że pętak. Ale ona też jest winna. Nie powinna się zabawiać bez gumki.

– On powinien o to zadbać – powiedziała któraś z uczennic.

– Ona też.

Chłopcy zachichotali.

– Słyszycie, chłopaki – zwrócił się do kolegów Włodarczyk, nie przestając się śmiać. – Jak wybieracie się na randkę, zabierzcie ze sobą gumkę. To pierwsze przykazanie dla prawiczków, i nie tylko ich. Dalsze podam po lekcjach. Teraz jeszcze powiem, żebyście się nie bali dziewczyn, bo was nie zjedzą, a od oglądania w Internecie nagich babek można dostać odcisków na rękach.

Chłopcy znowu się zaśmiali, tym razem wstydliwie, niektórzy machinalnie zerknęli na swoje dłonie.

– Jest to ostrzeżenie głównie dla prawiczków – ciągnął Włodarczyk. – A wiem, że jest ich u nas sporo. Z dziewczynami jest odwrotnie, niewiele wśród nich dziewic, prawie wszystkie swój pierwszy raz już zaliczyły.

– Nie wygaduj głupstw – zawołała Grażyna do Walczaka. – Co ty o nas wiesz! Robisz z siebie Casanovę i mówisz, że spałeś z kilkunastoma dziewczynami, a jak któraś z nas cię dotknie, odskakujesz jak oparzony.

Włodarczykowi zrzedła mina. Nie wiedząc, co odpowiedzieć Grażynie, rozglądnął się po twarzach kolegów.

– Faktycznie tak jest – stwierdził Walczak – ale to dlatego, że szybko się rozpala i boi, że się zapomni i dorwie się do dziewczyny na oczach innych.

Stefan Nowak spojrzał na zegarek i stwierdziwszy, że do końca lekcji pozostało niewiele czasu, a on zaledwie dotknął sprawy i nie przekazał tego, co chciał, powiedział:

– Czesia i Walczak mają rację, w intymnych kontaktach powinniście się zabezpieczać. A swoją drogą rozpoczynacie je za wcześnie. Grubo za wcześnie.

– A pan kiedy je rozpoczął? – zapytał Włodarczyk.

– Na studiach, z dziewczyną, z którą się później ożeniłem.

– Ale się pan rozwiódł.

– Tak wyszło.

– Dlaczego?

– Nie żądajcie ode mnie zwierzeń. To poważna i skomplikowana sprawa, mogą ją zrozumieć tylko dorośli, którzy lepiej niż wy znają życie i z własnego doświadczenia wiedzą, czym jest małżeństwo i co może mu zagrozić.

Uczniowie słuchali go z wyjątkową uwagą, więc mówił dalej:

– Najważniejszą rzeczą w życiu jest miłość, więc ją szanujcie i nie niszczcie jej tymi sprawami, jak wy to nazywacie. Dziewictwo to żaden wstyd, wprost przeciwnie.

– Na Zachodzie jest teraz w modzie – zauważyła Grażyna.

– W modzie czy nie, nieważne. Cnota to skarb, który powinniście powierzyć temu, którego naprawdę pokochacie i który jest go wart. A znaleźć takiego i właściwie ocenić będziecie mogły dopiero wtedy, kiedy dojrzejecie i, wybaczcie, nabierzecie rozumu.

Dotąd słuchające go z uwagą dziewczęta obruszyły się i odwróciły od niego wzrok, toteż szybko dodał:

– Jeśli moje rady macie w nosie, pomyślcie o Bronce i jej nieodpowiedzialnym chłopaku, na którego Bronka nie powinna nawet spojrzeć. Bierze roczny urlop i spotkacie się w tej samej klasie, więc już teraz się z nią zakolegujcie i nie pozwólcie, żeby się z niej naśmiewano.

Rozległ się dzwonek, po którym na korytarzu szkolnym rozbrzmiały krzyki, odpędzając myśli, jakie pod koniec lekcji zaczęły mu chodzić po głowie i wywoływać złe wspomnienia.

D2

W przeciwieństwie do Stefana Nowaka, Anna Kozioł zareagowała na nocny krzyk emocjonalnie, gdyż przeszkodził jej w spotkaniu z wymarzonym mężczyzną. Potem we śnie, w który z powrotem zapadła, szukała pełnego rozkwitłych drzew ogrodu, lecz gdy go odnalazła i znajomą ścieżką skierowała się z bijącym sercem w stronę oplecionej winoroślami altany, nie zastała w niej ukochanego. Czekał na nią, była tego pewna, a że długo nie nadchodziła, to sobie poszedł. Może jutro się z nim zobaczy. Wie, jak wygląda, więc z pewnością go rozpozna. Szczupły, średniego wzrostu, miał na sobie beżową, dobrze skrojoną marynarkę i jaśniejsze od niej spodnie. Twarzy nie widziała, był za daleko, ona zaś zbyt nieśmiała, żeby się do niego zbliżyć. Pewnie w końcu by się na to zdecydowała, ale się odwrócił i zniknął w altance. Chyba ma piwne oczy, wąski nos i mięsiste usta. Tak sądzi, lecz nie jest tego pewna.

Nie podnosząc się z rozłożonej na noc wersalki, zerknęła na leżący na podłodze romans. Lubi takie książki, bo na ogół kończą się dobrze, a nie jak w życiu, w którym rzadko zwycięża miłość. Dużo na ten temat słyszała od koleżanek z pracy, Opowiadała im przeczytane romanse, a one ciężko wzdychały i mówiły, co same lub ich przyjaciółki przeżyły, jakie krzywdy i upokorzenia spotkały je ze strony mężczyzn. Chodzi im o seks – twierdziły – on jest dla nich najważniejszy, A przecież miłość to przede wszystkim wzajemne zrozumienie, troskliwość i czułość. Podziela ich zdanie. Nie ma nic przeciwko seksowi, ale bez uczucia niewiele jest wart, a sprowadzona do niego miłość jest jak zapałka, szybko się zapala i szybko gaśnie. Katarzyna uważa, że takie miłości ubarwiają życie, ale nie ma racji. Różnią się w poglądach na wiele spraw. a mimo to są przyjaciółkami i dużo ze sobą rozmawiają. I to jej, a nie koleżankom z pracy zwierzyła się ze swych wczesnych przeżyć. Ale nie wszystko jej powiedziała, nie to, co wciąż ją boli i jest wstydliwą raną, której nie chce rozdrapywać

Miała pięć lat, gdy wujek Roman przyniósł jej lalkę, wziął na kolana, pogłaskał po włosach i dotknął tam, gdzie nie powinien. Lubiła go, więc nie miała mu tego za złe, bo ojciec, którego kochała, też tam dotykał, jak ją kąpał. Wujek jeszcze dwa czy trzy razy to zrobił, a ojciec zaniechał tego, kiedy zaczęła chodzić do szkoły i sama się kąpała. Była nad wiek rozwiniętą dziewczynką, toteż wcześniej niż u koleżanek z klasy zaczęły jej rosnąć piersi. Najpierw poinformowała o tym mamę, potem ojca, który poprosił ją, żeby mu je pokazała. Prosił o to jeszcze kilka razy, by sprawdzić, czy wciąż rosną. Mama o tym nie wiedziała, a kiedy ich zobaczyła, skrzyczała i ją, i ojca. Jej zarzuciła brak wstydu, a jemu niezdrową ciekawość. Od tej pory mógł oglądać jej piersi tylko przez bluzkę. Bez bluzki zobaczyły je w łazience koleżanki z klasy, o czym natychmiast dowiedzieli się chłopcy i przeszywając wzrokiem materiał bluzki chcieli ich dotknąć, za co dostawali od niej po łapach. Dotknięcia zarezerwowała dla ojca, który rzadko z tego prawa korzystał, bo bał się reakcji mamy. Lecz gdy ta pojechała na kilkudniowe szkolenie, nie tylko dotknął jej piersi, ale i pupy, a w nocy przyszedł do jej pokoju i całą ją dotykał. Nie powinna mu na to pozwolić, jednak pozwoliła, bo było jej przyjemnie. Wtedy też nagle poczuła ból. Kiedy uświadomiła sobie, co się stało, rozpłakała się. Straciła dziewictwo. Nie wiedziała, że tak się to skończy. To wina ojca – pomyślała – ale jej również, bo chciała, żeby ją dotykał. Zanosząc się płaczem ukryła twarz pod kołdrą.

– Przykro mi, Aniu, że do tego doszło – powiedział ojciec. – Bardzo mi przykro, córeczko – powtórzył ze skruchą. – Nie mów o tym mamie. Będę ci kupował wszystko, czego zapragniesz, tylko jej nie mów. Więcej tego nie zrobię.

Ale zrobił, nie następnego dnia, kiedy wrócił do domu późno w nocy, tak pijany, że nawet na nią nie spojrzał, poszedł do sypialni, zwalił się na tapczan i od razu zasnął, ale dwa dni później, gdy wrócił tylko lekko podpity. Wręczył jej pudełko czekoladek, wyciągnął z barku butelkę z wódką i przesiedział przy niej godzinę czy dłużej, po czym przyszedł do niej i płacząc zaczął ją przepraszać i całować. Cuchnął wódką, lecz jego płacz ją wzruszył, a pocałunki i dotknięcia tak były przyjemne, że choć obiecała sobie, że do tego więcej nie dopuści, pozwoliła mu, żeby znowu to zrobił. Też ją zabolało, ale już nie tak jak za pierwszym razem. Nazajutrz jedna z koleżanek z klasy pochwaliła się jej, że straciła cnotę z chłopakiem z liceum. Była z tego powodu dumna, a ją, która też miała to za sobą, gryzły wyrzuty, bo zrobiła to z ojcem. Przyniesione do szkoły pudełko z czekoladkami machinalnie wręczyła koleżance, życząc jej szczęśliwych dni z licealistą. Tego dnia mama miała wrócić z kursu szkoleniowego. Przejęta tym, wyszła ze szkoły w papciach, narażając się na kpiny ze strony koleżanek, a w sklepie, gdzie dokonała zakupów na kolację, potrąciła wózkiem jedną z półek, tłukąc kilka słoików z majonezem i musztardą, Mama już była w domu, ale był też ojciec, który spostrzegłszy, że zmieszała się na widok matki i przywitała się z nią bez słowa, posłał ją do sklepu po wędzonego łososia do zakupionego wcześniej szampana, a gdy po godzinie wróciła, kazał jej zająć się przygotowaniem kolacji. Nie zasiadła do stołu, tłumacząc to brakiem apetytu i koniecznością przygotowania się do lekcji. Dzięki temu mama nie zauważyła jej zakłopotania i nie zapytała o jego przyczynę. Opuściła swój pokój, kiedy rodzice zjedli kolację i z niedopitym szampanem poszli do sypialni. Zebrawszy ze stołu sztućce i talerze, zaniosła je do kuchni i zaczęła zmywać. Kuchnia sąsiadowała z sypialnią i była od niej oddzielona cienką ścianką, toteż słyszała miłosne słowa rodziców i towarzyszące im odgłosy. Poczuła wtedy zazdrość, potem żal do ojca i wstyd. Wróciła do swego pokoju i płacząc wtuliła twarz w poduszkę. Kochała się z mężem matki i swoim ojcem. Prosił ją, żeby utrzymała to w tajemnicy, więc gdy następnego dnia matka zapytała, jak w czasie jej nieobecności prowadził się ojciec, powiedziała, ze wszystkie wieczory spędził w domu, oglądając telewizję, a jeśli pił, to z tęsknoty za nią. Matka chciała jeszcze o coś zapytać, lecz ona szybko się odwróciła i poszła do swego pokoju, żeby odrobić zadane do domu lekcje. Tak powiedziała, ale nie o to jej chodziło, bo mimo że otworzyła książkę, nie o zapisanym w niej tekście myślała, tylko o matce i ojcu. Miała przed oczami ich twarze, jak i splecione w uścisku ciała, które przed rokiem ujrzała przez uchylone drzwi. W nocy również o nich myślała, a gdy wreszcie zasnęła, po trzech godzinach wyrwał ją ze snu koszmar, po którym zasnęła dopiero nad ranem. Na ojca mogła patrzeć, choć nie zawsze – nie wtedy, gdy pomyślała o jego pierwszym wtargnięciu w jej ciało – a na matkę tylko wówczas, kiedy ta tego nie widziała. Przedtem chętnie prowadziła z nią długie rozmowy, teraz ich unikała. Unikała też jej wzroku, a gdy ich spojrzenia spotykały się, opuszczała lub odwracała głowę. Mama to zauważyła. Dostrzegła również, że zmizerniała i ma podkowy pod oczami. To dlatego, że mało sypiam, powiedziała mamie i za jej radą zaczęła brać przed snem letnią kąpiel i pić mleko, lecz to nie poskutkowało. Zasypiała późno w nocy i po trzech lub czterech godzinach budziła się, wyrwana ze snu koszmarem. Ale najgorsze dopiero ją czekało. Po jakimś czasie zaczęła miewać mdłości oraz bóle głowy, a ponadto przestała miesiączkować. Poskarżyła się matce. Ta kazała jej poczekać jeszcze dwa tygodnie, po czym poszła z nią do ginekologa, który ją zbadał i stwierdził ponad dwumiesięczną ciążę. Matka osłupiała. Jej czternastoletnia córeczka, jedyne dziecko, ulubienica taty, zaszła w ciążę.Patrzyła na nią szeroko otwartymi oczami, a ona leżała w fotelu ginekologicznym z wysoko podwiniętą spódniczką i nie miała sił ją opuścić. Słyszała od koleżanek, co znaczy być w ciąży, wiedziała, że kiedyś w nią zajdzie, ale z ukochanym chłopcem, po ślubie, a nie teraz, w dodatku z ojcem.

– Jest pan tego pewny? – spytała matka.

– W stu procentach – odpowiedział lekarz.

Z pomocą lekarza podniosła się z fotela i z pochyloną głową, na glinianych nogach powróciła z matką do domu, gdzie zamknęła się w swoim pokoju i nie chciała rozmawiać ani z mamą, ani tym bardziej z ojcem, który tego dnia wrócił z pracy wcześniej niż dotąd i otwierając im drzwi spojrzał na nie wyczekująco, jakby wiedział, gdzie były i chciał jak najszybciej usłyszeć, co mają mu do zakomunikowania. Obiecała ojcu, że nie zdradzi matce, że się kochali. Ale w tej sytuacji będzie musiała to zrobić, bo co powie mamie, gdy ta ją zapyta, z kim zaszła w ciążę. Dotąd ją o to nie pytała. Zdruzgotana diagnozą lekarza matka opuściła jego gabinet w ciężkim milczeniu, w którym trwała aż do powrotu do domu, gdzie kazała jej usiąść, spytała ojca, jak się czuje, po czym poszła do kuchni zaparzyć dwie kawy, dla siebie i ojca, i herbatę dla niej.

Tymczasem ona zamiast usiąść przy stole, udała się do swojego pokoju. Nie chciała rozmawiać z mamą, bała się jej wiszącego w powietrzu pytania. Szkoda, że nie ma drag, w tej chwili by się jej przydały. Odleciałaby w inną rzeczywistość i nie musiała myśleć o ciąży i czekającej ją rozmowie z matką. Tylko że od tego nie ucieknie. Zamknęła drzwi na klucz, więc dziś matka da jej spokój, lecz jutro nie uniknie jej widoku i pytań. Ojciec pewnie już wszystko wie i jutro, z samego rana prawdopodobnie przyjdzie do niej i będzie ją błagał, aby go nie wydała. Kocha ojca i wszystko by dla niego zrobiła, ale w tym przypadku...

– Córeczko, dlaczego się zamknęłaś? – usłyszała głos matki, a wcześniej pukanie do drzwi. – Chcę z tobą porozmawiać.

– Nie teraz, jutro porozmawiamy.

– A dlaczego nie teraz?

– Źle się czuję.

– Co ci jest?

– Nic groźnego, jestem osłabiona i chce mi się spać.

– To wyśpij się, a my z ojcem zastanowimy się nad twoją sytuacją. Bardzo cię kochamy i zrobimy wszystko, żeby ci pomóc.

Jak mogą jej pomóc, w czym? Nosi w sobie dziecko ojca. Wprawdzie lekarz mówił, że to tylko dwumiesięczny embrion, ale za miesiąc stanie się płodem, który z czasem przybierze kształt dziecka i tak się rozwinie, że będzie musiała wydać go na świat. Słyszała, że dziecko ze związku ojca z córką najczęściej jest ułomne. Nie chce takiego mieć. W ogóle nie chce dziecka, jest na to za młoda. Jak powie matce, że zaszła w ciążę z ojcem, matka ją wyklnie, a ojca wyrzuci z domu i poda do sądu. Co ona powinna zrobić? Chyba się powiesi albo wyskoczy przez okno. Nie, lepiej coś zażyć. Ma jeden listek nitrazepamu, to za mało. Ale mama ma dwa, a i ojciec coś dostał na uspokojenie. Wszystkie prochy są w apteczce, w nocy je wyciągnie i połknie. To jedyne wyjście, innego nie widzi.

– Aniu, otwórz drzwi, bo je wyważę! – doszedł ją głos ojca.

– Chcę byś sama.

– Wiem, rozumiem, ale przynajmniej wyciągnij klucz z zamka, żebym mógł użyć swojego.

– Po co?

– Boję się, że coś sobie zrobisz.

– Już śpię.

– To wstań i pofatyguj się do drzwi, bardzo cię proszę. Podeszła do drzwi i wyciągnęła klucz z zamka, w który ojciec natychmiast włożył swój i przekręciwszy go, uchylił drzwi, zaglądając do pokoju. Twarz miał postarzałą o kilka lat, w oczach strach.

– Widzę, że jeszcze nie śpisz – stwierdził.

– Zaraz się położę – powiedziała.

– Będę spał w stołowym na kanapie i pilnował, żebyś nie zrobiła jakiegoś głupstwa. Wiem, czym się martwisz, mnie też to martwi i przeraża, ale porozmawiamy o tym jutro rano, albo w nocy, jak nie będziesz mogła zasnąć. Wtedy ci powiem, co powinnaś zrobić.

– Co powinna zrobić? – odezwała się matka zza pleców ojca. – Przecież jeszcze o tym nie rozmawialiśmy.

– To porozmawiamy – powiedział ojciec i zamknął drzwi.

Ojciec będzie spał w stołowym, może po to, żeby w nocy lub wczesnym ranem przyjść do niej i powiedzieć, co ma zrobić. Nie musi jej tego mówić, sama wie. Powie mamie, że kochała się z kolegą ze szkoły, tylko jeden raz i z własnej inicjatywy, żeby pozbyć się dziewictwa, jak inne koleżanki z jej klasy, a jak mama każe jej podać jego nazwisko, powie, że go nie zdradzi, bo jest niewinny i pewnie nie zechce się z nią ożenić. Później, po szkole zakomunikuje matce, że rozmawiała z nim na ten temat, i że on ją skrzyczał, a potem powiedział, że sama tego chciała, więc sama musi sobie poradzić, bo on ani myśli się z nią ożenić, jest na to za młody. To najlepsze wyjście, nie musi szukać innego. Uspokojona tym, połknęła dwa nitrazepamy i położyła się spać.

Ostry dzwonek budzika wyrwał Annę z zamyślenia. Podniosła się z wersalki, poszła do łazienki i przejrzawszy się w lustrze, lekko podczerniła brwi i rzęsy, po czym sięgnęła po pomadkę, którą niedawno kupiła. Ponadto wyciągnęła z szafy i założyła dawno nie noszoną seledynową bluzkę, w której, jak stwierdziła mieszkająca w tym samym domu Katarzyna, było jej do twarzy. Chciała do niej zajść, lecz zerknąwszy na zegarek, odłożyła to na popołudnie. Zresztą nie musi zasięgać opinii Katarzyny, koleżanki z pracy ocenią jej wygląd.

– Pięknie pani wygląda – usłyszała w windzie, gdy ta zatrzymała się na szóstym piętrze i wsiadł do niej mężczyzna, na którego widok zabiło jej serce, gdyż z sylwetki i ubioru przypominał mężczyznę ze snu, i choć po chwili rozpoznała w nim nauczyciela historii, ucieszyła się, bo ten, który do tej pory nie zwracał na nią uwagi, wpatrzył się w nią z zainteresowaniem, uśmiechnął się i powiedziawszy jej to, czego od dawna nie słyszała, podjął z nią rozmowę.

D1

Stefan Nowak odprowadził wzrokiem autobus, uśmiechnął się do siebie i raźnym krokiem ruszył w stronę szkoły. Zapowiadał się kolejny pogodny dzień, dla niego tym radośniejszy, że opromieniony nie tylko słońcem, ale i nadzieją. Dziewczyna, która już dawno wpadła mu w oko i stała się obiektem jego zainteresowania, lecz z uwagi na dużą różnicę wieku, nie śmiał się z nim zmierzyć, nie tylko wdała się z nim w rozmowę i pozwoliła odprowadzić na przystanek autobusowy, ale i umówiła się z nim na kawę. Koniec z samotnością, czas rozpocząć nowe życie, z ludźmi, a nie obok nich, jak dotąd. Anna jest młodsza od niego o blisko dwadzieścia lat, jednak nie wyczuł, żeby to jej przeszkadzało, rozmawiała z nim jak z kolegą, a przynajmniej dobrym znajomym. To im dobrze wróży. Zapoczątkowaną dziś znajomość pogłębią, zbliżą się do siebie i zaprzyjaźnią, a potem – czas pokaże. Jak na żonę, jest dla niego za młoda, chociaż niekoniecznie, zna małżeństwo o większej różnicy wieku, uchodzące za udane. W tej seledynowej bluzce wygląda nadzwyczaj atrakcyjnie. Musi tylko zmienić uczesanie, bo w tym, w jakim ją od dawna widuje, jest jej nie do twarzy. Gdy ponadto zacznie nosić krótsze spódniczki lub obcisłe dżinsy, zakasuje wyglądem wszystkie jego dotychczasowe kobiety. Nie było ich wiele, pięć czy sześć, niemniej uchodziły za piękne i koledzy mu ich zazdrościli. Zazdrościli mu także Izabeli, której nie przestał kochać, mimo że od ich rozwodu minęło blisko dziesięć lat.

Poznali się i pobrali na studiach. Z początku mieszkali w akademiku, potem w taniej kawalerce na Woli. Na własne mieszkanie nie było ich stać, gdyż Iza była piątym dzieckiem małorolnego chłopa, a on synem prowincjonalnego urzędnika, który marzył o karierze naukowej, lecz usunięty z partii i uczelni za głoszenie rewizjonistycznych poglądów, powrócił do rodzinnego miasteczka, gdzie ożenił się z miejscową pięknością, która po urodzeniu syna zapadła na zdrowiu i wymagała nie tylko kosztownego leczenia, ale i stałej opieki. Byli więc z Izą zdani na siebie, toteż mierząc wysoko – on pragnął zostać naukowcem, a ona wiązała swoje ambicje z dziennikarstwem – nie chcieli w pierwszych latach małżeństwa mieć dziecka i gdy Iza zaszła w ciążę, zgodnie postanowili o aborcji. Potem tego żałowali i gdy wybuchały między nimi kłótnie, obwiniali się nawzajem. A kłótnie zdarzały się im coraz częściej, jako że po zwycięskim strajku w Stoczni Gdańskiej rozlała się po kraju fala protestów, działań i gorących sporów. Jeszcze wtedy studiowali i oboje należeli do nowego związku studenckiego. On – z natury spokojny i refleksyjny, patrzący szeroko na zachowanie ludzi i ich racje – swój udział ograniczał do uczestniczenia w zebraniach i wiecach. Ona zaś jeździła po kraju i zaangażowana emocjonalnie w działalność *Solidarności*, propagowała jej ideały i dążenia. Kilka dni przed stanem wojennym wyjechała z delegacją *Solidarności* do Anglii i w niej została. W przesłanym mu liście namawiała go do emigracji, ale on nie chciał i nie mógł opuścić kraju, gdyż rok po śmierci matki, rozchorował się jego ojciec i musiał się nim zaopiekować. W tym celu zrezygnował z pracy na uczelni i przeniósłszy się do domu ojca podjął pracę nauczyciela historii w rodzinnym miasteczku. Tam osiemnaście lat temu odnalazła go Iza. Podczas pobytu w Anglii odbyła staż dziennikarski w emigracyjnej gazecie polskiej i powróciła do kraju ze sporym dorobkiem zawodowym, toteż nie miała trudności ze znalezieniem etatu w jednym z liczących się w Polsce czasopism, zachowując przy tym kontakty z prasą londyńską. Jednak, aby realizować swoje zawodowe zobowiązania, musiała mieszkać w Warszawie. Dlatego najpierw pomyślała o mieszkaniu i dopiero wtedy, gdy je kupiła, przyjechała do niego samochodem, razem ze swym trzyletnim synkiem. Nic o nim nie wiedział, więc był jego widokiem zaskoczony, lecz gdy chłopiec spojrzał na niego pełnymi ufności oczami, wybaczył go Izie, zaakceptował i w krótkim czasie pokochał. Znacznie trudniej przyszło mu wybaczyć żonie jej stosunek do chorego ojca, którego Iza podczas burzliwej rozmowy wyzwała od komuchów – a to dlatego, że odnosząc się krytycznie do nowej rzeczywistości, przeciwstawił jej dobre strony obalonego systemu, choć ten uniemożliwił mu zrobienie kariery naukowej – i czy to z zapiekłej nienawiści do jego przekonań, czy też z egoizmu i nieczułości, nie chciała, aby zamieszkał z nimi w Warszawie.

– Sąsiadka się nim zaopiekuje – powiedziała, gdy wspomniał, że ojciec potrzebuje stałej opieki, bo jest zniedołężniały i ma trudności z utrzymaniem się na nogach. – Już z nią o tym rozmawiałam. Jest emerytowaną pielęgniarką i wie, jak się obchodzić z chorymi. Ja nie będę mu obcierała tyłka.

Kochał Izę, dziesięć lat jej nie widział, więc pojechał z nią do Warszawy, zostawiając ojca pod fachową, dobrze wynagradzaną i co tydzień kontrolowaną przez niego opieką sąsiadki, a gdy ojciec dostał udaru mózgu i, sparaliżowany, nie był w stanie się poruszyć, za radą Izy oddał go do hospicjum, gdzie po czterech miesiącach zmarł.

Stało się to pod nieobecność Izy, która w tym czasie przebywała w Londynie. Dowiedziawszy się o śmierci teścia, bardzo się nią przejęła, zapowiadając rychły powrót do kraju. Ale następnego dnia powiadomiła go, że nie będzie na pogrzebie jego ojca, bo musi przeprowadzić zaplanowany wcześniej wywiad. Chciała go przełożyć, lecz się nie udało, więc niech pochowa ojca z pomocą jego sąsiadki. Tak też zrobił. Pani Kazimiera okazała się nie tylko osobą troskliwą i współczującą, ale i zaradną. I ona szła z nim za trumną, no i Karolek, Izy i jego synek, bo dał mu swoje nazwisko i traktował jak rodzone dziecko. Chłopiec widział dziadka tylko raz, ale go zapamiętał i kiedy usłyszał, że więcej go nie zobaczy, wybuchnął płaczem, a na cmentarzu, gdy opuszczono trumnę do grobu, chciał do niego wskoczyć, żeby jeszcze raz go pocałować. Potem często o nim rozmawiali i spędzali ze sobą dużo czasu, bo zajęta robieniem kariery Iza, zajmowała się dzieckiem tylko sporadycznie. Owszem lubiła się nim chwalić przed znajomymi, czasami zabierała go ze sobą, gdy wyjeżdżała w teren, ale ważniejsza dla niej była praca. W każdym razie wtedy, gdy przebywając z synkiem w rodzinnej wiosce nagrywała wywiad z właścicielem popegeerowskiej ziemi, a pozostawiony samemu sobie chłopiec pobiegł na wiejską drogę, gdzie dopadł go i zagryzł miejscowy pies.

Okrutnie doświadczył ich los. Iza niewiele czasu poświęcała Karolkowi, ale go kochała, obydwoje go kochali, toteż długo i głęboko przeżywali jego śmierć. Pogrążeni w bólu zaprzestali sporów, jakie toczyli zarówno przed dziesięcioletnim pobytem Izy na obczyźnie, jak i po jej powrocie do kraju. Potem jednak znowu zaczęli się spierać, i to zacieklej niż przedtem.

Iza, która odnosiła się z entuzjazmem do zmian w kraju, miała mu za złe, że patrzy na nie krytycznie, wyciągając z tego wniosek, że podobnie jak jego ojciec tęskni za komuną.

– Nie tęsknię za komuną – odpierał jej zarzuty – tylko porównując obydwa systemy. W tym, który został obalony, dostrzegam także dobre strony, natomiast w nowym widzę wiele zła. Szeleści on mamoną i poniża tych, którzy jej nie mają, albo mają za mało, żeby godnie żyć, na co z naddatkiem mogą sobie pozwolić cwaniacy i rekiny, co żyją kosztem innych, pożerają słabszych i opływają w bogactwa. Nie uczciwość i inne duchowe wartości, lecz cwaniactwo i ostre zęby są teraz w cenie. Kiedyś też się liczyły, lecz nie w takim stopniu jak teraz, gdy o wszystkim decyduje kasa. Mając ją masz wszystko, bez niej jesteś niczym.

Iza w tym momencie milkła albo mówiła:

– Jeśli nie podoba ci się kapitalizm, pojedź na Kubę. Tam wszyscy mają po równo, czyli nic. Ponadto Iza pyszniła się swoją pozycją w dziennikarstwie i zarzucała mu brak ambicji i wytrwałości, bo marzył o pracy naukowej, a ograniczył się do belferki.

– Zająłem się nią – ripostował – bo musiałem się opiekować najpierw chorym ojcem, potem twoim synem. Ty zajęta byłaś swoją karierą, nie miałaś dla dziecka czasu. Chłopak po powrocie z przedszkola czekał na ciebie i rzadko się doczekiwał, a jeśli już, to dopiero wieczorem, gdy kleiły mu się oczka, a ty byłaś zmęczona, bo miałaś kolegium lub wywiad z ważną osobą.

Nie powiedział, że przez nią, przez jej zawodowe ambicje chłopiec zginął, nie powiedział również tego, że chcąc jej pomóc w realizacji tych ambicji, wyręczał ją w pracach domowych, niemniej sprawy te wisiały w powietrzu i kładły się cieniem na ich współżyciu, także seksualnym. Iza albo nie miała chęci na miłość, albo decydowała się na nią w najmniej odpowiednim momencie, gdy on już zasypiał, lub był zajęty jakąś lekturą.

Wszystko to razem tworzyło zły klimat w małżeństwie i w efekcie doprowadziło do jego rozpadu. A przesądziła o tym sprawa mieszkania. Było ono hipoteczną własnością Izy, która kupiła je za pieniądze zarobione na emigracji. On po śmierci ojca też dysponował własnością – dawno przepisanym na niego, atrakcyjnym, bo przy ryneczku zlokalizowanym domem, który jego ojciec, pragnąc zapewnić sobie dostatnią starość, wynajął dobrze prosperującej firmie. Przewidziany umową termin wynajmu miał się ku końcowi. Już w tej sprawie rozmawiał z właścicielem firmy, który był zainteresowany przejęciem domu na własność. Dlatego gdy podczas kolejnej kłótni z Izą, w której zarzucił jej pychę i przekładanie kariery nad dobro syna, Iza wpadła w furię i wypomniała mu, że korzysta z jej mieszkania, a ponadto powiedziała, że jest tylko podrzędnym belfrem, natomiast ona znaną dziennikarką, z którą wszyscy się liczą, uniósł się honorem i oznajmiwszy, że ma dość ich kłótni i związku, złożył do sądu pozew o rozwód. Kilka dni później sprzedał odziedziczony po ojcu dom i za uzyskaną z tej sprzedaży kwotę kupił i wyposażył mieszkanie na Muranowie.

Po rozwodzie więcej się z Izą nie widział. Uczulony przez nią na kobiety, długo ich unikał, wolny czas przeznaczając na zgłębianie zaułków historii Polski, co zaowocowało kilkoma publikacjami, dzięki którym stał się znany w środowisku historyków. Dowartościowany tym, wolnym krokiem zdążał ku doktoratowi. Gdy go zrobi, pochwali się nim Izie, myślał skrycie, ciesząc się z tego, że po rozwodzie nie poprawiła swej zawodowej pozycji. Wprost przeciwnie, wyeliminowana z grona redaktorów poważnego i nobilitującego pisma zaczęła pisywać do bulwarówek – gazet o wysokim nakładzie, lecz niskiej randze. Ponadto cieszyło go to, że nie wyszła powtórnie za mąż. On też nie miał szczęścia w miłości. Poznał kilka kobiet, lecz żadna z nich nie okazała się tą, z którą mógłby ułożyć sobie życie, no i począć dziecko, najlepiej chłopca, ale niekoniecznie. Może jego sąsiadka okaże się tą, jakiej szuka, o ile oczywiście nie będzie dla niej za stary. Jej seledynowa bluzka bardzo mu się spodobała. Wyglądała w niej atrakcyjnie. Musi jeszcze zmienić fryzurę, bo ta obecna trąci staropanieństwem i rezygnacją. A przecież dziewczyna jest młoda i ładna, tylko to niepotrzebnie ukrywa. Jeśli wyeksponuje swą urodę, nie oprze się jej żaden mężczyzna.

E

Przeczytawszy artykuł poświęcony ludobójstwu w Rwandzie, Michał Krawczyk długo wpatrywał się w kilkustronicowy wydruk z komputera, wreszcie oderwał od niego wzrok, spojrzał na stojące w oknie słońce, wziął prysznic i przygotowując się do wizyty u lekarza zajrzał do komódki. Pod stosem trzymanych w szufladzie skarpet odkrył kopertę ze zdjęciami, a pod bielizną – nóż z zakrzywionym ostrzem.

Finkę, której ostrze zamigotało w słońcu świetlistą smugą, przełożył do górnej szuflady, natomiast zdjęcia umieścił na komódce. Później je przejrzy, jak wróci od lekarza.

B

Po wyekspediowaniu syna do szkoły Małgorzata S. wyciągnęła z szuflady długi, dobrze naostrzony nóż, położyła go na stole, windą zjechała na parter i zeszła do piwnicy, gdzie tuczyła gąsiora. Dostała go od Rozalki, która hoduje gęsi. Ma ich tyle, że trudno je policzyć. Ona w dzieciństwie też się nimi zajmowała. Tylko było ich niewiele, więcej mieli kur, które pod wieczór, nim poszła po pasące się na łące krowy, dokarmiała okruszynkami chleba. krowy. Krowy zaczęła doić, gdy miała dziesięć lat. Wszystkie dzieci z jej klasy pomagały rodzicom w gospodarstwie, zwłaszcza latem, w okresie żniw. Niełatwe miała dzieciństwo, ale chętnie je wspomina, bo lubiła chodzić po łąkach i nad rzeczkę, gdzie roiły się w wodzie małe rybki, kumkały żaby i latały ptaki gnieżdżące się na pobliskich drzewach. W mieście miała wszystkie wygody, ciepłą wodę z kranu, gaz i zimą gorące kaloryfery, ale źle się w nim czuła i każdy urlop spędzała z dzieciakami u siostry, która odziedziczyła po rodzicach połowę gospodarstwa, a tę, która jej się należała, spłacała w miesięcznych ratach. Dzięki temu, no i zarobkom męża, a także pracy w sklepie, dzieci mogły ukończyć szkoły i pójść na studia. Jadzia i Leszek już pracują, tyle że w Anglii, Romek jest na trzecim roku ekonomii, a Grzesiek chodzi do gimnazjum. Chłopiec dobrze się uczy, ale całymi godzinami siedzi przy komputerze i męczy oczy. Komputer ma po Leszku, który obiecał mu pomóc, jak ukończy liceum i dostanie się na studia. Wcześniej oboje z Jadzią obiecali pomóc Romkowi, ale ten powiedział, że sam zarobi na siebie i nie przerywając studiów podjął pracę w reklamie. Dobrze wychowała swoje dzieci, a i z męża jest zadowolona. Wyszła za mąż późno, ale szczęśliwie. Antoni mało zarabia, ale jest dobrym człowiekiem i przez całe dwadzieścia pięć lat małżeństwa nie usłyszała od niego złego słowa. Bo przecież w życiu nie chodzi tylko o pieniądze, choć ci, którzy ich nie mają, albo mają za mało, muszą codziennie o nich myśleć, jak na przykład Malinowscy; ona choruje i ma mizerniutką rentę, a on jest bezrobotny i od pół roku bezskutecznie szuka pracy. Kilkunastu innym lokatorom też się nienajlepiej powodzi. Tak to teraz jest, jedni mają grube miliony i żyją w luksusie, a drudzy biedują. Dawniej, za komuny nie było takich różnic. Tylko że wtedy jej dzieci nie mogłyby wyjechać do Anglii za lepszym, i to kilka razy większym zarobkiem. Jutro przyjadą, będzie też Rozalka z mężem i dziećmi, rodzice Antoniego i troje najbliższych sąsiadów, razem jedenaście osób, z nimi i z Romkiem i Grześkiem – piętnaście. Czy wystarczy dla wszystkich gęsiny? Karmiła gąsiora kluskami i kaszą i widać na oko, że przybrał na wadze.

Małgorzata związała sznurkiem nogi gąsiora i podniósłszy go z posadzki ruszyła w stronę windy. Zarżnie go w kuchni lub w łazience. Antoni ma miękkie serce i nawet muchy by nie zabił. A ona, jak mieszkała na wsi, zarżnęła prosiaka, nie mówiąc już o dziesiątkach kur, więc i z gąsiorem sobie poradzi. Potem go poleje wrzątkiem, oskubie, wypatroszy i włoży do lodówki, a wieczorem upiecze z jabłkami. Waży co najmniej osiem kilogramów, wystarczy na piętnaście osób. Zresztą będą inne dania, bigos, pieczony schab i wędliny. Będzie też tort, a do niego ruski szampan. W końcu to dwudziestopięciolecie małżeństwa, srebrne gody. Jutro wypadają i jutro je uczczą, tego roku w święto Bożego Ciała, po procesji. Dziś zasiądą do stołu sami i przy żubrówce powspominają wspólne lata, no i uczczą jej imieniny. Antoni o nich pamiętał, bo przed wyjściem z domu po raz drugi ją pocałował, ale o rocznicy ślubu chyba zapomniał, A może nie? Przekona się o tym wieczorem.

Zaniosła gąsiora do kuchni, postawiła przed sobą garnek na krew, podwinęła spódnicę i wsunąwszy ptaka między uda, lewą ręką chwyciła go za gardziel, tuż przy łbie, a prawą sięgnęła po nóż. Lecz gdy pociągnęła nim po gardzieli ptaszyska, ten nieoczekiwanie wyrwał się z niewoli jej ud, zatrzepotał skrzydłami i z poderzniętą gardzielą pobiegł do przedpokoju i drzwiami, których nie domknęła, wydostał się na korytarz, znacząc go krwią.

F

Zbigniew Piątek uniósł się na łokciu i spojrzał na żonę. Był przekonany, że to jej krzyk w nocy usłyszał, gdyż od pewnego czasu często krzyczała przez sen, jak się domyślał, ze strachu przed kościotrupem, który ją w snach nawiedzał. Teraz Magda spała spokojnie, z otwartymi ustami. Nie miała na twarzy makijażu, lecz i tak wyglądała pięknie. Są ze sobą pięć lat, a dotąd jej nie zdradził, mimo że podoba się kobietom i niejedna chciała się z nim kochać. Nie mają z Magdą dziecka, lecz będą mieć, zapewnił go o tym lekarz, u którego Magda zaczęła się leczyć. Kiedyś już się leczyła, ale na co innego. Uzależniła się od alkoholu i musiała podjąć kurację. Wszyto jej esperal. Stało się to po tym, jak wykrył w szafie wódkę. Dużo wcześniej trzymała ją w lodówce lub w kredensie, tłumacząc, że ma ją dla zaprzyjaźnionych sąsiadów, którzy często nie mają na nią pieniędzy, a bez niej są rozdrażnieni i nie do rozmowy. Nie powiedziała mu, że sama ją pije, gdy nie ma go w domu. On też pił, ale sporadycznie i w towarzystwie, nigdy do lustra, jak Magda. W towarzystwie znajomych lub rodziny zaledwie maczała w kieliszku usta, do czego z czasem wszyscy przywykli i wyrażając się o niej z uznaniem nazywali ją aniołkiem. Bo też przypomina aniołka, włosy ma jasne, duże niebieskie oczy o łagodnym spojrzeniu, delikatne rysy, no i dziecięcy głosik, dźwięczny i łagodny. Zawsze taki głosik miała, także wtedy, gdy była zdenerwowana, co zresztą zdarzało się jej bardzo rzadko. Tylko czasami w nocy wydobywał się z jej ust chrapliwy jęk lub krzyk, który on nazywał krzykiem diabła. Dał on o sobie znać, gdy Magda zrozumiała, że jest uzależniona od alkoholu i podjąwszy walkę z nałogiem, zaczęła miewać koszmarne sny. Przedtem nie miała takich snów, spała jak dziecko, z lekko uśmiechniętą twarzą. Nie zdawała sobie sprawy, że jest uzależniona, a swój pociąg do alkoholu tłumaczyła przykrymi wspomnieniami i długo przed nim ukrywała. Po wyjściu gości posyłała go do sypialni, a sama zabierała się za sprzątanie stołu, który potem nakrywała czystym obrusem, stawiała krzesła na swoim miejscu i przechodziła do kuchni, gdzie bardzo długo zmywała uprzątnięte ze stołu naczynia. Jego zdaniem świadczyło to o zamiłowaniu do porządku, z czego oczywiście był zadowolony i ani przez chwilę nie pomyślał, że nie ono, a w każdym razie nie tylko ono nią kieruje. Uprzątając ze stołu kieliszki, dopijała bowiem znajdujące się w nich resztki wódki, a w kuchni zmywała brudne naczynia tak długo, gdyż miała w niej odłożoną butelkę. Ujrzał ją w jej rękach, gdy kiedyś nie mogąc zasnąć, zaszedł do kuchni, żeby się napić wody. Na jego widok Magda się zmieszała, lecz zaraz przybrała niewinną minkę i powiedziała, że w butelce zostało trochę wódki, więc kapkę wypiła, bo rozbolał ją żołądek. Uwierzył jej wówczas. Uwierzył także w to, że trzymaną w lodówce lub w kredensie wódkę piją wyłącznie zaprzyjaźnieni z nią sąsiedzi. Po ślubie, gdy przeprowadziła się do jego mieszkania, już jej nie odwiedzali współmieszkańcy praskiej kamienicy, ale goście przychodzili i nadal po nich ochoczo i długo sprzątała. Lubił po powrocie z pracy golnąć sobie kielicha, toteż co tydzień kupował butelkę żubrówki. Madzi też nalewał do kieliszka, ale tylko kapkę, dla towarzystwa. Tak żyli, bez kłótni, obydwoje szczęśliwi, że są razem i tworzą zgodne małżeństwo. I oto sąsiadka go poinformowała, że często widuje jego żonę w sklepie, jak kupuje alkohol. Nie chciał w to uwierzyć, jednak przeszukał mieszkanie i w szafie, pod bielizną odkrył butelkę. Przyciśnięta do muru Madzia rozpłakała się i wszystko mu wyznała, odsłaniając przerażającą prawdę – była uzależniona od alkoholu. Zdawał sobie sprawę, co znaczy być uzależnionym. W pracy stykał się z takimi ludźmi i wiedział, jak żyją. Na alkohol wydają ostatnie pieniądze, a gdy ich nie mają, kradną, no i awanturują się, nierzadko maltretując swych bliskich. Magda nie wszczynała w domu kłótni, zachowywała się jak trusia, niemniej była uzależniona. Po alkohol sięgnęła po śmierci matki, po zgonie ojca uciekała się do niego coraz częściej. Była sama, w mieszkaniu wszystko jej przypominało rodziców, a w domu, gdzie się urodziła i wychowała, prawie wszyscy pili. Rozmawiali na ten temat do późna w nocy, a nazajutrz poszli do poradni przeciwalkoholowej, gdzie po kilku kolejnych wizytach wszyto Madzi esperal. Mając go pod skórą, strasznie się męczyła – mówiły mu o tym jej często rozbiegane oczy i nerwowe ruchy, a nocą jęk lub krzyk – lecz po miesiącu odzyskała spokój, a po kilku kolejnych miesiącach oswoiła się z abstynencją na tyle, że można było usunąć esperal. W tym okresie nie przynosił do domu wódki, swojego kielicha wychylał w barze, ale i z niego zrezygnował, gdy Magda podjęła kurację mającą umożliwić jej zajście w ciążę i oznajmiła, że nie znosi zapachu alkoholu, bo wywołuje złe wspomnienia. To według niego oznaczało, że jego żona ostatecznie uwolniła się od swego uzależnienia, lecz żeby się w tym upewnić, za radą bliskiego kolegi kupił i postawił w lodówce butelkę z wódką. Źle zrobił wystawiając Madzię na próbę. Psycholog, z którym dzisiaj rozmawiał, zganił go za to i powiedział, że powinien okazać Madzi zaufanie, bo jego brak może ją z powrotem wpędzić w alkoholizm. Powiedział też, że jej niespokojne sny i krzyki świadczą, że znowu walczy z pokusą, w czym jej powinien pomóc.

Leżąc dotąd na wznak, Magda obróciła się na bok i otworzyła oczy.

– Co ci się śniło? – zapytał. – Znowu kościotrup?

– Nie – odpowiedziała Magda.

– A co?

– Nic.

– Krzyczałaś przez sen.

– Ja?

– Tak.

– Musiałeś się przesłyszeć.

– Nie przesłyszałem się, wyraźnie słyszałem.

– To dlatego mnie obudziłeś? Myślałam, że o co innego ci chodziło.

Co noc się kochali, a wczoraj tak namiętnie, że Magda jęcząc wtuliła twarz w jego pierś, potem w poduszkę. Przypominając sobie ich gorące chwile, naraz poczuł odór wódki.

– Piłaś – powiedział z goryczą w głosie.

– Nic podobnego – zaprzeczyła Małgosia.

– Przecież czuję.

– Czujesz krople, które biorę. Sam kiedyś powiedziałeś, że zalatują alkoholem.

Nie zwlekając poszedł do kuchni, otworzył lodówkę. Butelka, której zawartość co jakiś czas sprawdzał, nadal była pełna. Nie będzie nią kusił żony, wyleje wódkę do zlewu. Butelka była zamknięta metalowym kapslem. Odkręcając go stwierdził, że kapsel nie stawia oporu. Tknięty przeczuciem powąchał zawartość butelki, następnie jej spróbował. To była woda, a nie wódka. Tę Magda wypiła wczoraj albo wcześniej. Tak czy inaczej, znowu znalazła się w pułapce uzależnienia, i to z jego winy. Musi ją namówić na powrót do esperalu. Ponadto musi ją przekonać do pracy w biurze, takim, gdzie zostanie doceniony i wykorzystany jej dorobek tłumaczeniowy. Praca w domu jej nie służy, bo jest sama, wystawiona na pokusę. Zaraz z nią na ten temat porozmawia.

Zbigniew P. chciał wrócić do sypialni, lecz zadzwoniła komórka.

– Co z tobą? – usłyszał. – Dlaczego nie ma cię w robocie?

– O dziesiątej mam się spotkać z Wojtczakiem z prokuratury. Sam mnie z nim umówiłeś.

– Faktycznie, zapomniałem. Zaraz do niego zadzwonię i przełożę wasze spotkanie na poniedziałek. – A ty wskakuj w buty i natychmiast przyjdź, bo Lewandowski w szpitalu, a spraw tyle, że głowa mi pęka.

Zbigniew P. dopił kawę, zjadł wyciągnięte z lodówki udko kurze i zanim wyszedł z domu, leżącej w kuszącej pozie żonie oznajmił, że przy obiedzie lub kolacji będzie chciał z nią porozmawiać.

G

Mieszkająca na tym samym piętrze Felicja Dębicka podniosła głowę znad filiżanki z herbatą i spojrzała na męża, który odstąpiwszy od okna zaczął chodzić po pokoju. Wczoraj też chodził, i to w nocy. Wrócił z miasta późnym wieczorem, wziął natrysk, zaparzył kawę, i popijając ją podjął spacer po pokoju. Nie odezwał się do niej, nawet na nią nie spojrzał, więc poszła do swego pokoju, lecz długo nie mogła zasnąć, bo słyszała, że wciąż chodzi od drzwi do okna i z powrotem, jak po więziennej celi. Tylko ze więzienna cela jest niewielka, a ich mieszkanie ma blisko pięćdziesiąt metrów, w tym trzy pokoje, jeden duży, przechodni, i dwa małe, w których urządzili sypialnie. Na początku małżeństwa sypiali tylko w jednej, druga nie była im potrzebna, bo bardzo się kochali i jak najdłużej chcieli być ze sobą. Stał w niej szeroki tapczan, który strasznie skrzypiał i budził śpiącą w sąsiednim pokoiku Basię, toteż zastąpili go cichszym, potem dwoma leżankami, bo na tapczanie było im za ciasno, a ponadto już się nie kochali jak na początku, dwa razy dziennie, wieczorem i nad ranem, lecz rzadko, coraz rzadziej, raz na tydzień, z czasem raz na miesiąc, tylko nad ranem, żeby ich nie słyszały dorastające córki. Kiedy te wyszły za mąż i przeniosły się do własnych mieszkań, w ich pokoiku urządzili drugą sypialnię, dla Henryka. Jej była większa i ładnie urządzona, toteż myślała, że Henryk przynajmniej raz w tygodniu będzie do niej przychodził, ale był tylko dwa razy, za pierwszym razem po szampanie. Przy stole dopisywał mu humor i apetyt, tryskał energią, toteż była przekonana, że spędzi z nią całą noc i zaśnie u jej boku, a on po kilkunastu minutach poszedł do siebie, w dodatku w złym humorze, bo do niczego między nimi nie doszło. Dlatego kilka dni później ona do niego poszła, niestety na próżno, a on nawet jej nie pocałował. Powiedział, że jest zmęczony, obrócił się na drugi bok i zasnął, ale tylko pozornie, bo nie spał, tylko nie śmiał na nią spojrzeć. Mąż przyjaciółki też miał podobne problemy, lecz przestał je mieć, gdy zaczął łykać niebieskie pastylki, dzięki czemu przyjaciółka nabrała ochoty do życia. Rozanielona wyznała jej przy kawie, że jej mąż jest w łóżku tak samo dobry jak za młodych lat, a nawet lepszy, bo doświadczony i otwarty na jej miłosne fantazje. Wspomniała o tym Henrykowi, a on chwilę się jej przyglądał, potem podszedł do okna, wyjrzał przez nie, znowu na nią popatrzył, krytycznym wzrokiem obrzucił pokój i omijając podjęty przez nią temat powiedział, że czuje się w ich mieszkaniu jak w klatce. Dzisiaj też to powiedział, gdy wstał dwie godziny później niż zwykle, informując ją, że wziął urlop. Powinien ją o nim uprzedzić, więc w pierwszej chwili chciała mu to wyrzucić, lecz zaraz się ucieszyła, bo w tym roku jeszcze nie był na działce, a było tam dużo do zrobienia. Jednak on usłyszawszy o działce wzdrygnął się i powiedział, że ma jej dosyć, ma też dosyć miasta i ich pięćdziesięciometrowej klatki, i że jedzie nad morze, aby na nie popatrzeć i odetchnąć innym powietrzem, inną atmosferą. Nie zaproponował jej wspólnego wyjazdu, chociaż i tak by nie pojechała, bo musi się opiekować wnukiem. Niemniej powinien to zrobić. Ale nie zrobił. Jedzie sam, jak przed laty, gdy po ich pierwszej kłótni wybrał się w góry. I mało brakowało, aby się rozeszli.

– Szkoda, że nie spędzisz urlopu na działce – mówi, gdy Henryk zatrzymał się przy oknie. – Jest zaniedbana i trzeba ją oczyścić z chwastów, przystrzyc trawnik, naprawić plot i dach.

– Wynajmij kogoś, zapłacę – odpowiada Henryk.

– Do tej pory ją chwaliłeś i spędzałeś na niej wszystkie urlopy, a także niektóre weekendy. Mówiłeś, że dobrze się na niej czujesz, bo jest świetnie zlokalizowana, w pobliżu las i woda, no i domek, mały, ale bardzo ładny, jak z bajki.

– Już mi się ta działka przejadła – mówi Henryk. – Mam jej dosyć. Wszystkiego mam dosyć, działki, tego mieszkania... – urywa, chwilę milczy, po czym oznajmia: – Jadę nad morze.

Skoro działka mu się znudziła, pomyślała Felicja, niech jedzie nad morze i tam odpocznie. A odpoczynek mu się przyda, bo stał się nerwowy, wszystko go drażni i z byle powodu wszczyna kłótnie.

– Kiedy wyjeżdżasz? – pyta.

– W poniedziałek.

– Sam? – wymknęło się jej nieoczekiwanie, choć nie miała żadnych podstaw, żeby go o to pytać.

– Sam.

Nie opuścił wzroku, patrzy jej prosto w oczy, więc nie kłamał. Zresztą nigdy nie kłamał, zawsze mówił prawdę, a jeśli nie chciał czegoś powiedzieć, milczał. Uspokojona tym sięgnęła po filiżankę z herbatą. Henryk natomiast nalał sobie do szklanki zimnego soku. Spoglądając na jego ręce, zauważyła brak obrączki.

– Nie masz obrączki. Chyba jej nie zgubiłeś?

– Jest na regale – informuje Henryk, wzrokiem wskazując środkową część regału, gdzie stoi kryształowa sosjerka,w niej pobłyskuje złoty krążek.

– To załóż ją. Po co ma tam leżeć.

Henryk zamiast podejść do regału, wychylił spory łyk soku i z powrotem zaczął chodzić po pokoju. Felicję nagle coś tknęło.

– Chyba nie chcesz się ze mną rozejść? – pyta z niepokojem.

Henryk zatrzymał się przy oknie.

– Muszę – mówi ostrym, nieswoim głosem.

Felicja jest zszokowana. Grunt, po którym dotąd pewnie stąpała, usunął się jej spod nóg.

– Musisz? – zwraca się do Henryka z nadzieją, że ten się zreflektuje i cofnie to okrutne słowo.

– Muszę – potwierdza Henryk.

Felicja, niska i wątła kobieta o piwnych oczach, tkwi nieruchomo na krześle i nie może uwierzyć w to, co przed chwilą usłyszała od męża, mężczyzny postawnego, ale już sześćdziesięcioczteroletniego, ojca ich córek i dziadka, który unikając jej wzroku odstąpił od okna i znowu zaczął chodzić po pokoju.

Poznała go trzydzieści sześć lat temu, pokochała od pierwszego wejrzenia i po roku poślubiła. Dobrze układało się ich małżeństwo, toteż była przekonana, że będą ze sobą do końca swych dni, a on przed chwilą powiedział, że muszą się rozstać – po trzydziestu latach wspólnego życia, gdy doczekali się wnuka. Bardzo kocha maluszka, ale kocha także Henryka i nie wyobraża sobie życia bez niego. Rok temu opuścił jej sypialnię ze zwieszoną głową. A przecież nic takiego się nie stało, każdemu mężczyźnie może się to przytrafić, zwłaszcza mężczyźnie w jego wieku. Tymczasem on tak się przejął swoją niedyspozycją, że przez kilka dni unikał jej wzroku. Pewnie się bał, że dostrzeże w nim żal, niechęć, czy nawet pogardę. Mylił się, nie czuła do niego żalu, w każdym razie nie po jego pierwszej nocnej wizycie w jej sypialni. Chciał się z nią kochać, a że nie mógł, to nie jego wina. Gdy się ma tyle lat, co on, możliwości nie nadążają za chęciami. Przykro jej było, bo dawno się nie kochali, lecz nie dała po sobie poznać, że jest rozczarowana, a nazajutrz o wszystkim zapomniała. Miłość cielesna, mówiła jej matka, jest w małżeństwie ważna, lecz nie ona decyduje o jego trwałości, tylko wspólny dom, rodzina, zrozumienie i miłe obojgu wspomnienia. A tych ma wiele, bardzo wiele. Henryk też je docenia, bo ostatnio często przeglądał rodzinny album. I po swym drugim nieudanym pobycie w jej pokoju, bardzo szybko odzyskał spokój i pewność siebie. Trochę ją to zabolało, ale i przyniosło ulgę, jak po usunięciu chorego zęba. Postawa Henryka dobrze wróżyła przyszłości ich związku. Matka jej się zwierzyła, że ojciec w wieku Henryka też miewał w łóżku problemy, lecz gdy przestał się nimi zadręczać, w czym mu pomogła swoją wyrozumiałością, nie musiał brać żadnych pastylek, po pewnym czasie znowu zaczął się z nią kochać, bardzo rzadko, ale niemal z takim samym zapałem jak dawniej, a ponadto stał się wobec niej wyjątkowo czuły i troskliwy. Myślała, że podobnie będzie z Henrykiem. I gdy przy lampce wina pożalił się jej na swą niemoc, opowiedziała mu o ojcu, a potem oznajmiła, że jak matka, tak i ona uważa, że seks nie jest w małżeństwie najważniejszy, że można się obyć bez niego. Niemniej za radą przyjaciółki porobiła odpowiednie zakupy i zaczęła chodzić po mieszkaniu w skąpym negliżu. Ale w oczach Henryka nie dostrzegła dawnego błysku, patrzył na nią obojętnym wzrokiem, po czym kierował spojrzenie na telewizor, a gdy obejrzał wieczorne wiadomości, szedł do swego pokoju i kładł się spać. Mimo to nie traciła nadziei, wciąż czekała, aż weźmie ją w ramiona, a przynajmniej przytuli, pocałuje, dotknie. Tymczasem on…

Odkrył świat na nowo, odkrył jego wielorakie możliwości i barwy. Stwierdził też, że to, co dotychczas przeżył, było niczym w porównaniu z tym, co mógł i powinien przeżyć. No bo dom, żona, dzieci… I tak przez trzydzieści pięć lat. A przecież życie nie na tym polega i nie na tym winno się kończyć. Jego znajomi, koledzy… Jakże bogaty jest świat! Ileż w nim miejsc, których jeszcze nie widział, ileż przeżyć, których jeszcze nie doświadczył, ileż kobiet, których jeszcze nie zdobył, nie pieścił! Inni je zdobywali i nadal zdobywają, a on ograniczył się do jednej. Jak był kawalerem, miał ich kilka, lecz gdy się zakochał i ożenił z Felicją, inne kobiety przestały go interesować. Nie stronił od nich, czasami lubił sobie z którąś poflirtować, ale to wszystko. Felicja go kochała i mu ufała, więc nie śmiał nawiązać romansu z żadną inną kobietą. A teraz będzie romansował, i to z niejedną. Jego koledzy robią to bez zrywania z żoną, ale on tak nie potrafi i nie chce. Jest z natury szczery i nie cierpi zakłamania, chce tę sprawę załatwić z Felicją uczciwie. Takim był zawsze i takim pozostanie. Dlatego jej powiedział, że chce się z nią rozejść. I rozejdzie się. Musi, dłużej nie wytrzyma. Dusi się w ich domu. Czuł to od dawna, od kilku, czy nawet kilkunastu lat lat, tylko nikomu o tym nie mówił, nawet samemu sobie, mając na względzie dobro córek. Ale już się usamodzielniły, mają własne rodziny, toteż może pomyśleć o sobie. Felicja nie jest jeszcze taka stara, ma sporą rentę i nie będzie sama, na pewno znajdzie sobie partnera. Jak mu wiadomo, kręci się koło niej sąsiad, a i jej dawnemu kierownikowi nie jest obojętna. Zostawi jej mieszkanie, trzy pokoje z kuchnią w śródmieściu, które Felicja zamieni na mniejsze i uzyskaną z zamiany kwotę przeznaczy na wycieczki zagraniczne, albo je zostawi i jeden pokój wynajmie jakiemuś samotnemu i porządnemu mężczyźnie, za którego z czasem wyjdzie za mąż. Kochał ją, ale od kilkunastu lat wiąże ich ze sobą tylko przyzwyczajenie i miłość do dzieci. Może Felicji to wystarcza, jemu nie. Dość się razem nażyli, całe trzydzieści pięć lat. Teraz każde z nich winno pomyśleć o sobie. Natura ich połączyła i natura każe się im rozstać. Felicja już go nie pociąga. Musi sobie znaleźć inną kobietę. Najlepiej trzydziestolatkę czy nawet dwudziestolatkę. Wiadomo, czym to się może skończyć, ale raz się żyje, trzeba zaryzykować. Jeśli go rzuci, rozglądnie się za inną, wdową albo rozwódką. Felicja nie będzie sama, na pewno znajdzie sobie mężczyznę, może nawet młodszego od siebie. Poleci na mieszkanie, a może na nią, bo jest niebrzydka i jak zadba o siebie, stanie się atrakcyjną kobietą. On też zadba o swój wygląd. Wtedy nie tylko panie w średnim wieku będą na niego zwracać uwagę, ale także te młodsze. Ma kasę. Nie palił, nie pił, nie wydawał na panienki ani na samochód, bo go nie miał, więc dodatkowo zarabiane pieniądze lokował na koncie w banku i uzbierał sporą sumkę. Ponadto poszczęściło mu się w totku. Co prawda nie wygrał miliona, jak tego pragnął, a tylko trzydzieści tysięcy, ale to i tak dużo. Felicja o wygranej nie wie. Chciał jej zrobić niespodziankę i zafundować wycieczkę do Meksyku, ale się rozmyślił i postanowił, że wygraną ulokuje w banku, gdzie ma swoje konto, i to takie, że mógłby kupić mieszkanie na Woli lub w innym, jeszcze tańszym rejonie miasta. Ale chce mieszkać na Mokotowie lub Saskiej Kępie, i to w korzystnie usytuowanym budynku z cegły, a na to będzie go stać dopiero za trzy, cztery lata. Po osiągnięciu wieku emerytalnego zatrudni się na połówkę i będzie miał większy dostęp do atrakcyjnych zleceń. Przez ten czas będzie mieszkał u stryjka, sam mu to zaproponował. A skoro tak, nie musi żyć oszczędnie, może sobie pozwolić na to i owo, także na kobiety. Podoba się im, bo zauważył, że prawie wszystkie na jego widok poprawiają włosy, niektóre uśmiechają się zalotnie. Nie musi się obawiać, znajdzie sobie odpowiednią kobietę. Felicja również sobie w życiu poradzi. Jeśli nie będzie chciała się związać z innym mężczyzna, zajmie się wnukiem i córką, której nie układa się z mężem. Zresztą on nie chce całkowicie z nią zerwać. Chce tylko opuścić ich wspólne gniazdo i znaleźć inne. Powinna go zrozumieć. Robi to dla ich wspólnego dobra, żeby się nie męczyli ze sobą. Jeśli Felicja się zgodzi, zostaną przyjaciółmi. Zawsze może na niego liczyć, w każdej sytuacji. Jest zszokowana jego decyzją, lecz z czasem, gdy ją przemyśli i weźmie pod uwagę ostatnie lata ich pożycia, uzna ją za słuszną.

– Nie, ja w to nie wierzę – przerywa milczenie Felicja. – To nieprawda, co? Ty tylko żartowałeś. No powiedz, Henryku, że żartowałeś.

– Nie żartowałem, Felicjo. Ja naprawdę chcę odejść.

– Dokąd?

– Dokąd?

– No tak, dokąd?

Nie wie, co na to odpowiedzieć. Bo jak jej powie, że w ich mieszkaniu brakuje mu powietrza, wtedy ona powie, że mogą je zamienić na inne. A przecież nie o to chodzi. Chce odejść od niej, od ich wspólnego życia, aby zaznać innego, wykorzystać inne możliwości. Jest ich dużo, musi się tylko w nich dobrze rozejrzeć i wybrać najlepszą. A będzie mógł to zrobić, gdy uwolni się od Felicji. Jej obecność go paraliżuje, drażni i irytuje, coraz trudniej mu ją znieść. Ma swój pokój, a w nim radio, którym może zagłuszyć jej krzątaninę, ale pozostaje myśl, że w każdej chwili może do niego wejść lub w inny sposób przypomnieć o sobie i jego małżeńskich obowiązkach. Dlatego chce odejść. Musi.

– Pewnie kogoś masz – mówi Felicja. – Chcesz odejść do innej kobiety, prawda?

– Nie mam innej kobiety.

– Nie?

– Nie.

Na twarzy Felicji pojawia się wyraz ulgi, potem niedowierzanie.

– Kłamiesz,

– A dlaczego miałbym kłamać?

– Żeby mi oszczędzić przykrości.

– Kiedy ja naprawdę nie mam nikogo. Uwierz mi, Felicjo, naprawdę! I tak faktycznie jest, nie ma innej kobiety. Był wobec Felicji lojalny, nigdy jej nie zdradził. A teraz chce od niej odejść, to wszystko. Po prostu chce odejść i zacząć inne życie, z inną Kobietą. Jest ich dużo, wolnych albo nie, gotowych ulec mężczyźnie, jeśli ten się im spodoba. A on mimo swojego wieku kobietom się podoba. Nie wszystkim, ale niektórym na pewno. Jeśli zacznie się odpowiednio ubierać i nie będzie się liczył z każdym groszem, jak dotąd, ich grono się znacznie powiększy. Dzisiaj wyrobi sobie kartę płatniczą i założy dżinsy i kolorową koszulę z krótkimi rękawami. Lepszy byłby podkoszulek z jakimś kolorowym napisem w języku angielskim, ale go nie ma, musi kupić. A dziś do koszuli weźmie słomkowy kapelusz i okulary przeciwsłoneczne, które wczoraj kupił.

– To ja już niczego nie rozumiem.

Felicja uśmiecha się bezradnie i nie spuszczając wzroku z Henryka czeka, aż ten zakończy swą wędrówkę po pokoju, usiądzie przy stole i wyjaśni to, czego ona nie rozumie.

– Nie rozumiem! Nie rozumiem!

Henryk spogląda z irytacją na Felicję i dalej spaceruje po pokoju, od okna do drzwi i od drzwi do okna. Tam za oknem jest tyle interesujących miejsc, tyle interesujących kobiet. Gdy wyjdzie z domu, może jeszcze dzisiaj jakąś pozna. Wybierze się na basen, tam jest ich dużo. Przedtem pojedzie do stryja. Musi się upewnić w jego zamiarach wobec niego. Szkoda, że nie ma samochodu. Mężczyzna w jego wieku, jeżeli chce mieć powodzenie u kobiet, powinien posiadać samochód. Może być używany, byle się dobrze prezentował i był na chodzie. Kupi go za wygraną w totka. Jak zamieszka u stryja, nie będzie musiał płacić za najem pokoju, przewidziane na to pieniądze przeznaczy na ekstra wydatki i kolacyjki. Na pierwszą zaprosi Lucynę, choć zna ją tylko ze zdawkowych rozmów i nie wie, czy ma u niej szanse. Niebawem to sprawdzi, będzie miał okazję.

B

Wypatroszonego i oskubanego gąsiora Małgorzata S. kładła na kuchennym stole, gdy zadzwonił Antoni, informując ją, że wróci nieco później, bo zdarzyło się coś strasznego i musi objechać z policją kilka miejsc.

Zaledwie odłożyła słuchawkę na widełki, rozległ się dzwonek u drzwi.

– Na korytarzu pełno plam krwi – oznajmiła Cecylia B., wręczywszy przyjaciółce ciemnozieloną spódnicę, którą na jej życzenie zwęziła i skróciła. – Widziałaś?

– To krew po gąsiorze. Wyrwał mi się, gdy podrzynałam mu gardziel i z wiszącym na skórze łbem wybiegł na korytarz. Jak Grzesiek wróci ze szkoły, weźmie mopa i zmyje krew.

– Wszędzie ona jest, przy windzie i za windą.

– Tak daleko gęsior nie zaleciał. Musiał ją ktoś rozdeptać.

– Ano właśnie. Niech Grzesiek zmyje cały korytarz. Bo jutro święto.

G

W kolorowej koszuli z krótkimi rękawami, ciemnych okularach i słomkowym kapeluszu na głowie, Henryk prezentował się znakomicie, sportowo i zarazem szykownie. Wyszedłszy z domu popatrzył na zegarek, potem na niebo i skierował się na przystanek tramwajowy, aby pojechać na śródmiejski dworzec kolejowy i wsiąść do pociągu obsługującego peryferie i okolice Warszawy. Na trasie do Otwocka, w Aninie mieszkał brat ojca, sędzia w stanie spoczynku. Ostatnio Henryk często go odwiedzał, gdyż stryj miał atak apopleksji i jednostronnie sparaliżowany nie podnosił się z łóżka, będąc pod opieką emerytowanej pielęgniarki i masażysty, no i zarządzającej domem, niewielką willą z ogrodem, gospodyni. Stać go było na to, gdyż miał wysoką emeryturę i konto w banku. Jak przechodził w stan spoczynku, było ono wysokie, lecz z czasem stopniało, bo udzielał się towarzysko i nie stronił od kobiet. Spotykał się z nimi także za życia zmarłej przed dwudziestu laty żony, czego mu ona nie wymawiała, nie śmiała, a może nie zdawała sobie z tego sprawy, ponieważ w tym czasie już była chora i skoncentrowana na sobie, na poczuciu winy i niższości. Nie mieli dziecka, za co winiła męża i próbowała zajść w ciążę najpierw z jednym, potem z drugim kochankiem, a gdy się okazało, że jest bezpłodna, wpadła w depresję i obojętna na wszystko straciła chęć życia. W takim stanie ducha, cierpiąc także na inne choroby, zmarła, co stryj głęboko przeżył, bo mimo wszystko bardzo ją kochał i długo po jej śmierci nie mógł dojść do siebie. Tak w dużym skrócie wyglądało życie małżeńskie brata jego ojca. Opowiedział mu je pięć lat temu, gdy Henryk go odwiedził i zastał u niego dwie podchmielone kobiety, które chwilę później odjechały wezwaną taksówką.

Kiedy zostali sami, także podchmielony stryj najpierw opowiedział mu o stryjence, potem o swoim życiu.

– Jestem grubo po siedemdziesiątce – rzekł – i z kobietami nie radzę sobie tak jak piętnaście czy jeszcze dziesięć lat temu, kiedy mogłem w nich przebierać jak w ulęgałkach, bo dobrze się ubierałem, ładnie pachniałem i nie skąpiłem pieniędzy na kolacyjki w eleganckich lokalach, gdzie mnie znano i kłaniano mi się w pas. A co najważniejsze, cieszyłem się u kobiet opinią mężczyzny dbającego o doznania swoich partnerek, co te przekazywały koleżankom, powiększając grono moich wielbicielek, wśród których były nie tylko starsze panie, przeważnie wdowy lub rozwódki, lecz także ich córki. Teraz też mam u nich wzięcie, ale znacznie mniejsze. Lecą na mnie, bo jestem bezdzietnym wdowcem, mam wysokie uposażenie i pięknie położoną willę. Jedna z tych pań, które widziałeś, kiedyś była moją kochanką, druga jej przyjaciółką, kandydatką na żonę. A ja ani myślę drugi raz się ożenić, mam wypróbowaną, dbającą o dom gospodynię, a coraz mniejsze potrzeby seksualne mogę załatwić za pośrednictwem telefonu. Dotąd nie korzystałem z usług agencji towarzyskich, ale wkrótce będę, bo ciągnie mnie do młodych kobiet. Cóż z tego, że trzeba za to płacić. Kolacyjki też kosztują, i to więcej niż godzina czy dwie z panienką z agencji. Ponadto często jedna kolacyjka nie wystarcza, potrzebna jest druga, niekiedy coś więcej, a z płatnymi panienkami sprawa jest prosta, ustala się zakres usługi i one ją świadczą, fachowo i uczciwie, bez żadnych zabiegów, podchodów i kłamstw. Bo czym innym jak nie kłamstwami są najczęściej komplementy, którymi obsypujemy kobiety, gdy chcemy się z nimi przespać. Lubią, jak odgrywamy rolę romantycznego kochanka czy też brutala, choć wcale nim nie jesteśmy. Tak od kuchni wygląda miłość. Nie jest ona bezinteresowna, za każdą trzeba płacić, jak nie banknotami, to czymś innym. W małżeństwie również.

Popijając whisky pierwszy raz rozmawiali ze stryjem jak mężczyźni i przyjaciele, otwarcie i szczerze, nie unikając intymnych spraw.

– Często miewasz romanse? – spytał brat jego ojca

– Nie zdradzam Felicji.

– Niezobowiązująca przygoda miłosna to nie zdrada,

– Ty to mówisz, prawnik, sędzia!

– Prawo stanowi inaczej, ale w tej kwestii mam własne zdanie. Nie wypowiadałem go publicznie, nie musiałem. Orzekałem wyłącznie w sprawach karnych, z prawem rodzinnym nie miałem do czynienia. Interesowało mnie ono wyłącznie na studiach, kiedy to omawialiśmy z kolegami różne kwestie, między innymi kwestię zdrady małżeńskiej. Doszliśmy do wniosku, że powinno się o niej mówić dopiero wtedy, gdy jedno z małżonków angażuje się uczuciowo w związek z inną osobą, zapominając o zobowiązaniach wobec współmałżonka i rodziny.

– Nie sądzę, żeby w moim wypadku miało kiedyś do tego dojść. Jak wiesz, mój ojciec był purytaninem i w tym duchu mnie wychował. Nie chcę i nie mogę zdradzić Felicji, chociaż, przyznaję, coraz mniej mnie pociąga.

– To normalne, dziwiłbym się, gdyby było inaczej. Spowszedniała ci małżeńska miłość, musisz ją odświeżyć. Najlepszym na to sposobem jest krótki, niezobowiązujący romansik. Brzmi to paradoksalnie, lecz wiem, co mówię, Przelotna miłostka przyniesie ci poczucie winy i żal, ale zarazem wzmocni twoje uczucia do Felicji, bo wywoła w pamięci miłe wspomnienia, zwróci uwagę na jej przymioty i sprawi, że zaczniesz na nią patrzeć jak dawniej. Jesteś już po pięćdziesiątce, prawda?

– Za rok dobiję do sześćdziesiątki.

– To jesteś jeszcze młody. Gdybym miał tyle lat, ile ty, zastałbyś u mnie dwudziestolatki, a nie podstarzałe panie.

– Nie ciągnie mnie do dwudziestolatek.

– Niedługo zacznie ciągnąć. Przepraszam, że cię o to pytam, często, jak to się teraz mówi, bzykasz Felicję?

– Dużo pracuję, na półtora etatu, ponadto biorę różne zlecenia, bo chcę zapewnić córkom dobry start, więc po powrocie z pracy oglądam telewizję i idę spać.

– Jak byłem u was, widziałem w sypialni szeroki tapczan.

– Już go nie ma, zastąpiły go dwie leżanki.

– To znaczy, że rzadko sypiasz z żoną.

– Bardzo rzadko.

– Nie ma ci tego za złe?

– Gdyby miała, to by powiedziała. Ale chyba raz na tydzień jej wystarcza, bo też dużo pracuje, a po pracy krząta się koło córek, żeby im zapewnić dobre warunki do nauki.

– Ładne z nich dziewczyny, wrażliwe i mądre. Jeśli idzie o ich matkę, to skoro ci z nią dobrze, trzymaj się jej, lecz nie zapominaj, że są na świecie inne kobiety, z którymi od czasu do czasu warto zaszaleć. Inaczej skapcaniejesz. Wierność zasadom i ślubom przynosi ci chlubę, ale i znieczula na uroki życia, Felicja też tą samą drogą kroczy, lecz po swojemu, z bagażem drobnomieszczańskich prawd i ograniczeń.

Stryj nie darzył jego żony sympatią, jak podejrzewał dlatego, że podczas jednej z dwóch wizyt w ich domu długo go wypytywała o stryjenkę, dając mu do zrozumienia, że wini go za jej śmierć, co otwarcie wyraziła w rozmowie z ich wspólną znajomą, mówiąc, że stryj zdradzał żonę i swoimi romansami doprowadził ją do depresji, licznych chorób i przedwczesnej śmieci. A przecież tak nie było, ona pierwsza zaczęła go zdradzać i na dwa czy trzy lata przed śmiercią nie chciała z nim sypiać, otwierając mu furtkę do niezobowiązujących miłostek. Po wizycie u stryja rozmawiał na ten temat z Felicją, biorąc w obronę brata swego ojca, lecz nie przekonał żony, dalej uważała stryja za sprawcę śmierci żony, nazywając go lowelasem w sędziowskiej todze.

– Jest ładna – ciągnął stryj – ale nie dziwię się, że rzadko się z nią kochasz, bo nosi się tak, jak gdyby jej nie zależało, żeby ci się podobać..

– To prawda – przyznał.

– Zwróć jej na to uwagę. Nie, tobie nie wypada, poproś o to jej przyjaciółkę.

Tak też zrobił, lecz to nie poskutkowało, toteż rok po wizycie u stryja biorąc żonę w ramiona zaczął się uciekać do pomocy wyobraźni, przywołując na pamięć co piękniejsze kobiety, widziane na ulicy, a także te z pism ilustrowanych, ubrane seksownie lub nagie. Zwierzył się z tego stryjowi, a ten powiedział, że jak to przestanie mu wystarczać, będzie musiał uciąć sobie jakiś romans lub korzystać z usług agencji towarzyskiej.

Nie chcąc się sprzeniewierzyć złożonej przed ołtarzem przysiędze, żadnego romansu nie nawiązał, ale z usług panienek z agencji skorzystał. Pierwszy raz po ślubie młodszej córki, gdy zajął jej pokój i w rocznicę małżeństwa, którą uczcili z Felicją kolacją z szampanem, poszedł do jej pokoju i się skompromitował jako mężczyzna.

– To dlatego, że za dużo wypiłeś – pocieszyła go Felicja i po kilku dniach sama przyszła do niego, a on ponownie ją zawiódł.

Wpadł w panikę, gdyż myślał, że skończył się jako mężczyzna, poszedł do poleconej mu przez stryja agencji towarzyskiej, gdzie zdaniem dwudziestokilkuletniej blondynki spisał się na sto procent, jak dwudziestolatek. Uspokojony tym odzyskał dobre samopoczucie i kilka dni później znowu zaszedł do pokoju Felicji i znowu opuścił go z poczuciem porażki. Dlatego po raz drugi odwiedził agencję towarzyską, a że w niej ponownie się sprawdził, stało się dla niego jasne, że za porażki w ramionach Felicji nie on ponosi winę, lecz ona, jej niedbały wygląd, zapach i niecierpliwe wyczekiwanie, a potem wzgarda, jaką wyczuł w jej glosie i zachowaniu po swej drugiej nieudanej wyprawie.

– To nie ona jest winna – wziął ją w obronę stryjek, który podczas jego coraz częstszych wizyt wypytywał go o relacje z żoną, choć nie tylko o nich rozmawiali. Niekiedy wyłącznie o procesach sądowych, głównie tych opartych na poszlakach, jako że stryj kiedyś taką sprawę prowadził i zasądził wyrok śmierci. a po latach okazało się, że kto inny popełnił osądzone przez niego morderstwo, co stryjowi odebrało spokój i spowodowało że stał się zagorzałym przeciwnikiem kary śmierci. – Żadne z was nie jest winne. Po prostu przestała wam sprzyjać natura, ona sprawiła, że Felicja już cię nie pociąga. Musisz to jej jakoś wyjaśnić, a jeśli tego nie zrozumie, powinniście wziąć rozwód.

– Felicja się nie zgodzi – zauważył.

– To wystąpisz o separację.

– Nie wyobrażam sobie separacji w jednym mieszkaniu.

– Faktycznie, to trudna sytuacja. Ale przecież możecie swoje mieszkanie zamienić na dwa mniejsze.

– I na to się nie zgodzi.

– Wtedy zamieszkasz u mnie i obaj będziemy przyjmować panienki – stwierdził stryjek, który już w tym czasie zaprzestał podbojów miłosnych i zaczął korzystać z usług agencji towarzyskich. – Ty na górze, a ja na dole – dodał i zachichotał.

Rozmowa, jaką odbył z Felicją, była jedną z najtrudniejszych w jego życiu. Przeprowadził ją przy butelce wina, które kupił dla nabrania śmiałości. Nie powiedział jej, że już go nie pociąga, tylko że wyczerpał swą potencję męską. Felicja zareagowała na to ze zrozumieniem, lecz po kilku dniach wyczuł przez skórę, że jest rozczarowana.

Z czasem w jej ukradkowych spojrzeniach odkrył zniecierpliwienie, zwłaszcza po tym, jak sprzątając jego pokój, czego jej zabronił, natrafiła na erotyczne pisma. Nie wspomniała mu o nich, ale na pewno je długo przeglądała, bo zaczęła go kusić negliżem, paradując po mieszkaniu to w skąpym szlafroczku, to w różowej lub seledynowej halce, to w samym biustonoszu i coraz skąpszych majtkach, ostatnio w stringach. Ale to niczego nie zmieniło, widok żony w negliżu go nie pobudzał, a w miarę upływu czasu zaczął śmieszyć lub wywoływał w nim bliską odrazy niechęć. Chcąc ją pokonać, zażył viagrę, ale zamiast do pokoju Felicji, poszedł do siebie i zaczął kartkować pisma z nagimi kobietami, co uświadomiło mu ostatecznie, że przynajmniej w aspekcie seksualnym jego małżeństwo się wypaliło i nic tego nie zmieni.

Tymczasem stryj miał atak apopleksji i chciał, żeby zamieszkał u niego, w dwóch pokojach na górze. Felicja nigdy nie była u stryja – kiedyś chciała, lecz zmieniła zdanie, tłumacząc się bólem głowy – a on o swych wizytach u niego poinformował ją lakonicznie, i tylko o dwóch czy trzech. Pozostałe przemilczał, głównie dlatego, że żona nie cierpiała brata jego ojca, mając go za kobieciarza, który zatruwa go jadem rozpusty i zdrady, choć jako sędzia winien świecić przykładem i dawać mu dobre rady. I dawał mu je, jednak nie po myśli Felicji, namawiając go do przeprowadzki do Anina. Wczoraj mu oznajmił, że pokoje na górze są już wyszykowane i czekają na niego. Powiedział też, że jest z nim coraz gorzej i czuje, że niedługo umrze. Ponadto powiedział, że zamierza spisać testament, nadmieniając, że krewni z jego linii już zmarli, a ci z linii żony są mu nieznani, mieszkają za granicą i żyją w luksusach, czym dał mu do zrozumienia, że na niego przepisze swój dom. Jeśli tak się stanie, będzie mógł przebierać w kobietach jak w ulęgałkach. Utnie sobie kilka romansów, pojeździ po świecie i poszaleje, a potem się ożeni, lecz nie z młódką, tylko z kobietą dojrzałą, a jeszcze zdolną do urodzenia dziecka, taką jak Lucyna, która trochę w życiu przeżyła, ma dobrze w głowie i dopiero czterdzieści lat.

H

Pod dom podjechała karetka pogotowia, wyszedł z niej Bronisław Lizak, wnuk Franciszka, zatrudniony w pogotowiu jako ratownik medyczny. Szybkim krokiem skierował się w stronę drzwi wejściowych, w których po chwili z powrotem się pojawił ze świeżym podkoszulku.

Powiadomił dziadka, że będzie pracował na dwie zmiany, więc niech nie czeka na niego z obiadem, wróci dopiero na późną kolację, o ile nie przenocuje u którejś ze znajomych lekarek lub pielęgniarek. Powracając do erki minął Cecylię B. Pół godziny temu, gdy zabierali z poradni zawałowca, przed gabinetem ginekologa dostrzegł jej córka. Dziewczyna miała zmęczoną twarz i na jego widok opuściła głowę, jak by nie chciała, żeby ją rozpoznał. Dlatego tylko się sąsiadce ukłonił, nie poinformował jej, że widział Bożenę. Praca w służbie zdrowia nauczyła go dyskrecji.

11

Franciszek Lizak wrzucił do kosza przepocony podkoszulek wnuka. Jutro zrobi pranie, nie, pojutrze, jutro jest święto. Szkoda, że Bronek nie wróci na obiad, bo chciał upiec kurczaka. Ale to nic, upiece go jutro, albo jeszcze dzisiaj, na kolację. Chłopak dużo pracuje, więc dużo i dobrze musi jeść. Jak był młody, on też dużo jadł, lecz nie zawsze dobrze, bo w rodzinie było sześć osób i nie powodziło się im najlepiej. Teraz też nie powodzi się najlepiej rodzinom wielodzietnym, choć nie tylko im. Wiele rodzin żyje w biedzie, niektóre w ubóstwie czy nawet w nędzy. Tylko rządzącym wiedzie się dobrze, im i współczesnym kapitalistom, co nie zawsze uczciwie dochrapali się majątku za czasów Jaruzela lub po jego rządach i korzystając z różnych znajomości i powiązań znacznie powiększyli swój stan posiadania. Zawsze jedni żyli lepiej, inni gorzej, ale nie było tak wysokiej różnicy w dochodach, i takiego oszustwa. Obiecują ludziom różne rzeczy i robią z gęby cholewę, bo nie dotrzymują obietnic. Kaczor przynajmniej coś chciał zrobić, no i robił, nierozważnie, głupio, porywając się z motyką na słońce, ale przynajmniej myślał o ludziach i państwie, w którym chciał zrobić porządek. Tymczasem Tusk i jego drużyna myślą tylko o sobie, to widać. Jednak ludzie Tuskowi ufają i idą za nim jak barany. W jego domu dużo jest takich, większość. A niech tam, ich sprawa. Jak się im podobają rządy Tuska, niech słuchają jego lepkich słówek, prędzej czy później przekonają się, po czyjej stronie jest prawda i dobro kraju.

Robi się gorąco, kupi w kiosku gazety i posiedzi na ławce przed domem.

C2

Krystyna Rogala usmażywszy kotlety, ulubione danie męża, nakryła je pokrywką i zabrała się za surówkę i chłodnik. Nie ma w domu ziemniaków, jutro je kupi, a dziś poda do kotletów ryż, ten z torebki, którą wrzuci do wrzątku, gdy Kazik będzie jadł chłodnik. Podchodzi do okna, spogląda na ulicę. Jest pusta. W domu też jest pustawo. Dzieciaki są w szkole, ich rodzice w pracy, a emeryci na ławkach – przed domem lub w parku – albo na działce bądź nad Wisłą. Ona również pojedzie nad wodę, lecz nie rzeczną, bo Wisła jest brudna, tylko tę w Zalewie Zegrzyńskim, gdzie nie tylko można się opalić, ale i wykąpać. Tam spędzi dzisiejszy dzień, do drugiej lub trzeciej, czy też dłużej, gdyż Kazik ma przyjęcia w poradni i wróci nie wcześniej niż o szóstej. Żeby się nie nudzić, kupi w kiosku jakiś kolorowy magazyn lub weźmie książkę i będzie się przygotowywać do egzaminu. Kilka już zaliczyła, został tylko jeden, najtrudniejszy. Zdaje go za kilka dni, da sobie radę. Za rok będzie już panią magister i podejmie pracę, albo zacznie studiować romanistykę. Teraz na fali jest angielski, ale ona woli francuski i ten język będzie studiować. Nie musi pracować. Kazik dostał podwyżkę, wkrótce dostanie drugą i nie będą mieli problemów z kasą. Zresztą już ich nie mają, stać ją nie tylko na dobre kosmetyki, fryzjera i modne ciuchy, ale także na wyjazdy zagraniczne. Ostatnio była na Wyspach Kanaryjskich, jesienią pojedzie na Kubę albo do Dominikany czy też Meksyku. Dobrze zrobiła wychodząc za Kazika. To odpowiedzialny mężczyzna i dobry lekarz, cieszy się znakomitą opinią zarówno wśród kolegów lekarzy, jak i pacjentów, tych ze szpitalnych łóżek, a także tych, których przyjmuje w poradni. Niemal codziennie przynosi do domu dowody ich wdzięczności lub nadziei, markowy koniak bądź kopertę. Tych ostatnich nie powinien brać, ale ludzie nawykli do nich i myślą, że jak nie posmarują lekarzowi i pielęgniarce, to nie zapewnią sobie lub krewnemu dobrej opieki, no i osobistego zaangażowania, co też się liczy, bardzo się liczy w czasach coraz większego egoizmu, prywaty i rozpadu więzi społecznych, nie wspominając już o wszechobecnej i wszechwładnej mamonie. Wszyscy teraz biorą, lekarze od pacjentów, pacjenci od petentów, petenci od klientów, a klienci od kogo tylko się da. Ten, kto nie bierze, nie daje, a wszak dawanie to cnota, satysfakcja i potrzebna ludziom nadzieja. Dlatego ci, którzy chcą temu położyć tamę, ci, co naprawdę, a nie tylko na papierze czy w przemówieniach walczą z korupcją, przegrywają, muszą przegrać. Zresztą czy sami kiedyś nie dawali i brali? Jeśli nie, to są święci. A świętych się szanuje, ba, czci i modli do nich, ale nie mogą rządzić, bo rządzenie wymaga elastyczności i przymykania oka, a nie górnolotnych haseł i działań, które burzą spokój i zamiast porządku, wprowadzają strach.

Studiująca socjologię Krystyna R. zamknęła lodówkę, w której stało kilka butelek alkoholu, wśród których królował przedni francuski koniak, sprezentowany mężowi przez żonę pacjenta, którego ma dziś operować, założyła bawełniany podkoszulek oraz kusą spódniczkę, przed lustrem poprawiła makijaż i z ciemnymi okularami na czole oraz kluczykami od samochodu wsiadła do windy. Ma w torbie kilka kanapek i colę, a że Kazik zapowiedział, że wróci do domu dopiero pod wieczór, spędzi nad Zalewem nie tylko upalne południe, ale i całe popołudnie, opali się i wykąpie, no i popatrzy na dobrze zbudowanych chłopaków. Kazikowi urósł brzuszek i już nie wygląda tak atrakcyjnie jak w czasie ich narzeczeństwa i pierwszego roku małżeństwa. Mimo to go kocha i dotąd nie zdradziła. A on ją tak, bo miesiąc temu wrócił z nocnego dyżuru ze śladem szminki na koszuli i chyba także na szyi. I nie kochał się z nią, jak zwykł to robić przedtem. Poszedł do łazienki, wziął prysznic, a potem położył się na tapczanie i natychmiast zasnął. Tak, na pewno tego dnia ją zdradził, pewnie z jakąś pielęgniareczką, bo podczas nocnych dyżurów pielęgniarki lubią się bzykać z lekarzami. Jak jeszcze raz zauważy u męża ślady zdrady, zrobi mu awanturę i zagrozi rozwodem, albo dla wyrównania rachunków też go zdradzi, z kolegą ze studiów lub innym chłopakiem.

Ubrana w czerwoną mini spódniczkę Krystyna opuściła windę i skierowała się w stronę wyjścia.

– Dzień dobry, pani doktorowo – pozdrowiła ją objuczona torbą z zakupami Cecylia Basiak, matka dwudziestotrzyletniej Bożeny, jej koleżanki, z którą od czasu do czasu jeździła nad Wisłę i prowadziła babskie rozmowy.

– Dzień dobry! – odpowiedziała Krystyna.

– O, ma pani nową spódniczkę – zauważyła Cecylia B., obrzuciwszy ją zazdrosnym okiem.

– Podoba się pani?

– Jak na mój gust, za krótka, no i zbyt krzykliwa. Ale pani we wszystkim dobrze, bo jest pani młoda i zgrabna, nie to co ja – potężne piersi sąsiadki uniosły się w głębokim wdechu i zaraz opadły, jako że miała krótki oddech, a upał jeszcze go skracał. – Pani doktorowa pewnie na basen, co?

– Nie, nad Zalew Zegrzyński. Jest tak gorąco i pięknie, że grzechem byłoby siedzieć w domu. Mąż dziś dłużej pracuje i zje obiad w szpitalu, więc mogę się opalać tak długo, jak długo będzie grzało słońce.

– Rozumiem. Pewnie pani słyszała, że Bożenka wychodzi za mąż?

– Słyszałam.

– Dobrze dziewczyna robi, jestem z niej dumna. Wybrała sobie na męża człowieka, który jest znacznie młodszy od pana Kazimierza, w jej wieku, a umie sobie w życiu radzić, miesiąc temu awansował na zastępcę kierownika działu i zanosi się na to, że za rok sam zostanie kierownikiem, a może i dyrektorem.

– Gratuluję. Kiedy będzie ślub?

– Za dwa tygodnie cywilny, a trzy dni później kościelny, w ostatnią sobotę czerwca. Bożenka strasznie się tym przejmuje, jest podenerwowana i mało sypia, Rano poszła do lekarza, żeby jej przepisał coś na uspokojenie. Niepotrzebnie się martwi, wszystko będzie jak należy. Wesele rodzice Ludwika urządzają, ale większą część wydatków ja pokryję. Ponadto daję młodym mieszkanie. Tylko na rok, bo potem zamieszkają u siebie, na Woli, w pięknym wieżowcu, który jest w budowie. Ludwik wziął kredyt w banku, Bożena dostanie ode mnie na meble oraz wyposażenie kuchni i łazienki. Ślub cywilny jest mniej ważny, więc uczcimy go lampką szampana i skromnym poczęstunkiem w jakiejś restauracji. A dziś są ich zaręczyny. Będą na nich rodzice i dziadkowie Ludwika. To nas zbliży. Nasze dzieci się pobierają, więc musimy się lepiej poznać. Właśnie byłam na zakupach. Kupiłam na kolację kaczkę. Upiekę ją w prodiżu z jabłkami. Małgorzata jutro będzie miała gości, bo wydaje przyjęcie z okazji swoich imienin i dwudziestej piątej rocznicy ślubu. I niech pani sobie wyobrazi, jak zarzynała gąsiora, którego przez dwa tygodnie trzymała w piwnicy i dokarmiała, ptaszysko jej się wyrwało, wyleciało na korytarz i zabrudziło go krwią. Grzesiek ma ją usunąć, ale na razie przylepia się do butów i roznosi po domu. Niech pani swoje buciki dobrze wytrze, na pewno jest na nich krew.

Sąsiadka odwróciła się i weszła do windy, a Krystyna podążyła w stronę samochodu. Była zadowolona, że Bożena wkrótce wyjdzie za mąż, bo kiedyś kochała się w Kaziku i z jej zainteresowania jego osobą wynikało, że nadal się w nim kocha, co mogłoby zagrozić ich małżeństwu. Rok temu, gdy Cecylia szyła jej sukienkę, podczas przymiarki powiedziała, że weszła Bożenie w paradę. Tak to określiła, po staroświecku. Cóż, takie jest życie, często komuś wchodzimy w paradę. Basiakowa liczyła na to, że jej córka wyjdzie za Kazika, ale on poznał ją i z nią, a nie z Bożeną się ożenił.

– Dzień dobry – usłyszała.

Stała przed nią Jadwigę Kupisz, mieszkającą w ich domu od dwóch miesięcy dwudziestokilkuletnia blondynka, o długich i pięknie opalonych nogach, po którą codziennie, na ogół późnym popołudniem podjeżdżał kremowy mercedes.

– Dzień dobry – odpowiedziała nowej lokatorce.

– Na basen?

– Nie, nad Zalew.

– Tak daleko?

– Na basenach dzisiaj tłoczno.

– Na solarium zawsze znajdzie się wolne miejsce. Zapraszam.

– Innym razem pani...

– Mam na imię Jadwiga, ale znajomi mówią mi Jagoda.

– Krystyna. Podwieźć panią?

– Nie trzeba. Zamówiłam taksówkę.

Pod dom podjechała niebieska taksówka. Jagoda wsiadła do niej, odprowadzana wzrokiem Krystyny, zazdroszczącej sąsiadce pięknej opalenizny i smukłej figury. Przypomniawszy sobie o krwi gąsiora, zanim wsiadła do samochodu, wyciągniętą z bagażnika szmatką wytarła podeszwy bucików.

12

Obserwujący przez okno młode kobiety Leopold Dekiel, staruszek w zielonych majtkach, mlaska językiem, a że tymczasem siadła mu na karku mucha, strzepuje ją dłonią, po czym z klapką w ręku goni po pokoju i klaps! rozpłaszcza na ścianie.

Siedzący w kąciku kundel przygląda się mu z rozbawieniem w ślepiach.

I3

Mieszkający trzy piętra wyżej Marian Łukasiewicz, od chłopięcych lat pozbawiony wzroku, siedzi w fotelu i wsłuchuje się w radosny śpiew kanarków, który wypełnia pokój i zachęca do życia. Słońce też do niego zachęca. Czuje je na twarzy, zwłaszcza tam, gdzie są oczy, niestety ślepe. Ale ma dobry słuch, lepszy niż inni. Ma też sprawne nogi i ręce, no i dwóch wypróbowanych przyjaciół, którzy codziennie go odwiedzają i opowiadają, co widzieli. Dzisiaj też go odwiedzą i zabiorą na spacer do parku lub po ulicach, które przed południem są mniej hałaśliwe i mniej niebezpieczne. Ale mocno grzeje słońce, czego przyjaciele nie znoszą, toteż przyjdą po niego pod wieczór, gdy się ochłodzi. On lubi słońce i może na nim przebywać o każdej porze dnia, więc chyba sam pójdzie na spacer, bo o tej porze ulice są puste i dobrze je zna, tak samo jak swój dom, no i swoje mieszkanie, każdy w nim mebel i sprzęt, więc porusza się po nim swobodnie, bez laski. Po okolicznych ulicach też mógłby chodzić bez laski, gdyby się na nich nic nie zmieniało, no i gdyby nie ludzie, którzy je przemierzają i mogą go potrącić, albo on ich. Ponadto pełno teraz samochodów. Dawniej było ich znacznie mniej, niektóre pamięta i rozróżnia po warkocie silnika, ale są nowe, szybsze, o nieznanych mu kształtach. Co do mieszkania, to lepiej by było, gdyby się znajdowało na parterze lub na pierwszym piętrze, jak to Leopolda, który nawet oferował mu zamianę, lecz przyzwyczaił się do swojego, dobrze zna najbliższych sąsiadów, wie, gdzie jest winda i jak do niej dojść, więc nie musi i nie chce się zamienić. Szkoda tylko, że nie ma już Zosi, z nią byłoby łatwiej. Ale są przyjaciele, a także inni sąsiedzi, no i doktor Kazimierz, który ostatnio długo z nim rozmawiał, zbadał go i udzielił kilku rad.

I1

Zaprzyjaźniony z Leopoldem D. i Marianem Ł. Franciszek usiadł na ławce przed domem, ocienionej palczastymi liśćmi stojącego przy ławce czterdziestopięcioletniego klonu. Był w kiosku po gazety, potem przespacerował się po tonącym w przedpołudniowym słońcu osiedlu, przystając na chwilę przed Pomnikiem Bohaterów Getta. Znał kilkoro ze zgromadzonych w getcie Żydów. Jednym z nich był Marek Goldman, jego rówieśnik, szkolny kolega i przyjaciel. Mieszkał przy Nalewkach, tylko innych niż obecne, ograniczone do kilkudziesięciu metrów, z kilkoma budynkami. Tamte były długie, a stojące przy nich kamienice tętniły życiem. Mieściły się w nich najrozmaitsze warsztaty, głównie krawieckie, zlokalizowane na piętrach. Na dole były sklepy, no i cukiernia, w której jedli kiedyś lody. Potem Marek zaprowadził go do sklepu z belami kolorowych materiałów, gdzie królował ojciec jego wuja – Żyd o nazwisku Szulc, chudy i wysoki mężczyzna z długą, rudą i zmierzwioną brodą, w wyświechtanym, czarnym chałacie. Handlował materiałami z wełny. Obok Rosenberg sprzedawał pochodzące z Chin i Indii cieniusieńkie i lekkie jak piórko jedwabie, wśród których królował nankin, a u Szulca można było kupić przednie wełny bielskie, najrozmaitszej grubości i różnego koloru. Leżały w dużych belach na półkach, z których Szulc je zdejmował i rozwijał przed klientem na długiej ladzie, na końcu której siedziała przy kasie pulchna Klara, jego żona. Miał z nią czworo dzieci, same dziewczyny. Najmłodsza, dwunastoletnia Dorotka, o cienkich jak patyczki nóżkach, stała przed sklepem w kusej sukieneczce i namawiała przechodniów do zakupów. Najstarsza miała na imię Sabina i studiowała stomatologię. Była tak piękna, że jak ją zobaczył, natychmiast się w niej zakochał. Ale nie on, podówczas kilkunastoletni chłopiec, zdobył jej serce, lecz jego kuzyn Mietek, który również studiował stomatologię. On też starał się o rękę Sabiny i na miesiąc przed wybuchem wojny poszedł w tej sprawie do jej ojca.

– Moje uszanowanie, panie Szulc – powiedział.

– Moje uszanowanie – odparł ojciec Sabiny, głaszcząc swą długą, kędzierzawą brodę. – Proszę siedzieć szanownemu panu.

Kuzyn usiadł.

– Ja przyszedłem w sprawie wiadomej – podjął po chwili.

– A szanowny pan, w jakiej sprawie, ja dokładnie nie wiem?

– No, przecież pan wie, że my razem chodzimy z Sabinką. Na jednym roku jesteśmy. Myśmy się bardzo zaprzyjaźnili.

– Oj, przyjaźń przyjaźnią. Nie można się blisko przyjaźnić od razu. Trzeba troszeczkę poczekać może. Miłość później. Bo ona szuka, ona patrzy na świat, ona ogląda. Bardzo mądra dziewczyna. I ona ma mnóstwo kawalerów. Ilu tu kawalerów przychodzi! I to szybko mogą przyjść, szybko! A pan kawaler wie? Tutaj trzeba mieć trochę, lepiej żyłoby się w małżeństwie.

– Ale ja mam nazwisko.

– Co racja, to racja. I to dobrze brzmi to nazwisko, panie Mietek. Mogę tak mówić, panie Mietek?

– No, to przecież jasne, to zrozumiałe. A Sabinki nie ma?

– Oj, Sabinka poszła do koleżanki. Ale ona będzie. Niech się pan nie denerwuje, ona przyjdzie. Ona zaraz przyjdzie.

Szulc popatrzył z naganą na swą najmłodszą córkę, która dotąd stała przed sklepem i zachwalała materiały, a teraz zajrzała do środka przez uchylone drzwi, chwilę nasłuchiwał, po czym spojrzał na drzwi do sąsiedniego pomieszczenia, zza których dochodziły jakieś odgłosy i szepty.

– Klara! – zawołał do żony, która była w sąsiednim pomieszczeniu.

– Słucham, Icek, słucham – odpowiedziała Klara. – Co chciałbyś mi powiedzieć?

– Czy Sabinka już przyszła? Przyszła?

– Oj, Sabinka przyszła, przyszła. Czy ma tu przyjść?

I Sabina, smukła i śliczna dziewczyna, w przeciwieństwie do ojca modnie ubrana, tak jak jej koleżanki ze studiów, wchodzi krokiem zdecydowanym, dyskretnie uśmiecha się do zdenerwowanego absztyfikanta, a na ojca spogląda z respektem, ale zarazem jakby z góry, z wysokości kobiety obracającej się w szerokim świecie, którą wygląd i zachowanie bliskich trochę śmieszy i drażni, bo nie pasuje do świata jej przyjaciółek i ich rodziców, w który chce znaleźć miejsce dla siebie i się w nim zakorzenić.

– Oj, tata – mówi – po co taki gwałt, po co to wszystko! My przecież z Mieciem razem studiujemy stomatologię.

– No właśnie, o to chodzi. To po co się tak śpieszyć. Trzeba skończyć szkołę, założyć gabinet, to się pomoże.

Ciszę, która zapanowała po słowach Szulca, przerwał starający się o rękę jego córki student.

– Ja bardzo przepraszam – powiedział. – Chcę iść z Sabinką do cukierni, aby porozmawiać. Na godzinkę, dłużej też nie mogę, muszę się uczyć. Osobiście ją odwiozę.

– Klara – zwrócił się Szulc do żony – czy ona nie ma żadnych obowiązków?

– Oj nie, ona może na pół godziny wyjść.

Kuzyn Mietek chciał zaprosić Sabinkę do kawiarni przy Rynku Starego Miasta, ale mieli dla siebie tylko pół godziny, więc poszli do pobliskiej cukierni, gdzie przy rurkach z kremem wyznali sobie miłość i w tajemnicy przed rodzicami Sabiny się zaręczyli. Kilka dni później wybuchła wojna, Kuzyn Mietek został wcielony do wojska i zginął w walce z Niemcami. Blisko cztery lata później od hitlerowskiej kuli zginęła także Sabina. Wcześniej jej trzy siostry oraz matka zostały wywiezione do obozu zagłady w Treblince. Sabina uciekła z getta i ukryła się w domu swego narzeczonego, ale gdy się dowiedziała, że ojciec został sam i nie chce słyszeć o ucieczce, wróciła do niego i jak w getcie wybuchło powstanie, wzięła w nim udział, wbrew woli ojca, który uważał, że walka z hitlerowcami jest bezcelowa, bo są silni, a Żydzi słabi, więc lepiej się z Niemcami układać, może Bóg, który wszystko widzi, zlitują się nad nimi i choćby te resztki Żydów uratuje od śmierci. Ale nie uratował. Sabina zginęła w ostatnim dniu powstania, a jej ojciec kilkanaście dni później. Zrozpaczony śmiercią ukochanej córki chwycił za broń i ukrywając się w gruzach strzelał do jej zabójców tak długo aż padł od ich kul.

Franciszek widywał go przed powstaniem, gdy przekradał się do getta, by zanieść Sabinie i Markowi coś do jedzenia. Po upływie roku zanosił jedzenie tylko Sabinie, gdyż Marek uciekł z getta, lecz jak potoczyły się jego losy, tego nie wie, bo słuch po nim zaginął. A śmierć Sabiny długo opłakiwał, bo gdy poległ na wojnie jego kuzyn, sam zaczął myśleć o Sabinie jako swojej przyszłej żonie. Poruszyła go także bohaterska śmierć jej ojca. Potem widywał go we snach, a kiedy zamieszkał na gruzach getta, co roku widywał Szulca nad osiedlem – zawsze 10 czerwca, w rocznicę jego śmierci, z belą materiału pod pachą, za każdym razem innego koloru, no i zapewne innej grubości. Dwa czy trzy razy widział też inną postać, prawdopodobnie była nią Sabina. Leciała za ojcem, a innym razem on za nią leciał i próbując dogonić pozbył się beli materiału.

Opowie o Szulcu i Sabince panu Mirkowi, może ten o nich napisze.

Franciszek rozpostarł trzymaną w ręku gazetę i z takim zainteresowaniem się w nią wczytał, że nie spostrzegł Mariana, który opuścił mieszkanie i parę kanarków i wyruszył na samotną wyprawę po okolicznych ulicach. Przyjaciele mieli po niego przyjść dopiero pod wieczór, a słońce mocno grzało i chciał się nim nacieszyć.

Chwilę po nim wyszedł z domu Mirosław Wójcik, gdyż przyszła teściowa i przejęła od niego opiekę nad córką.

– Dzień dobry, panie Franciszku – pozdrowił siedzącego na ławce sąsiada.

– Moje uszanowanie panu redaktorowi. Właśnie przeglądam gazetę, w której pan pisuje. Nie ma w niej pańskiego artykułu.

– Będzie pojutrze. A ostatni się panu podobał?

– Jak najbardziej. Niech pan dalej tak pisze, ostro i bez pardonu, przeciw złodziejstwu i innemu złu, które się pleni. Ale ludzi dobrych, dzielnych i uczciwych należy chwalić i pisać o nich z sercem.

– Tak też robię.

– I dobrze. Jak pan znajdzie chwilę czasu, opowiem panu kilka ciekawych historii, może któraś pana zainteresuje, na przykład ta o Szulcu i jego córce.

– Tym Szulcu, którego pan widuje nad osiedlem?

– Tak, panie redaktorze. A co u pańskiej żony? Kiedy będzie rodzić?

– Za dwa, trzy dni.

– Spodziewacie się chłopca czy dziewczynki?

– Dziewczynki.

– Może to i dobrze, bo z dziewczynkami mniej kłopotów, chociaż w dzisiejszych czasach różnie z nimi bywa, nie to co dawniej. Ale innym razem sobie pogadamy, bo pewnie panu się spieszy.

– Właśnie. Do zobaczenia.

– Do zobaczenia, panie redaktorze.

Franciszek wziął do ręki drugą z zakupionych gazet, zaczął ją przeglądać:

Rano na wschodzie i w centrum pogodnie, na zachodzie dość pogodnie. Po południu na północy, na zachodzie i miejscami w centrum sporo chmur. Ciśnienie 1018 hPa. Temperatura: Warszawa 26. Imieniny: Małgorzaty, Bogumiły, Bogumiła. Jutro Barnaby, Feliksa, Radomia

Amerykanka wycięła dziecko z łona innej kobiety i udała, że to jej własne

Rozłam w PiS

Nawet za 30 lat będą u władzy

Oto polska polityka

Słabe PiS stoi przy ścianie

Tyle dostają eurozjady
4,5 tys. zł za dzień pracy
Ależ oni się narają
Isabell wkracza do polityki
Rosja nadal prowokuje
Udusił teściową i uciekł
Od serca
Proszę poradzić, jak pomóc siostrze, która ma męża schizofrenika
Atak pijanych traktorzystów
Mieszkała z trupem
Banda brutali w spódnicach
Myślę tylko o dziecku
Partner Raczka zrobił karierę
Cud! Nie przegraliśmy
Po zabiciu będącej w dziewiątym miesiącu ciąży Hearther, Korena
błyskawicznie rozcięła jej brzuch i wyjęła z niego chłopczyka. Zwłoki
jego matki ukryła pod podłogą. A potem wezwała pogotowie – Przyjeż-
dżajcie szybko! Właśnie urodziłam! Dziecko prawie nie oddycha
Cudotwórca z Filipin
Uroczysta procesja na Boże Ciało

Powracający ze spaceru z rudawobrązowym dogiem Roman Świątek,
mieszkający w sąsiednim bloku kolega Franciszka, przysiadł się do niego.
– Przyjechali – oznajmił.
– Kto? – spytał Franciszek.
– Mośki z Ameryki.
– Nie nazywaj ich tak.
– Nazywam ich tak, jak na to zasługują. Nie znoszę ludzi, którzy
na innych patrzą z góry. A oni tak właśnie patrzą, wywyższają siebie,
innych mają za nic.
– Ze swoimi, jeśli są biedni, też się nie liczą.
– Fakt. Jak pojechał do Ameryki Karski i opowiedział, co robią Niem-
cy ze wschodnimi Żydami, nie uwierzyli mu, bo nie chcieli uwierzyć.
Żydzi ze wschodu byli dla nich hołotą, którą bez uszczerbku dla narodu
można złożyć na ołtarzu syjonistycznej sprawy, no i mamony. Zgadzasz
się ze mną?
– W tym wypadku tak.

Z domu wyszedł na czarno ubrany Józef Brylski, bankowiec. Leżący dotąd spokojnie dog uniósł łeb, wyszczerzył kły i warknął.

– Cicho, Borys! To nasz – uspokoił psa Marian. – Jak wychodzili z autokaru Żydki z Ameryki, też warczał. Musiałem go mocno trzymać na smyczy, żeby na któregoś się nie rzucił.

– Brylski nie jest Żydem.

– Ja tam wiem swoje. Ale porządny z niego człowiek, nie zadziera nosa, więc niech sobie będzie Żydem, mnie to nie przeszkadza.

– Jak są ubrani ci z Ameryki?

– Różnie, przeważnie na czarno, kilku, pewnie chasydzi, mą na sobie czarne chałaty.

– To na czerń Borys reaguje, jak Funia Leopolda.

– Może i tak, bo na policję i księży też warczy.

– W takim razie to bezbożnik i anarchista – stwierdził z uśmiechem Franciszek – a nie antysemita.

– Właśnie – zgodził się Marian, także się uśmiechając. – A oni w każdym widzą antysemitę – dodał – kto tylko powie o nich złe słowo.

Pogłaskał psa po grzbiecie, uścisnął łapę, którą ten mu podał.

– Zauważyłeś – powiedział – jak Funia za nim lata? Ona również nie jest mu obojętna i jak są razem, nie można ich od siebie oderwać. Chyba Borys się w niej kocha, bo na jej widok szczeka radośnie i tak ciągnie smycz, że trudno ją utrzymać, i to nie tylko wtedy, gdy Funia ma cieczkę. Ale, jak to pies, zdradza ją i wczoraj, gdy go spuściłem ze smyczy, gdzieś poleciał i przez całą noc nie było go w domu.

– Może był z Funią?

– Kiedyś tak, ale nie wczoraj, pytałem Leopolda. A wtedy, gdy były razem, Funia miała cieczkę.

– Chyba nie powiesz, że się parzyły. Jest dla niego za mała.

– Ano właśnie. Próbują, ale nic z tego nie wychodzi. No cóż, za duża różnica wzrostu. Żal mi Borysa, bo się męczy, ale lgnie do Funi i jak jest w pobliżu, żadna inna suczka go nie interesuje, choć Funia jest kundelkiem, a on rosły i rasowy.

– Psy nie są rasistami.

– Na to wygląda.

– Skąd wiesz, że ci, co przyjechali, są z Ameryki?

– Jest z nimi znajomy Żyd z Warszawy, od niego się dowiedziałem. Zresztą nietrudno ich rozpoznać, są pewni siebie i mają w oczach arogancję, która strasznie mnie wkurza. Wkurza mnie również to, ze wygadują na nasz temat niestworzone rzeczy. Ale nie tylko oni, szkalują nas także ci, co po Marcu wyemigrowali do Szwecji lub Izraela.

– Gomułka ich do tego zmusił.

– Niektórzy zostali i nie narzekają na swą sytuację. A tamci najwidoczniej nie mogą przeboleć utraconych posadek, bo z zemsty zajadle nas opluwają. Twierdzą, że wszyscy jesteśmy antysemitami. Gdy o tym słyszę, krew mnie zalewa. Ciebie nie?

– Mnie też się to nie podoba. Musisz jednak przyznać, że część, może nawet większość Polaków nie darzy Żydów sympatią.

– A za co mamy ich lubić! Za to, że nade wszystko cenią mamonę, wszędzie się wciskają i chcą rządzić światem!

– Mają bogatą historię, są utalentowani i wzbogacają kulturę.

– Mówisz tak, jakbyś codziennie czytał *Wyborczą*.

– Bo ją czytam, nie codziennie, ale czasami czytam.

– Ja kiedyś też ją czytałem, a teraz już nie, bo fałszują historię.

– Uważasz, że kłamią?

– Niby piszą prawdę, ale z drugiej strony… To tak, jak by się mówiło, że w Anglii czy w innym zachodnim kraju jest droższa żywność.

– A nie jest?

– Jest, niewiele, ale jest. Tylko się zapomina albo celowo nie mówi, że ludzie tam zarabiają cztery, pięć czy nawet sześć razy więcej. Tak wygląda ta ich prawda. Piszą, że jakiś tam Polak wziął od Żydów złoto za to, że ich ukrywał w czasie okupacji, a nie piszą, że byli Polacy, którzy robili to bezinteresownie, z dobrego serca.

– *Wyborcza* i o takich pisze.

– Może i tak, ale Żydzi w swoich książkach, których dużo się wydaje na Zachodzie, fakty te pomijają albo tylko wspominają o nich na marginesie, za to wiele miejsca poświęcają szmalcownikom.

– Byli tacy, nie da się temu zaprzeczyć.

– Owszem, byli, ale w niewielkiej liczbie. W każdym społeczeństwie są szakale i hieny, w naszym też. Zresztą nie tylko Polacy byli szmalcownikami, zdarzali się tacy także wśród Żydów, choćby tych z policji żydowskiej w getcie.

– Nie słyszałem o takich.

– A ja słyszałem. I czytałem o nich w książce Bednarczyka. Znasz ją?

– Nie.

– To przeczytaj, a dowiesz się, jak wyglądało życie w getcie i co wypisują na ten temat ci, którzy w tamtych czasach żyli w Ameryce i robili interesy. Facet pracował w izbie skarbowej, był codziennie w getcie z racji swej pracy i wie o Żydach wiele rzeczy, bardzo wiele.

– Ja też o getcie sporo wiem, bo przy nim mieszkałem i miałem w nim przyjaciela, kolegę z klasy, a także bliską mojemu sercu dziewczynę, do których się przekradałem, żeby zanieść im jabłko, cebulę, czy pajdę chleba.

– Ja okupację spędziłem na wsi, gdzie też zetknąłem się z Żydami.

– Widziałem Żydów umierających z głodu, widziałem trupy. Wiele tych trupów widziałem, a pod koniec getta widziałem palące się domy i ludzi ginących w płomieniach. Myślałem wtedy, że gdybym był trochę starszy i miał karabin, to bym strzelał do Niemców, a wcześniej walczył w żydowskim powstaniu.

– Bardzo późno zdobyli się na walkę, dopiero wtedy, gdy trzysta tysięcy Żydów zawieziono do Treblinki i ci, co zostali w getcie, zrozumieli, że i pozostałych czeka ten sam los. Wcześniej ani myśleli o powstaniu, a jak wybuchło, tych, którzy brali w nim udział, karcili. Nie chcieli rozgniewać Niemców. Liczyli na to, że ci dadzą im żyć. Przez cały czas getta tak myśleli. A wiesz, co niektórzy robili? Przychodzili do Polaka, który w getcie czy też obok robił interes i dawali mu złoto, żeby ich uratował od śmierci. Mieli rodziny, bliskich krewnych, a tylko o sobie myśleli, żeby ten Polak ich uratował, tylko ich.

– Skąd o tym wiesz.

– Od Leopolda, no i z książki.

– Tej, o której mówiłeś?

– Tak.

– Ja też czytałem książkę o Żydach, tych w Jedwabnem, których zamordowali Polacy.

– Słyszałem o tej książce, nawet miałem ją w rękach, ale przeczytałem tylko kilka stron, bo wkurzyła mnie nienawiść, z jaką jakiś tam Gross pisze o Polakach.

– Bo w Jedwabnem podle się zachowali, jak hitlerowcy. Zaprowadzili kilkuset Żydów do stodoły i ich spalili.

– Mieszkańcy Jedwabnego twierdzą, że zrobili to Niemcy.

– Nieprawda, zrobili to nasi, Polacy, choć z inspiracji Niemców.

– Masz na to dowody?

– IPN je ma W Kielcach też się niektórzy podle zachowali, a wcześniej w kilkunastu innych wschodnich wioskach.

– Ale tylko w kilkunastu, i to dlatego, że widzieli, jak po zajęciu ziem wschodnich przez bolszewików, Żydzi traktowali najeźdźców. Witali ich z radością i żeby się wkupić w ich łaski, wydawali im Polaków, tych znaczniejszych, których Ruscy rozstrzeliwali lub wysyłali na Sybir. Niemców też tak potem witali, a wcześniej, jak wkraczali do Polski, Żydzi z Łodzi i Pabianic budowali bramy triumfalne i wychodzili im naprzeciw z chlebem i solą na srebrnej tacy.

– Chcieli pozyskać ich przychylność.

– No właśnie. A przecież byli Polakami, żydowskimi, ale Polakami, więc powinni chwycić za broń i bronić Polski przed najeźdźcami.

– Niektórzy jej bronili, walcząc w kampanii wrześniowej, potem w partyzantce.

– Tylko niektórzy, Franek, niektórzy. Pozostali, a tych była ogromna większość, dla ratowania swego tyłka, no i dla interesu gotowi byli zrobić wszystko. A w czasie wojny dawali dupy i Szwabom, i Ruskim.

– Nie wszyscy, Romek.

– To prawda, niektórzy zasymilowali się w Polsce i traktując ją jako swoją ojczyznę bronili jej w potrzebie, ale tylko nieliczni, mniejszość, wyjątek. Wiesz, ile było Żydów w Polsce przed wojną?

– Jakieś trzy miliony.

– Trzy i pół, może nawet cztery miliony, a na Zachodzie znikoma ilość. A wiesz dlaczego? Dlatego że było im w Polsce dobrze, inaczej by dawno z niej czmychnęli. A tak robili u nas interesy i mówili „Wasze ulice, nasze kamienice”. Rozpychali się, wypierali z gospodarki Polaków. Od początku to robili, przez siedem wieków.

– Cóż, byli od nas lepsi, a ponadto polski szlachcic gardził rzemiosłem i handlem, wolał być panem na swojej ziemi i z niej żyć, a nie z pracy w rzemiośle, biurze czy banku.

– Polska była tolerancyjna, przyjęła uchodźców z Hiszpanii, przyjmowała także innych Żydów, a oni jej nie szanowali i nie bronili jej interesów. Za to bronili swoich i uprawiali skandaliczną lichwę. Już ksiądz Kołłątaj przeciw temu protestował, a wcześniej krytykował ich przywiązanie do pieniądza Mikołaj Rej. Dla kasy byli i są gotowi sprzedać każdy kraj, zwłaszcza Polskę.

– Nie mów tak, bo stajesz się taki sam jak ci, którym zarzucasz, że nas opluwają i mieszają z błotem. Gdybyś lepiej znał historię, to byś wiedział, że Żydzi walczyli i w Powstaniu Kościuszkowskim, i w Powstaniu Listopadowym.

– Ale w Powstaniu Styczniowym już nie, bo car im obiecał prawa obywatelskie. Wcześniej też Polski nie bronili, współpracując ze Szwedami. Potem współpracowali z zaborcami i odnosili się przyjaźnie do germanizacji i rusycyzacji. A Powstanie Styczniowe wyszło im na dobre, bo sporą część ziemian Rosjanie posłali na Sybir, konfiskując ich majątki. Przeważnie były one zadłużone u Żydów, więc ci je przejmowali, a jeśli dostawały się w ręce oficerów carskich, Żydzi nimi administrowali i z czasem przejmowali. Opowiadał mi o tym pradziadek, któremu jako dziedzicowi mośki kłaniali się w pas, a potem go wyrugowali z majątku, bo był u nich zadłużony. Tak to, Franek, wyglądało. Po wojnie nie było ich dużo, a mimo to oni rządzili Polską, obsadzając co ważniejsze stanowiska w ministerstwie handlu zagranicznego, w bankach, na uczelniach, w przemyśle i rzemiośle, no i w bezpiece.

– Komuna otworzyła przed nimi drzwi, więc to wykorzystali.

– Wszędzie się wciskali, gdzie tylko zapachniała im władza i mamona. A gdy któryś zajął stołek, zadbał o to, żeby także inni Żydzi się urządzili.

– No właśnie, Polacy się kłócą, podgryzają, zwalczają i cieszą się, gdy ktoś ważny spadnie ze stołka, a oni sobie pomagają i gdy któremuś podwinie się noga, udzielą mu wsparcia. I jak któryś przeniesie się do innego kraju, tamtejsza gmina żydowska się nim zajmie i pomoże urządzić, a Polak może liczyć tylko na siebie, bo Polonusi są podejrzliwi, egoistyczni, skąpi, Co by nie powiedzieć o Żydach, trzeba przyznać, że są lojalni wobec siebie, pielęgnują swoje zwyczaje i dbają o wizerunek narodu.

– Z tego też powodu Żydzi zza oceanu przymknęli oko na to, co się działo w obozach koncentracyjnych. Żydów wschodnich mieli za gorszych i poniekąd byli zadowoleni, że Hitler ich trzebi, bo likwiduje biedaków, hołotę, której się wstydzili. A teraz, gdy Niemcy im za swoje zbrodnie zapłacili, i to grube dolary, przyczepiają się do nas, zarzucając nam zoologiczny antysemityzm. Myślę, że bierze się to między innymi z tego, że człowiek, który czuje się winnym wobec innych, w nich szuka winy, oczyszczając w ten sposób swoje sumienie. Tak to z nimi jest, Franek. Przyznaję, w okresie okupacji nie wszyscy Polacy zachowali się godnie, ale przeważająca część solidaryzowała się z Żydami, nawet endecy, którzy swoją wojnę z syjonistami zawiesili na kołku i jak mogli, tak pomagali Żydom z getta i innym, kierując się zasadami wiary katolickiej. A przecież groziła im za to śmierć. W innych okupowanych przez Niemców krajach nie obowiązywało tak drakońskie prawo, a u nas obowiązywało. Co więcej, było przestrzegane z niemiecką dokładnością, odbierając życie tysiącom Polaków.

– Cóż to znaczyło w porównaniu z milionami ofiar Holocaustu.

– Nie zapominaj, że i my ponieśliśmy ofiary w czasie wojny. Zginęło blisko 6 milionów Polaków, niektórzy twierdzą, że więcej niż Żydów.

– Razem z polskimi Żydami, co?

– Nie, bo ich zginęło około 3. milionów, a stan ludności w Polsce wynosił przed wojną 35 milionów, natomiast po wojnie już tylko 25 milionów.

– Na każdej wojnie giną ludzie, a Żydów Niemcy postanowili unicestwić.

– I unicestwiali, że tak powiem, na ich życzenie. Żydzi szli pod nóż jak barany, ufając Niemcom i wierząc w pomoc tych z Ameryki, którzy w tym czasie grzali dupska w fotelach lub z wywieszonymi językami gonili za szmalem, a teraz zarzucają nam antysemityzm. Powiedz, nie wkurza cię to?

– Źle to określają. Polacy nie kochają Żydów, i to z powodów, które podałeś, niemniej nie można tego nazwać antysemityzmem. Mnie też czasami krew zalewa, bo jak się powie coś złego o Żydach, natychmiast Żydzi to nagłaśniają i traktują jako objaw wrogości.

– No widzisz, jesteśmy w domu, choć czytasz *Wyborczą*, a ja inne gazety. Jak wspomniałem, w czasie okupacji przebywałem z rodzicami u wujka. W wiosce, w której mieszkałem, w dwóch domach ukrywano Żydów. O ile mi wiadomo, jednych za jakieś tam złoto, drugich z ludzkiego serca, no i dlatego, że ksiądz ich polecił. Ci pierwsi byli ukryci w piwnicy, którą otwierano na noc, no i czasami w dzień. I wyobraź sobie, że jeden z tych Żydów był tak nieostrożny, że raz i drugi wyszedł z domu, żeby rozprostować nogi, Widocznie ktoś go musiał zobaczyć i donieść Szwabom, bo zjawili się w tym domu, przeprowadzili rewizję i znaleźli Żydów. Wszystkich zastrzelili, Polaków, którzy ich ukrywali, też. Zastrzelili również Żydów z tego drugiego domu, bo ci pierwsi ich wydali, licząc na to, że Niemcy w nagrodę darują im życie.

– Gospodarzy z drugiego domu też zastrzelili?

– Tylko chłopak w moim wieku, z którym chodziłem na ryby i raki, uratował się, bo był akurat u mojego wujka i ten go ukrył przed Niemcami. Ukrył też małego Żyda z tej drugiej rodziny, bo ten, gdy zobaczył, co się dzieje, uciekł do lasu W nocy przyszedł do wujka i poprosił, żeby go ukrył. Po wojnie pojechał do Ameryki i nawet do wujka nie napisał.

– Może nie żyje?

– Żyje, wujek zna jego nazwisko i adres, ale jest honorowy i pierwszy do niego nie napisze. Mnie też powinien podziękować, i to osobiście, bo nosiłem mu do szopy jedzenie i się z nim zaprzyjaźniłem.

Na ławce zapanowało milczenie.

– Poczekaj, Romek, coś mi się przypomniało – powiedział Franciszek. – Gdzie leży ta wioska, w której przebywałeś w czasie wojny?

– Pod Grójcem.

– No właśnie. Jak budowałem Muranów, przyszedł na budowę młody Żyd z Ameryki, wypytywał mnie o różne rzeczy, a potem opowiedział swoją historię. Wyobraź sobie, że była w niej mowa o wiosce niedaleko Grójca i o chłopaku z Warszawy, z którym się tam zaprzyjaźnił. Nie pamiętał jego nazwiska, ale mówił, że chciałby się z nim spotkać i podziękować mu za pomoc.

– Mógł tam pojechać, chłopi by mu pomogli go odnaleźć,.

– Był w tej wiosce, ale domu, w którym się ukrywał, nie odnalazł, Niemcy go spalili. Wszystkie domu spalili, cała wioskę.

– Moją też. Żydek uciekł do lasu, ja z rodzicami przeniosłem się do innej wioski, a po wojnie wróciliśmy do Warszawy.

– On też pod koniec wojny poszedł do lasu.

Roman drgnął.

– Jak się nazywał? – spytał. – Podał ci swoje nazwisko?

– Nie.

– Szkoda.

Znowu na ławce zapanowała milczenie. Ale dotąd zachmurzona twarz Romana, nieco się rozjaśniła.

Tymczasem w drzwiach prowadzących do budynku pojawił się Leopold z Funią. Roman Świątek podniósł się z ławki, żeby zapobiec spotkaniu i harcom psów.

– Jak będziesz przechodził obok pomnika i będzie przy nim ta amerykańska wycieczka – powiedział Franciszek – przypilnuj Borysa, żeby nie ujadał na Żydów, bo nie wypada, to nasi goście, no i może jest wśród nich twój dawny przyjaciel.

– Myślisz?

– Jeśli cię szukał, a nie mógł odnaleźć, co wydaje mi się możliwe, to przyjechał lub przyjedzie, żeby na stare lata popatrzeć na Warszawę, gdzie się urodziłeś.

Roman spojrzał powątpiewająco na Franciszka.

– Gdyby chciał, to by mnie odnalazł – szepnął do siebie. – Ale najwidoczniej nie chciał, nie zależało mu na tym, choć często do niego chodziłem i zawarliśmy braterstwo krwi. A może...

Mrucząc coś pod nosem założył psu kaganiec, zacisnął w ręku smycz, drugą podał Franciszkowi i szybko odszedł, bo pies zobaczył suczkę i rwał się do niej, a i ona się do niego rwała.

– Pójdziesz na spacer? – spytał Leopold Franciszka bacząc, by nie wypuścić z ręki smyczy, którą kundelek naprężył, gdy spostrzegł Borysa.

– Już byłem.

– W kiosku po gazetki, co?

– Nie tylko. Przy Pomniku Bohaterów jest wycieczka z Ameryki, więc uważaj na suczkę, bo jak pies Romana, tak i ona nie znosi czerni i szczeka, gdy ją zobaczy.

– A niech szczeka, wolno jej, nie? Ale ona na każdą czerń szczeka, nie tylko żydowską, policyjną też. Widocznie glina zaszła jej za skórę, albo zabrała pana.

– Mogła mieć za pana karawaniarza, który pił i się na niej wyżywał.

– To też możliwe. Na pewno nie chcesz się przejść?

– Dobrze, przejdę się, ale tylko kawałek.

Franciszek podniósł się z ławki. Suczka zamerdała ogonem, szczeknęła i ruszyła przodem ciągając za sobą Leopolda.

– A może pójdziemy po Mariana? – zaproponował Leopold.

– Powiedziałem mu, że pod wieczór z nim pospacerujemy, zanim siądziemy przy stole.

– Prawda, toć dzisiaj nasz dzień. Dzień przepalanki.

– I lotu Szulca.

– Dziś będziemy go razem oglądać, we dwójkę.

– W trójkę, z Grzesiem, gdy wysuszymy buteleczkę i zrobi się ciemno.

– Słuchaj, a może ta druga postać, którą też widziałeś, to nie twoja Sabina, tylko moja Żydóweczka. Goniła Szulca, bo pomyliła go ze swoim ojcem, albo chciała, żeby jej pomógł w odszukaniu rodzinnego domu, czy też miejsca, gdzie się ze mną zobaczyła i gdzie stał dom, z którego zabrano ją do Treblinki.

Franciszek popatrzył w zamyśleniu na przyjaciela. Bohaterką jego myśli była Sabina i ją widział w nocnym locie nad osiedlem, a nie chłopięcą miłość Leopolda.

13

Marian Ł. już odbył spacer i zmierzał do domu, obstukując naroże budynku laską. Tylko kilka razy jej użył, więcej nie musiał. Przez jezdnię, którą o każdej porze dnia suną tramwaje i samochody, przeprowadziła go jakaś kobieta. W przeciwieństwie do Agaty, która przychodzi do niego, robi zakupy i sprząta, ta bardzo ładnie pachniała, dłoń miała troskliwą i ciepłą, i także ciepłe, gołe ramię. Jej głos też się mu spodobał, był melodyjny i dźwięczny, brzmiał milej niż śpiew kanarków. Spytała go o adres i telefon, zapisała w notesie i powiedziała, że kiedyś go odwiedzi. Długo, bardzo długo nie miał kobiety. Ostatnią sprowadził mu Leopold. Chyba jej zapłacił. Nie powiedział mu tego, ale takie odniósł wrażenie, że była to płatna kobieta, młoda i bardzo zgrabna, lecz płatna, bo dużo z nim nie rozmawiała, zaraz się rozebrała i sprawnie pomogła mu w tym, czego był spragniony. Tak, na pewno to była panienka z agencji towarzyskiej. Tylko ten jeden raz skorzystał z usług takiej kobiety; gdy odczuwał silne pragnienie, sam robił sobie przyjemność, ostatnio rzadko, dawniej co tydzień, a jeszcze dawniej, jak przestała go odwiedzać Grażyna, bardzo namiętna mężatka – codziennie. Przed Grażyną nie musiał tego robić, gdyż po śmierci Zosi odwiedziła go jej przyjaciółka, ujęła w ręce jego dłonie, skierowała je na swoje obnażone plecy i poprosiła o masaż, za który mu gorąco podziękowała, a następnie pociągnęła go na tapczan, opasała ramionami i mocno przytuliła do siebie. Potem przychodziły do niego inne kobiety i też prosiły o masaż, niektóre także o coś więcej. Dawał im to coś więcej, sam tego spragniony, a one mu dziękowały i po tygodniu znowu przychodziły, one lub ich przyjaciółki, spragnione dotknięć jego czułych męskich rąk, czasami również tego więcej. Z czasem przestały do niego przychodzić, ostatnią była Grażyna, po niej i po panience z agencji, nie on, lecz one go dotykały, i to nie namiętnie, lecz troskliwie, uczynnie.

Miał dziś szczęście do uczynnych kobiet. W parku spotkał inżynierową z ich domu. Szła do pracującego na budowie męża, niosąc mu kanapki na drugie śniadanie i chłodnik. On też lubi chłodnik i jak wróci do siebie, to go sobie zrobi, bo ma młode buraczki, szczypiorek i inne warzywa, a także zsiadłe mleko. Inżynierowa podprowadziła go do ławki, ale nie siedział na niej długo, bo choć przyjemnie grzało słońce, obok hałasowały dzieci i obwąchiwały go psy. W drodze powrotnej skorzystał z uczynności jeszcze jednej kobiety. Gdzieś się jej śpieszyło, więc tylko przeprowadziła go przez jezdnię i odeszła, zapytawszy, czy wie, gdzie się znajduje. Miał blisko do domu, ale nie śpieszyło mu się do niego, poszedł ulicą, przy której mieści się kawiarnia z ogródkiem. Chodził tą ulicą przez długie lata, więc dobrze znał każdy jej metr, każdy stojący przy niej budynek. Z początku bał się na nią wyjść. Bał się też wyjść na korytarz, a i chodzenia po mieszkaniu się bał, ale szybko te obawy przezwyciężył i mając zanotowany w pamięci obraz pokoju, poruszał się po nim swobodnie, o ile oczywiście wszystko stało na swoim miejscu. Tak samo było z korytarzem i windą, gorzej z okolicznymi ulicami. Wszystkie znał na pamięć i mógłby chodzić nimi bez laski, gdyby nie to, że przy niektórych parkowano samochody, które czasami tak niebezpiecznie zwężały chodnik. że musiał uważać, aby o któryś nie zawadzić. Ponadto laska informuje przechodniów, że jest niewidomym i trzeba mu zejść z drogi, co nabiera szczególnej wagi na zwężonych odcinkach chodnika, no i w taki dzień jak dzisiaj, gdy ludzie są otumanieni upałem i nieuważni, a on, choć ma wyostrzony słuch, nie zawsze potrafi prawidłowo ocenić trasy ich kroków .

Gdy samodzielnie przechodzi przez jezdnię, biała laska też jest mu potrzebna, aby kierowcy wiedzieli, że muszą zatrzymać swoje samochody, które jeżdżą coraz ciszej i trudno mu określić dzielącą go od nich odległość. A jest ich dużo, z każdym dniem coraz więcej. Franek i Leopold mówią, że są kolorowe i różnego kształtu, no i zagraniczne, najprzeróżniejszych marek, niektóre stare, kupione za bezcen i wyremontowane, inne całkiem nowe. Chciałby je zobaczyć. Naprzykrzyły mu się swoim warkotem i napsuły nerwów, przyprawiając go o irytację i lęk, a mimo to chciałby je zobaczyć, żeby wiedzieć, jak wyglądają. Gdy był dzieckiem i miał zdrowe oczy, kilka z nich widział na jezdni. Poruszały się po niej szybko i warczały. Matka ostrzegała go przed nimi. Powiedziała, że są niebezpieczne i mogą wyrządzić człowiekowi krzywdę, nawet go zabić. Kiedyś jednego z nich dotykał. Pod palcami poczuł gładkość blachy – bo przecież o tym dobrze wie, wszystkie są pokryte blachą, jak człowiek skórą – tę śliską i delikatną gładkość, poczuł też prężność kół i ciepło silnika – wnętrza samochodu, jego serca i krwioobiegu. Pomyślał wtedy, że ma do czynienia, nie z napędzanym benzyną pojazdem, lecz żywym, pięknym i potężnym stworem. Stał przed nim oczarowany, pełen podziwu i szacunku, gotowy mu się pokłonić i wielbić go jak Boga, aż ten nie zawarczał, a potem ryknął tak głośno, że jego uszy, wyczulone na najcichsze odgłosy i szmery, przeszył straszliwy ból. W nocy ów samochód przyśnił mu się pod postacią potwora o czterech łapach i żelaznej szczęce, Nie warczał, za to szczerzył kły i chciał go pożreć, Z wyjątkiem matki, wszyscy mówili, że ze strony samochodów nic mu nie grozi, bo obsługują je ludzie, a mimo to bardo długo się ich bał, I teraz też się czasami boi, zwłaszcza na jezdni, jak jest sam i słyszy nieznośny warkot.

Zbliżywszy się do przecznicy, zatrzymał się na chodniku, gdyż ta zawsze dotąd w miarę spokojna, tym razem była bardzo głośna, ruchliwa i niebezpieczna, jak się niebawem dowiedział, dlatego że spory odcinek ulicy, którą zdążał, został zamknięty, a ruch kołowy skierowany na przecznicę. Musiał mu ktoś pomóc. Chciał, żeby znowu to była kobieta, gdyż kobiety robią to ostrożnie, cierpliwie i nadzwyczaj troskliwie. Tylko mając przy sobie ciepłe i opiekuńcze ramię kobiece czuje się naprawdę bezpiecznie, no i przyjemnie, bo lubi, gdy go dotykają. One też lubią, a w każdym razie kiedyś lubiły jego dotyk. Niektóre w tym celu do niego przychodziły, pragnąc, żeby je masował, a potem pieścił i brał w ramiona. Ale ostatnio przestały do niego przychodzić. Pewnie dlatego, że ma już swoje lata, no i nie tak gorące ręce.

Osobą, która mu zaofiarowała pomoc w przedostaniu się na drugą stronę, był młody mężczyzna, tak nieuważny, że mało brakowało, a wpadliby pod rozpędzony samochód, co tak go zdenerwowało, że zapomniawszy o kawiarni, ku której zmierzał, razem ze swym przewodnikiem, który miał na imię Michał i był jego sąsiadem, podążył do domu.

E+I1

Po wizycie u kardiologa, który stwierdził u niego wysokie i nierówne tętno i podejrzewając migotanie przedsionków skierował go na szczegółowe badania serca, Michał K. zapisawszy się na owe badania, zaopatrzył się w aptece w acard i podążył do domu. Po drodze natknął się na bezradnie stojącego przy jezdni niewidomego, którym okazał się jego sąsiad. Pomógł mu przejść na drugą stronę ulicy i podprowadził go pod ich wspólny dom, a następnie poszedł po piwo. Wracając ze sklepu ujrzał na ławce pod klonem znanego mu z widzenia Franciszka, który po zrobieniu w sklepie dodatkowych zakupów, usiadł z powrotem na ławce i wczytał się w gazetę. Michał, stroniący dotąd od sąsiadów, mijający ich z opuszczoną głową lub pospiesznym krokiem, naraz zapragnął porozmawiać z tym starym, z wyglądu sympatycznym i towarzyskim człowiekiem, bo z niewidomym zamienił zaledwie kilka słów. Obaj byli zdenerwowani, Marian D. sytuacją na jezdni, która omal nie doprowadziła do tragedii, a on wizytą u lekarza i jego wstępną diagnozą. Nieśmiało podszedł do Franciszka.

– Dzień dobry – powiedział.

Franciszek uniósł głowę znad gazety i spojrzał na niego, wyraźnie zaskoczony jego widokiem.

– A dzień dobry szanownemu panu.

– Można się dosiąść?

– Oczywiście, że można – odparł Franciszek odkładając gazetę. – Po to ta ławka, żeby sąsiedzi na niej siadali i rozmawiali ze sobą, a nie przechodzili obok jak uliczni przechodnie.

Pił do niego, bo dotąd do nikogo się nie odezwał. Usiadł na ławce i trochę zażenowany przedstawił się:

– Nazywam się Michał Krawczyk.

– Franciszek – rzucił jego sąsiad i wyciągnął do niego rękę.

– Mieszkam tu od niedawna i nikogo nie znam.

– Ano właśnie.

Zapanowała kłopotliwa cisza. Michał podsunął Franciszkowi jedną z dwóch zakupionych butelek piwa.

– Napije się pan? – zaproponował.

– Nie piję piwa – odmówił Franciszek – wolę colę, a z alkoholi przepalankę, jak mój ojciec, a i mama ją lubiła. Piła tylko ćwiarteczkę, i to nie sama, z przyjaciółką i jej absztyfikantem, wolno i elegan00, pod dobrą zakąseczkę.

Ponownie zapanowała cisza.

– Strasznie dziś gorąco – zauważył Michał – ma być 24 stopni, tak zapowiadali.

– Już jest 25 stopni, a będzie więcej.

– Długo pan tu mieszka?

– Prawie pięćdziesiąt lat, jak tylko zbudowałem ten dom.

– Pan go zbudował?

– A tak, ja, ten i inne domy, najpierw rękami, potem głową.

– Powinno być odwrotnie.

– Nie mogło być odwrotnie, bo na początku byłem zwykłym robotnikiem, dopiero po latach praktyki i nauki zostałem majstrem. Zbudowałem nie tylko to osiedle, także inne domy. A Muranów, jak pewnie pan wie, stoi na terenach dawnego getta. I z niego, ze spalonych przez Niemców kamienic, pochodziła cegła, z której po oczyszczeniu stawiało się ściany pierwszych bloków, tych niskich, trzy- i czteropiętrowych.

– Nie grzeszą urodą.

– Tak wtedy budowano, szybko i dużo, bo Warszawa była zniszczona i ludzie musieli gdzieś mieszkać.

– Zaletą Muranowa jest duża ilość drzew, no i ich różnorodność, topole, lipy, akacje i inne gatunki.

– To, pod którym siedzimy, to klon. Zasadziłem go z sąsiadami, czterdzieści pięć lat temu.

Znowu zaległa na ławce cisza.

– Pan dzisiaj nie pracuje? – podjął Franciszek.

– Zwolniłem się, gdyż czułem się nieszczególnie, a ponadto miałem zamówioną wizytę u lekarza.

– Ja nie chodzę do tych konowałów, bo jak raz się pójdzie, chodzi się do końca życia. Zawsze coś w człowieku znajdą, jak nie chore serce, to marską wątrobę lub za wysoki cholesterol. Co panu dolega?

– Nic konkretnego, mam problemy ze snem, prześladują mnie po nocach lęki i czasami czuję się tak, że tylko się powiesić.

– Co na to lekarz?

– Internista dał mi proszki na sen, zmierzył puls i skierował do kardiologa. Właśnie od niego wracam. Stwierdził arytmię serca i dał skierowanie na szczegółowe badania.

– A widzi pan, jeden konował posyła człowieka do drugiego, żeby i ten mógł zarobić. Ja tam mam zdrowe serce i choć nie zawsze czuję się tak jak dawniej, nie pójdę do żadnego lekarza.

– To nic panu nie dolega?

– Dolega, ale w moim wieku to normalne, musi coś boleć.

– Tak mi niedawno powiedział pewien facet. Musi człowieka boleć, powiedział, bo jak nie boli, to ch... a nie życie.

– Brzydko to wyraził, ale prawdziwie.

– To był gangster, w każdym razie na takiego wyglądał.

– Pełno ich teraz jest, gangsterów i oszustów, co tylko czekają, żeby człowieka oszwabić.

Franciszek ciężko westchnął, popatrzył na coraz gorętsze słońce, obtarł chusteczką pot z czoła i z powrotem spojrzał na Michała.

– Widziałem pana kilka razy, ostatnio tydzień temu. Był pan z postawną blondynką. Myślałem, że to żona, ale dowiedziałem się od sąsiadki, że mieszka pan sam. A więc rozwodnik lub wdowiec?

– Kawaler.

– Można wiedzieć, ile ma pan lat?

– Dwadzieścia osiem z okładem.

– Ja w pańskim wieku byłem od czterech lat żonaty i miałem syna, który chodził do przedszkola i bił się z kolegami o Marysię z długim warkoczem, a pan wciąż sam. Rodzice jeszcze żyją, prawda?

– Nie, zginęli w wypadku samochodowym.

– Współczuję panu. Rodzice to rodzice, nikt ich nie zastąpi. Ja swoich pochowałem dwadzieścia lat temu. Bardzo ich kochałem, oni mnie też. Po ich śmierci długo nie mogłem dojść do siebie. Brat też zmarł, siostra również. Mieszkali w Kanadzie i tam mieszkają ich dzieci. Dobrze się im wiedzie, syn siostry jest znanym profesorem, a najstarsza córka, Beata, wyszła za mąż za milionera. Niedawno była w Polsce, wynajęła apartament w Bristolu i wydała przyjęcie, na które zaprosiła mnie, kuzyna i mojego syna oraz wnuka. A pan? Ma pan rodzeństwo?

– Miałem siostrę – odparł ze smutkiem Michał – lecz jechała z rodzicami i też zginęła.

– To jest pan sam jak kołek w płocie, powinien się pan ożenić. Życie bez żony i dzieci to żadne życie. Ja ze swoją przeżyłem pięćdziesiąt lat, a gdy zmarła na raka, strasznie to przeżyłem. Z rozpaczy płakałem po kątach i nie wiedziałem, jak i po co dalej żyć, choć miałem syna i wnuka. I to on, Bronek, mój wnuk, mnie uratował. Dla niego postanowiłem żyć, jego szczęściem się cieszyć. Tylko trafił na samolubną kobietę i gdy stracił wszystko co włożył w dobrze zapowiadający się interes, rzuciła go dla innego. Wtedy zamieszkał ze mną i we mnie znalazł oparcie. Ale swoją byłą nadal kocha. Ma wzięcie u kobiet, lecz żadna mu się nie podoba, tęskni za Moniką.

Franciszek zamilkł, gdyż pozdrowiła go przechodząca obok żona inżyniera, powracając od pracującego na budowie męża.

– Ja kiedyś podobnie kochałem – powiedział Michał K. – Świata poza Amelią nie widziałem. Była tak piękna, że gdy szliśmy ulicą, wszyscy mężczyźni się za nią oglądali.

– Ona też pana kochała?

– Chyba tak, lecz nie chciała za mnie wyjść, bo jak mówiła, musiała się opiekować unieszczęśliwioną matką, której drugi mąż został skazany za niezgodne z prawem transakcje handlo-we. Odwiedzały go razem w więzieniu, a gdy wyszedł na wolność, Amelia przeniosła się do mnie, aby pozwolić mamie nacieszyć się mężem. Nam też było ze sobą dobrze, niemniej zauważyłem, że w jej dużych, niebieskich oczach coraz częściej gości smutek. Chodziła wtedy jak struta i unikała zbliżenia. Unikała go również, gdy wracała od przyjaciółki lub babci. Tak mówiła, że była u chorej przyjaciółki, albo u babci, ale kłamała. Wyszło to na jaw, kiedy kolega mi doniósł, że widział ją, jak wchodziła do hotelu w towarzystwie starszego mężczyzny. Przyparta do muru wyznała, że spotyka się z ojczymem, bo go bardzo kocha i nie może bez niego żyć, mimo że zdaje sobie sprawę, iż krzywdzi matkę. Tego dnia nie spaliśmy ze sobą, tym razem ja nie chciałem. Nazajutrz wróciwszy do domu późnym wieczorem, zastałem ją martwą. Zażyła kilkadziesiąt pigułek na sen i zasnęła na zawsze.

Michał chwilę milczał, po czym ciągnął dalej:

– Po śmierci Amelii sprzedałem odziedziczony po rodzicach dom, samochód i biżuterię. Pieniądze, które mieli na koncie bankowym, wydałem na ukończenie studiów i prezenty dla Amelii. Matka była sławną malarką, ojciec wybitnym naukowcem, zapraszanym na zagraniczne konferencje i wykłady, toteż dużo zarabiali, więcej niż wydawali na utrzymanie domu i swoje potrzeby. Brakowało im tylko czasu dla dzieci. Siostrze poświęcili go więcej, gdyż była chcianym dzieckiem, a ja – urwał, ponownie się zamyślił, ale zaraz podjął: – Urodziłem się, gdy po pięciu latach spokojnego życia na prowincji, otworzyły się przed nimi drzwi do stolicy i kariery. Pochłonięci nią, wracali do domu późnym wieczorem albo w ogóle nie wracali, gdyż często wyjeżdżali za granicę, na ogół w tym samym czasie, choć nie zawsze do tego samego miasta czy kraju, więc nie oni całowali mnie na dobranoc, lecz babcia albo opiekunka do dzieci, której pocałunki były pospieszne i miały niemiły, gorzki smak. Chcę przez to powiedzieć, że nie zaznałem miłości w dzieciństwie. Rodzice pewnie mnie kochali, ale tego nie okazywali, w każdym razie nie tak jak pragnąłem. A ten, który nie zazna w dzieciństwie miłości, rzadko potrafi obdarzać nią innych. Mnie to się udało, lecz tylko wobec Amelii. Ją jedną w życiu kochałem, a gdy umarła, przeżyłem to strasznie boleśnie, tak boleśnie, że też chciałem popełnić samobójstwo. Przez dłuższy czas żyłem jak we śnie, a potem wszystko sprzedałem i ruszyłem w świat. Byłem na wszystkich kontynentach. Amerykę Północną sobie odpuściłem, bo nie interesowały mnie ani Stany Zjednoczone, ani Kanada. Za to dwa lata spędziłem w Ameryce Południowej, wędrując po różnych miastach, miasteczkach i wioskach, także tych zlokalizowanych na skraju dżungli, których mieszkańcy żyją tak jak przed setkami czy też tysiącami lat, z tego, czym obdarza ich dżungla, w zgodzie z naturą, obyczajowością plemienną i religią.

– I są szczęśliwi?

– Są zadowoleni z tego, co mają i codziennie zdobywają w dżungli.

– To im wystarcza?

– Dżungla jest bogata i hojna dla tych, którzy ją znają. Można w niej znaleźć materiał na dom i na opaskę na biodra, a także różne ozdoby. W każdym razie w wioskach, w których mieszkałem, nie spotkałem dzieci umierających z głodu, jak ma to miejsce w Afryce.

– To i w Afryce pan był?

– Tak. Byłem też w Indiach, w Nepalu, Kambodży, Indonezji i w Japonii. Ponadto zwiedziłem Australię i obie wyspy Nowej Zelandii.

– Zazdroszczę panu, zwiedził pan cały świat.

– Nie cały, kilkadziesiąt krajów i kilkaset w nich miejsc, tych cudownych i tych strasznych, pełnych nędzy i zbrodni.

– Dużo pan na to wydał?

– Więcej niż milion.

– Warto było?

– Kiedy indziej o tym porozmawiamy.

Michał sięgnął po papierosa.

– Wierzy pan w Boga? – zapytał nieoczekiwanie, zmieniając temat rozmowy.

– Ja? – rzucił Franciszek, zaskoczony zadanym mu pytaniem. – Dużo czasu upłynęło, zanim w Niego uwierzyłem, bo ojciec był komunistą i wszczepił mi materialistyczny pogląd na świat.

– Mój też mnie tak wychował.

– Mówił, że religia to opium dla mas.

– Czyli narkotyk, trucizna, tak?

– Niedawno się dowiedziałem, że opium jest także środkiem przeciw bólowi.

– Bólowi istnienia, co?

– Może i tak – rzucił niepewnie Franciszek L., nie zrozumiawszy użytego przez sąsiada sformułowania. – A jeśli idzie o Boga – dodał zaraz – to uwierzyłem w Niego dopiero po śmierci żony.

– Pewnie ze strachu przed kostuchą, prawda?

– Nie ze strachu przed śmiercią uwierzyłem w Boga, ale dlatego, że poczułem się samotny i zastanawiając się nad światem dostrzegłem w nim porządek, ten naturalny, jaki jest w przyrodzie, co cieszy oko i zachęca do życia i czynienia dobra. Zwrócił mi na niego uwagę pewien stary ksiądz, on mnie przekonał do Boga.

– Ja rozmawiałem z wieloma księżmi, a także z wyznawcami innych wiar, lecz żaden nie przekonał mnie do Boga,

– To dlatego, że ma pan zatwardziałe serce, zamknięte na miłość. Bo Bóg jest miłością do świata i ludzi. I tylko sercem, a nie rozumem można Go pojąć. I w sercu należy Go umieścić. Bez otwartego na Niego serca nie znajdzie pan tego, czego szuka. A wiem, że czegoś pan szuka. I wiem, że potrzebna jest panu odpowiednia kobieta. Jeśli nie może jej pan znaleźć, pomogę. W naszym domu są cztery panny. Jedna z nich, Bożenka, córka pani Cecylii, za dwa tygodnie bierze ślub, więc nie wchodzi w rachubę. Ale są jeszcze trzy inne. Może któraś z nich przypadnie panu do gustu. Bo ta blondyna, którą z panem widziałem, nie wyglądała na taką, która nadaje się na żonę. A musi ją pan mieć, żonę, no i dzieci. Inaczej wtedy spojrzy pan na świat, zupełnie inaczej.

Michał się zamyślił, spojrzał na leżącą na ławce gazetę, odczytał jej tytuł i na jego twarzy pojawił się ironiczny grymas.

– Czyta pan tego szmatławca? – rzucił.

– Może to i szmatławiec, ale przynajmniej raz w tygodniu jest w niej ciekawy felieton. A wie pan, kto go pisze?

– Kto?

– Nasz sąsiad, Mirosław Wójcik, któremu lada dzień urodzi się dziecko.

– Nie wiedziałem.

– Mieszka u nas także Jakub Smuga, znany literat, dwa piętra pod panem, w tym samym pionie.

– Tak? To go wczoraj widziałem w oknie, gdy wracałem do domu i usłyszałem krzyk.

– Jaki krzyk? Ja tam żadnego krzyku nie słyszałem.

– A ja tak.

– Kiedy?

– W nocy, tuż przed północą.

– Wtedy już spałem. A mam twardy sen, nic do mnie nie dociera, śpię jak zabity.

– Wracałem z baru i naraz doszedł mnie ten krzyk.

– Skąd pochodził, z którego mieszkania?

– Nie wiem, prawie wszystkie okna były otwarte.

– Zapytam sąsiadów. Może oni będą wiedzieć.

– Był głośny, ale pojedynczy.

– Skoro tak, to mógł ktoś krzyknąć przez sen, albo się pan przesłyszał, bo był pan w barze i golnął sobie kielicha czy nawet dwa, co?

– Nie przesłyszałem się, ten literat też go usłyszał, bo wyjrzał przez okno, jakby przekonany, że doszedł z ulicy.

– Spytam go, może on będzie wiedział.

– Jak on wygląda? Widziałem go z daleka, tylko sylwetkę, twarzy nie zobaczyłem.

Franciszek przyjrzał się Michałowi.

– Ma takie same smutne oczy jak pan – powiedział. – A w ogóle to jest podobny do znanego aktora, którego często pokazują w telewizji. Kilka miesięcy temu Smuga też w niej wystąpił.

– Nie mam telewizora, ale gdy byłem u koleżanki, akurat emitowano ten program i go widziałem. Faktycznie ma smutne oczy i jak to wynikało z poświęconej mu audycji, napisał wiele interesujących, choć gorzkich książek.

– No widzi pan, trzeba dopiero telewizji, żeby się dowiedzieć o człowieku, z którym się mieszka w jednym domu. Tak to teraz jest, żyje się obok ludzi, a nic o nich nie wie. I jak się żyje tak jak pan, niewiele się wie o samym życiu. Bo lepiej niż na wędrówkach po świecie poznajemy je, gdy nawiązujemy bliskie kontakty z ludźmi, a nie tylko się o nich ocieramy. To tak jak z kobietami, nie trzeba dziesiątek czy setek znajomości, wystarczy jedna, ale głęboko przeżyta, żeby poznać naturę niewiast i wiedzieć, jak z nimi postępować. Pan od trzech miesięcy żyje z nami, a nic o nas nie wie. I o człowieku, którego wszyscy cenimy, dowiaduje się dopiero z telewizji. My też o panu nic nie wiemy. Ja już trochę tak, ale to za mało, musi pan częściej przychodzić na ławkę i rozmawiać, a nie zamykać się w sobie i żyć jak pustelnik. Jeśli się pan nie zbliży do ludzi, dalej będzie pan miał niespokojne sny i czarne myśli. Domyślam się, że coś pana gnębi, ale co, tego nie wiem. Może innym razem, jak znowu się spotkamy, bardziej się pan otworzy. Bo na razie tylko pan uchylił drzwi, ale z łańcucha ich pan nie uwolnił.

Michał ponownie się zamyślił, po czym podniósł z ławki.

– To ja już pójdę – powiedział.

Franciszek odprowadził go wzrokiem i z powrotem rozpostarłszy gazetę, popatrzył na tytuły informujące krzykliwie o popełnionych przez ludzi zbrodniach i innych przestępstwach. W ich domu też musiało się coś wydarzyć, skoro nocną ciszę zakłócił krzyk. Wprawdzie zdarzało się od czasu do czasu, że ktoś krzyknął – miał doskonały słuch i słyszał wiele głośnych rozmów i krzyków – lecz nigdy o tak późnej porze. Musi porozmawiać z sąsiadami, może naprawdę coś się komuś stało.

Słońce zaczęło zaglądać pod klon, więc i on chciał się podnieść z ławki, lecz tylko się na niej przesunął, gdyż spostrzegł zmierzającego ku niemu Jakuba Smugę

Część
druga

W GORĄCYM SŁOŃCU

Słońce stało wysoko na bezchmurnym niebie i w swym gorącym uścisku niewoliło miasto i ludzi, którym dawało się we znaki także w mieszkaniach, gdy ich okna były skierowane na południe.

A

Jakub Smuga zajmował dwa pokoje, a ten, w którym od wczesnego rana szkicował swą powieść, miał okna wychodzące na wschód, toteż słońce nie przeszkadzało mu w pracy. Czuł się doskonale, jak zawsze, gdy miał twórczą wenę. Wczoraj o tej porze myślał, że nic więcej nie napisze, że wyczerpał swoje twórcze możliwości. Chodził po mieszkaniu, popatrywał na wiszący nad biurkiem napis: „Wszystko już było" i od dawna nim sparaliżowany, zastanawiał się nad swym życiem. Potem poszedł na spacer – w południe, a nie po obiedzie lub pod wieczór, jak zawsze, gdy dopisywała mu wena.

Był wyspany, bo nie mogąc zasnąć po podróży do Łodzi, gdzie dowiedział się, że wypytywała o niego Irena, zażył pigułkę na sen. Całą, a nie połówkę, jak wielokroć wcześniej, toteż obudził się dużo później niż zazwyczaj. Byłby z tego nawet zadowolony, ponieważ ostatnio budząc się wcześnie, nie wiedział, czym wypełnić poranek, gdyby nie to, że obudził się półprzytomny, oszołomiony i zdekoncentrowany. Leżał dłuższy czas na tapczanie, a potem chodził jak błędny po mieszkaniu, na niczym nie mógł się skupić, nic go nie interesowało. Doszedł do siebie dopiero w Łazienkach.

Spacerując po alejach ulubionego parku odzyskał równowagę psychiczną, a ponadto się rozpogodził i nastawił przyjaźnie do świata i ludzi. Życzliwie spoglądał na przechodniów, uśmiechał się do dzieci i cieszył z rozkwitu krzewów i drzew. W podobnym nastroju bywał, gdy sprzyjała mu wena. Przypomniawszy sobie o niej, odniósł wrażenie, że ta jest blisko. Jak do niego przypłynie, natychmiast weźmie się do pracy. Już wie, o kim i o czym ma pisać, nie musi się nad tym zastanawiać. Napisze książkę nie tylko o ludziach przegranych, odrzuconych przez życie, lecz także o tych, którzy się nim cieszą, bo kochają i są kochani. Rzadko pisał o miłości, a jeśli już, to gorzko i sceptycznie. A przecież ma ona różne oblicza, także uśmiechnięte i szczęśliwe, choć często okupione ciężkimi przeżyciami. I właśnie o takiej miłości napisze. Wprawdzie ukazano ją w licznych książkach i serialach telewizyjnych, ale on inaczej ją przedstawi, z wieloma uwikłaniami, a jakimi i jak, jeszcze to przemyśli. Rozglądnął się po parku, spojrzał na staw, po którym pływały kaczki, podniósł się z ławki i z rozpaloną głową podążył do restauracji na obiad.

Wszystko już było, ostudziły jego entuzjazm słowa głośnego krytyka młodego pokolenia, które utkwiły mu w pamięci i przypominały się, ilekroć wpadł mu do głowy jakiś pomysł. Miał do nich ambiwalentny stosunek, jednak je zapisał i powiesiwszy nad biurkiem, często na nie popatrywał i tłumaczył nimi swój przedłużający się zastój twórczy, no i pocieszał tych z kolegów po piórze, którzy już się dawno wypisali i szukali usprawiedliwienia dla swej niemocy twórczej.

Może i wszystko już było – podjął przy obiedzie prześladującą go myśl – ale w innym czasie i w innych okolicznościach. One i czas, a także związane z nimi uwarunkowania i zależności nadają sprawom jeśli nie inny bieg, to inny kształt i koloryt. A jeśli idzie o miłość, to jest ona immanentną siłą napędową życia i nie można o niej nie pisać, bo wszystko kręci się wokół niej, co niektórzy określają bardzo dosadnie, lecz niekompletnie. Bestsellera nie upichci – stwierdził po chwili – nie potrafi i nie chce, choć teraz tylko one się liczą, one w społecznej opinii podnoszą rangę pisarza, dają wysokie nakłady i pieniądze. Ale nie będzie schlebiał masowym gustom, chadzał wytartymi ścieżkami i zabiegał o popularność. W twórczości liczy się postęp, choćby najmniejszy kroczek do przodu, czy to w zakresie formy, czy treści. Człapanie w miejscu, a tym bardziej cofanie się niegodne jest twórcy. Musi on kroczyć własną, przez siebie wyznaczoną drogą – konkludował po raz kolejny, popijając po obiedzie kawę – ukazywać swoje widzenie świata, przeczucia, myśli, wyobrażenia i niepokoje. Tak też wyglądała jego droga i taką pozostanie, więc gdy się okaże, że z tematu, którym w większym lub mniejszym zakresie zajmowali się wszyscy pisarze, nie uda mu się wycisnąć nic nowego, czy też przedstawić go inaczej, odłoży pióro i jeśli mu zabraknie odwagi do rozstania się z życiem, razem z Franciszkiem i jego przyjaciółmi, co miesiąc, po otrzymaniu emerytury, będzie popijał przepalankę i wspominał dawne czasy. Uregulował rachunek za obiad i udał się na spacer po mieście.

Było już późne popołudnie, gdy wstąpiwszy do baru na piwo, dostrzegł na wysokim stołku Michała, od trzech miesięcy swego sąsiada. Przedwczoraj widział go w kinie, a kilka dni wcześniej w windzie. Wiedział o nim tylko to, że zbliżający się do trzydziestki wysoki i szczupły chłopak o smutnych oczach, dużo podróżował, a z jego wyglądu i zachowania w windzie, do której Michał wszedł z pochyloną głową i na nikogo nie spojrzał, wywnioskował, że coś go gryzie. Teraz też odniósł takie wrażenie, gdyż siedzący obok Michała trzydziestolatek coś do niego mówił i z czegoś się śmiał, a Michał siedział z kamienną twarzą i wydawał się być myślami gdzie indziej.

Opuścili bar niemal równocześnie, on kilka sekund po Michale. Szli w tym samym kierunku, więc nie było w tym nic nadzwyczajnego, że poszedł za nim. I naturalnym było także to, że gdy Michał wszedł do kina, w którym odbywał się przegląd dawnych filmów, zrobił to samo, bo chciał się przekonać, jak po latach odbierze *Mondo cane*, które kiedyś, gdy wprowadzono go na ekrany, wywarło na nim duże wrażenie, Ponadto był ciekaw, jak odbierze go Michał i inni widzowie. Dlatego wyszedł z kina pierwszy, stanął w pobliżu drzwi i zaczął obserwować twarze i zachowanie innych osób. Tuż po nim opuścił kino Michałó. Sylwetkę miał lekko przygarbioną, twarz zasępioną. Minąwszy go, wolnym i ciężkim krokiem skierował się w stronę Starego Miasta. Odprowadził chłopaka wzrokiem i skierował go na inne osoby. W ich gronie rozpoznał dwoje sąsiadów, a mianowicie inżyniera Zygmunta Walczaka i jego żonę. W przeciwieństwie do Michała ruszyli w kierunku domu. On też po chwili podążył w tym kierunku, przejęty obejrzanym filmem, pełen gorzkich myśli.

Wszystko to marność – przebiegło mu przez głowę, gdy przypominał sobie brutalne sekwencje *Pieskiego świata* – marność nad marnościami. Rozpaczliwie smutna to prawda, ale przecież prawda – skonstatował z gorzkim uśmiechem i pomyślał o swoich książkach. Dotąd miał je za znaczące, a teraz wydały mu się mało wartościowe, błahe, zgoła miałkie. Opisał w nich ludzi zagubionych w życiu, ludzi ze swojego środowiska i tych poznanych w barach, a także wymyślonych. Chciał napisać o nich coś odkrywczego, w tym celu stosował różne techniki narracji, a zapomniał o najważniejszym, że bohaterów swych powieści i opowiadań powinien ukazać tak, aby czytelnicy się z nimi identyfikowali, a nie tylko się im przyglądali i patrzyli na nich jak na osobników z innego, obcego im świata. Dlatego jego książki cieszyły się małym, coraz mniejszym powodzeniem – nie trafiały do serc potencjalnych czytelników i nic nie wskazywało na to, że kiedyś do nich trafią. Uświadomiwszy to sobie, doszedł do wniosku, że zmarnował swoje życie, bo poświęcony pisaniu czas okazał się czasem straconym. Porażony tą konstatacją, zatrzymał się na chodniku, popatrzył na mijającą go parę, potem na idących przed nim Walczaków, a potem na bezchmurne niebo i z powrotem na sąsiadów – i naraz nie wiadomo skąd napłynęła do niego energia, a wraz z nią wola życia i tworzenia. Napisze jeszcze jedną książkę, najprawdopodobniej powieść, którą skieruje zarówno do umysłów, jak i serc czytelników, żeby ich poruszyć i przynajmniej jednym epizodem, myślą czy zdaniem wbić się w ich pamięć i wzbogacić ich życie.

Tak nastawiony wszedł do swego mieszkania i zerwał wiszącą nad biurkiem karteczkę z paraliżującą go dotąd treścią. Czuł, że powrócił do niego zapał twórczy, a ten kazał mu się nie liczyć z krępującymi go poglądami. Napisze książkę tak jak mu ją podyktuje wewnętrzna potrzeba oraz intuicja, bez ograniczeń i fałszywych ambicji, na przekór mądrościom uczonych w piśmie znawców literatury. Zaparzył mocną kawę i spojrzał na półkę, na której leżały kartki z zapiskami z przemyśleń i co ciekawszych rozmów, głównie tych na ławce przed domem, gdzie sąsiedzi opowiedzieli mu swoje i cudze historie, między innymi tę o fruwającym nad osiedlem Żydzie. Ale nie one w tym momencie go interesowały – później się nad nimi pochyli i prawdopodobnie niektóre wykorzysta – lecz myśli, obrazy i słowa, które napłynęły mu do głowy i krążyły wokół jednego tematu, domagając się utrwalenia. Włączył komputer i otworzywszy nowy dokument, zaczął wklepywać do niego odczucia i lęki osób, które oglądały *Pieski świat* – przekonany, że to, co zaobserwował przed kinem, jak również kilkudziesięcioletnie obcowanie z ludźmi oraz wrażliwość i intuicja upoważniają go do tego zapisu. I że będzie on początkiem znanego mu ze spacerów i opowieści obrazu nocnej Warszawy, a zarazem początkiem długo wyczekiwanej powieści czy tylko przygrywką, prologiem do niej, a w ostateczności wprawką, przygotowaniem do biegu, którego długość, trasę i metę określi, gdy pozna wszystkich jego uczestników i wybierze swojego faworyta. Kogoś, kto zasługuje na szczególną uwagę i rolę głównego bohatera powieści. Prawdopodobnie będzie nim jeden z dwóch sąsiadów, Michał lub Zygmunt Walczak, ale który z nich, tego jeszcze nie wiedział. Michała znał tylko z widzenia, w dodatku od niedawna, a z Zygmuntem Walczakiem odbył dwie ciekawe rozmowy. Obaj są młodzi, mniej więcej w tym samym wieku, niespełna trzydziestoletni. Inżyniera Walczaka pasjonuje praca na budowie, a Michał wygląda na człowieka czymś udręczonego. Słyszał, że dużo podróżował po świecie, jak on kiedyś. I jak on, Michał żyje samotnie. Tyle, że w przeciwieństwie do niego, jest niechętny kontaktom z ludźmi, bo gdy razem z trzema sąsiadami jechali windą, do nikogo się nie odezwał i na nikogo nie spojrzał, nieobecny duchem, co mogłoby także świadczyć, że dręczy go jakiś mól. Chyba jego wybierze. Niewiele o nim wie, ale na razie mu to wystarczy. Ma rozbudzoną wyobraźnię, ona mu resztę podpowie. Umieszczanie w książce postaci z życia daje efekt wtedy, gdy się te postaci przetworzy, o coś wzbogaci i podporządkuje idei książki. A tej jeszcze nie przemyślał. Niemniej jednak musi się więcej dowiedzieć o Michale, bo go intryguje wyciśniętym na twarzy piętnem nieszczęścia. O wielu osobach i sprawach musi się więcej dowiedzieć. Ma na to sporo czasu, nie będzie się spieszył. Ale to, co napłynęło mu do głowy po wyjściu z kina i rozwinęło się w domu, zapisze teraz, na razie na brudno, żeby wykorzystać swoiste uczucie i łatwość pisania, jaką daje wena.

Zawiesiwszy na chwilę pisanie, Jakub S. z powrotem pochylił się nad klawiaturą komputera i podjął pracę nad książką, wpisując w nią Michała, którego dwie godziny później ujrzy przed domem, chwilę po krzyku, co nieoczekiwanie przeszyje ciszę nocną i oderwie go od komputera i tekstu, w którym postanowił wykreować Michała na głównego bohatera, poprzedzonego znamiennym tytułem, zainspirowanym filmem *Mondo Cane* i piosenką Czesława Niemena:

Ten nasz dziwny świat

Już ten tytuł jest nieaktualny, musi znaleźć nowy, gdyż pod wpływem nocnego krzyku i Michała, który ruchem ręki wskazał mu dom i źródło tego krzyku, a pośrednio dał do zrozumienia, że nie o nim powinien pisać, lecz o innych współlokatorach, zmienił koncepcję książki. Miała to być powieść o miłości wtopionej we współczesne realia polityczno-obyczajowe i taką też pozostanie, bo zapisane na kartkach historie w mniejszym lub większym stopniu dotyczą miłości, tyle że nie będzie zogniskowana na Michale, obejmie kilkanaścioro innych osób.

Pierwszą część już naszkicował, poświęcając ją zapisanej w zarysie przeszłości bohaterów powieści, jako że przeszłość determinuje teraźniejszość i ma duży, w zasadzie główny, jeśli nie decydujący wpływ na przyszłość. Musi ją uzupełnić i zastanowić się nad drugą częścią, której na razie nakreśli tylko szkielet. Wypełni go zarówno uzupełnioną przeszłością – tą z relacji Franciszka i tą, którą wydobędzie od innych sąsiadów lub wymyśli – jak i dzisiejszym dniem tym, czego się dowie o bohaterach książki od nich samych lub od starego Franciszka, który umie z nimi rozmawiać i któremu zwierzają się ze swych przeżyć, trosk i radości, jak matce. Dzisiaj odbył rozmowę z Michałem. Dotąd zamknięty w sobie chłopak uchylił do siebie drzwi, opowiadając o swym życiu, o podróżach i swojej miłości. Nie wszystko o niej powiedział, ale jest nadzieja, że powie więcej. To ciekawy chłopak, inteligentny i wrażliwy, i mimo młodego wieku, z dużym bagażem doświadczeń. Niewykluczone, że wyjmie go z tej książki i napisze kolejną, tylko jemu poświęconą. Chyba zasługuje na to. Zarezerwował dla niego miejsce w drugiej części, zaraz je wypełni. Opisze w niej także inne osoby, ale najpierw zajmie się Michałem, on mu jest najbliższy.

E

Michał napił się piwa, włączył komputer i jakiś czas surfował po Internecie. Potem wziął zimny prysznic, zaparzył herbatę i tknięty przeczuciem zaczął przeglądać odkryte w komódce fotografie. Jedna z nich przyciągnęła jego szczególną uwagę, sam nie wiedział dlaczego. Odłożył ją na bok i zamyślił się. Po chwili z powrotem usiadł przed komputerem i kliknął na swój blog, żeby sprawdzić czy dziewczyna, z którą nawiązał internetową znajomość, przesłała mu swoje zdjęcie. Na ekranie monitora nie zobaczył wyczekiwanego zdjęcia, wyłączył komputer i położył się na wersalce.

Na dworze panował upał, ale w mieszkaniu się go nie czuło, bo miało okno wychodzące na wschód. Leżał nie myśląc o czymkolwiek, potem na chwilę przymknął oczy i przypomniał sobie niedawny sen. Biegł przez bezkresne pole, porośnięte suchą trawą. Biegł, bo musiał biec, choć nikt go nie gonił i nikt przed nim nie uciekał. Biegł, nie wiedząc gdzie i po co. Taki miał sen i tak wyglądało jego życie po śmierci Amelii. Żył bez żadnego celu, przenosząc się z miejsca na miejsce, trawiony niepokojem, żalem, poczuciem winy i wstydem. Kochał Amelię, a powiedział, że nią gardzi i nigdy jej nie wybaczy, że go zdradzała z ojczymem i oszukiwała, przeprowadziwszy się do niego tylko po to, żeby ukryć przed matką romans z jej drugim mężem. I gdy Amelia chciała się z nim kochać, przespał się w drugim pokoju, dając jej do zrozumienia, ze już jej nie pożąda i nie chce z nią mieć nic wspólnego. Ponadto rano nie tylko nie pocałował jej na dzień dobry, jak to czynił codziennie, ale i słowem się do niej nie odezwał. Potem to sobie wyrzucał, czując się współwinnym jej śmierci. Wyrzucał sobie także to, że składając zeznania na policji, w obronie własnego tyłka ujawnił romans Amelii z ojczymem, któremu później zarzucił, że uwiódł i zgwałcił swą podówczas piętnastoletnią pasierbicę.

– Jeśli chodzi o ścisłość, nie ja ją, lecz ona mnie uwiodła – stwierdził jej ojczym.

– Żartuje pan – zauważył.

– Nie żartuję. Była nad wiek rozwiniętą dziewczyną, chodziła po mieszkaniu skąpo ubrana i kusząc mnie swoimi kobiecymi walorami, wprost prosiła się o to, żeby wziąć ją w ramiona.

– Może nie o to jej chodziło.

– I ja tak myślałem, bo gdy powiedziała, że przypominam jej ojca, przytuliłem ją do siebie i pogłaskałem po włosach. Wtedy ona mnie objęła, pocałowała i tak mocno przylgnęła, że nie byłem w stanie zapanować nad sobą.

– Była pańską pasierbicą.

– Z początku sądziłem, ze chodzi jej tylko o to, żeby stracić dziewictwo i pochwalić się tym przed koleżankami, ale jej to nie wystarczyło, przyznaję, mnie również.

Ojczym Amelii chwilę milczał, po czym powiedział:

– Jak wyszedłem z więzienia, zamieszkała u pana. Myślałem, że między nami wszystko skończone, ale ona chciała się ze mną widywać, bo byłem jej pierwszym mężczyzną i wciąż mnie kochała.

Ojczym Amelii nie spuszczając z niego wzroku uśmiechnął się przepraszająco.

– Pana też kochała, dużo o panu mówiła i gdy jej powiedziałem, że nie rozwiodę się z jej matką, na co wcześniej nalegała, nie zauważyłem, aby się tym zbytnio przejęła. Później dała mi do zrozumienia, że z panem wiąże swą przyszłość, mówiąc, że nie będziemy się więcej spotykać.

– Kiedy to było? – spytał.

– Kilka dni przed jej śmiercią – odparł ojczym Amelii – kiedy zauważyliśmy, że ktoś się nam przypatruje. Wyznała mi wtedy, że źle znosi swoją sytuację i zaczęła mówić o panu. Gdy ją zapytałem, kogo bardziej kocha, mnie czy pana, powiedziała, że sama już nie wie, co dało mi tym więcej do myślenia, że i mnie zaczęła ciążyć nasza sytuacja, bo dobrze mi było z jej matką i nie chciałem się z nią rozstać.

– Nie podejrzewała, że pan ją zdradza?

– Chyba podejrzewała, bo ostatnio mnie kontrolowała. I gdy Amelia zwróciła moją uwagę na mężczyznę, który nam się przypatrywał, pomyślałem, że to znajomy jej matki, a może nawet wynajęty przez nią detektyw. Dlatego ten wieczór spędziliśmy w kawiarni. Smutny to był wieczór, ponieważ uświadomiliśmy sobie, że jest on ostatni, że więcej nie będziemy się spotykać.

– I od tej pory nie widzieliście się?

– Nie.

– Ale kontaktowaliście się przez telefon.

– Dopiero w dniu, w którym Amelia odebrała sobie życie, Zadzwoniła do mnie do biura i nalegała na spotkanie, lecz wymówiłem się od niego brakiem czasu i stanem zdrowia jej matki. Potem tego żałowałem.

– Wtedy już było za późno, Amelia nie żyła.

– Wcześniej tego pożałowałem, gdy dotarło do mnie to, co od niej usłyszałem.

– Że jest w ciąży, tak?

– O ciąży dowiedziałem się od policjanta, który mnie przesłuchiwał. A skoro o niej mowa, zapewniam pana, że nie ze mną w nią zaszła, bo siedem tygodni wcześniej Amelia była niedysponowana, następne spotkanie odwołałem, a kolejne miało miejsce trzy tygodnie przed jej śmiercią.

Zaskoczony tym, przyjrzał się uważnie ojczymowi.

– Nie wierzy mi pan?

– Wierzę – stwierdził, po czym spytał: – Co takiego Amelia panu powiedziała?

– Wolałbym tego nie mówić, bo dość się pan nasłuchał wymówek od jej matki.

– Faktycznie sporo się ich nasłuchałem. Ale niech pan powie.

– Skoro pan chce. Otóż Amelia wyznała, że nie wie, co ma zrobić, bo pan jej powiedział, że już jej nie kocha i że postanowił z nią zerwać.

To go dobiło.

– Faktycznie coś podobnego powiedziałem – przyznał opuszczając głowę – ale to dlatego, że się dowiedziałem, że mnie z panem zdradza. Nie sądziłem, że tak się tym przejmie.

– Była zrozpaczona, więc powinienem się z nią spotkać i ją pocieszyć, ale zanim to zrozumiałem, wszedł do mojego pokoju szef i przerwał naszą rozmowę. Później do niej dzwoniłem, do domu i na komórkę, ale nie odebrała telefonu.

– Kiedy pan do niej dzwonił? O której godzinie?

– Dzwoniłem kilka razy, o trzynastej, czternastej i przed szesnastą.

– Zmarła o osiemnastej.

– Tak, wiem.

Ojczym Amelii chwilę milczał, potem powiedział:

– Jak przypuszczam, pan też nie wiedział, że Amelia jest w ciąży.

– Gdybym wiedział, inaczej wszystko by się ułożyło, zupełnie inaczej.

Rozmawiał z ojczymem Amelii jeszcze jakiś czas, spokojnie i prawie przyjaźnie, a nie jak na początku, agresywnie. Potem się z nim pożegnał i przez kilka dni nie wychodził z domu, gdyż to, co usłyszał, było znacznie dotkliwsze od wymówek matki Amelii, która go winiła za śmierć córki, gdyż jej zdaniem przyjął z dezaprobatą ciążę Amelii i zażądał, żeby ją usunęła. Korciło go, aby ją poinformować o romansie córki z ojczymem, ale tego nie zrobił, gdyż przysiągł Amelii, że utrzyma to w tajemnicy przed jej matką. Policji jednak to zdradził, czego po rozmowie z ojczymem żałował. Liczył jednak na to, że śledztwo w sprawie śmierci Amelii zostanie umorzone i jej matka się tego nie dowie, bo to by ją zabiło. I nie dowiedziała się, gdyż śledztwo faktycznie zostało umorzone. Obaj z ojczymem odetchnęli z ulgą, ale drugiej rozmowy już ze sobą nie odbyli. Kilkanaście dni później, spieniężywszy odziedziczony po rodzicach majątek, podjął swą podróż, swój bieg donikąd, który kontynuował także po powrocie do kraju, w wolniejszym tempie, lecz z tym samym, może nawet większym żalem niż na początku, a to za sprawą przyjaciółki Amelii, którą spotkał na cmentarzu.

11

Usłyszawszy dzwonek Franciszek podnosi się z krzesła, podchodzi do drzwi i otworzywszy je, widzi listonosza.

– Pieniążki dla pana!

– Znaczy się emeryturka.

– Właśnie.

– Proszę, niech pan wejdzie do środka i spocznie – mówi do listonosza i wskazuje mu krzesło przy stole. – Gorąco, prawda?

– Bardzo gorąco, panie Franciszku.

– To może napije się pan piwka, co? Mrozi się w lodówce. Ja go nie piję, wolę soczek z lodem, a wnuk nie może dnia wytrzymać bez niego. Dzisiaj pracuje na dwie zmiany, wróci dopiero wieczorem, a w sklepie jest go pełno, dokupię.

– Z przyjemnością się napiję, panie Franciszku, ale tylko szklaneczkę, bo w taki upał może uderzyć do głowy i porządnie w niej zamieszać.

Franciszek stawia na stole butelkę i dwie szklanki. Jedną napełnia pieniącym się piwem, drugą – sokiem grejpfrutowym.

– Jak zdróweczko? – pyta listonosz.

– Dziękuję, nie narzekam.

– Tak też myślałem, bo wygląda pan znakomicie.

– Uważa pan?

– Ma pan wygląd sześćdziesięciolatka.

– Niestety, za miesiąc stuknie mi osiemdziesiątka.

– Chciałbym tyle dożyć.

– A ile latek pan sobie liczy?

– Pięćdziesiąt.

– To z pana młody człowiek, socjalistyczny, bo ja przedwojenny, przeżyłem i wojnę, i Powstanie Warszawskie.

– I walczył pan?

– A jak!

– Przecież miał pan wtedy, zaraz, niech policzę, czternaście lat!

– W Powstaniu walczyli młodsi od mnie, roznosili meldunki, napełniali butelki benzyną, niektórzy rzucali je na szwabskie czołgi. Cóż, człowiek dożył osiemdziesiątki, więc czas pomyśleć o przeprowadzce na cmentarz.

– Gdzie tam panu myśleć o cmentarzu! Wygląda pan zdrowo i kostucha nie tak szybko pana dopadnie.

– Wygląd o niczym nie świadczy.

– To też racja. Miałem sąsiada... o, przepraszam, nie powinienem tego mówić.

– Niech się pan nie krępuje, proszę skończyć. Więc miał pan sąsiada, który też wyglądał znakomicie, a mimo to odwalił kitę, tak?

– Ano właśnie.

– No cóż, tak to już jest. Napije się pan jeszcze?

– Nie mogę. Jestem w pracy, na służbie, a dobrze pan wie, służba nie drużba.

– U Mariana już pan był?

– Byłem. Mam polecony do pani doktorowej, ale nie ma jej w domu.

– Pewnie się opala.

– I ja tak myślę.

– Niech pan mnie zostawi ten list, to go pani Krystynie wręczę,

– Nie mogę, regulamin nie pozwala. Sama musi go odebrać, Panu mogę zostawić awizo,

Listonosz wypisał powiadomienie o nadejściu przesyłki, podniósł się z krzesła, zarzucił na ramię torbę.

– Do widzenia, panie Franciszku. Za miesiąc znowu się zobaczymy, za rok też.

– Jak Bóg da, drogi panie, jak Bóg da.

C2

Krystyna dopiero teraz dojechała nad Zalew, w najgorętszej porze pełnego słońca dnia. Wcześniej nie mogła, popsuł się jej samochód. Stanęła na szosie, uniosła rękę i od razu zatrzymał się przy niej mercedes. Ale jego kierowca nie potrafił jej pomóc. Za to chętnie by wziął od niej numer telefonu i zadzwonił wieczorem, żeby się z nią umówić. A że go nie uzyskał, w jego oczach, dotąd łakomie spoglądających to na jej wysoko odsłonięte nogi, to na wyraźnie zarysowane pod podkoszulkiem piersi, pojawiło się zdziwienie, rzucił coś pod nosem i odjechał. Drugim kierowcą okazała się otyła kobieta, która obrzuciła ją zazdrosnym spojrzeniem, lecz mimo że chciała, też nie potrafiła jej pomóc, gdyż się nie znała na pracy silnika i nie wiedziała, co w nim szwankuje. Dopiero trzeci kierowca udzielił jej pomocy, biorąc ją na hol i dowożąc do warsztatu samochodowego. On również był pod wrażeniem jej urody, lecz zamiast poprosić ją o telefon, dał swój, mówiąc, że w każdej chwili jest gotowy służyć jej pomocą.

– Za godzinkę, dwie samochodzik będzie gotowy – oznajmił właściciel warsztatu. – W pobliżu jest barek i staw, tam może pani zaczekać.

Staw był bajorkiem z płytką i brudną wodą. Mimo to, kąpały się w nim dzieci, a na brzegu, na pożółkłej trawie, spoczywały dziesiątki prażących się w słońcu mężczyzn i kobiet. Mężczyźni mieli na sobie krótkie lub długie do kolan majtki, kobiety różnego koloru i fasonu kostiumy kąpielowe, niektóre halki. Pełno zatłuszczonych śniadaniem gazet i serwetek, puszki po konserwach i butelki po wodzie mineralnej, piwie, tanim winie lub wódce. Starszawy mężczyzna odkręciwszy od ramienia pokrytą czarną skórą protezę, podążył w stronę wody, nadmuchanym krokodylem zasłaniając kaleką rękę.

Krystyna przeleżała jakiś czas na zabranym z samochodu kocyku, po czym go zwinęła, powróciła do warsztatu, poinformowała jego właściciela, że odbierze samochód, jak będzie wracała znad Zalewu i poszła na przystanek autobusowy.

W autobusie panował niemiłosierny zaduch i tłok. Czując za sobą nachalną obecność cuchnącego kozłem mężczyzny, odsunęła się od niego i przeszła w inne miejsce. Ale mężczyzna podążył za nią i znowu stanął z tyłu, sapiąc i owiewając ją smrodliwym oddechem. Oburzona jego bezczelnością, odwróciła głowę, żeby coś mu powiedzieć, lecz spojrzawszy na jego twarz, czerwoną od gorąca i podniecenia, z małymi, błyszczącymi pożądaniem oczkami – gębę smrodliwego samca, przypominającą tego, który kilka lat temu, nocą, gdy wracała samotnie do domu, siłą zaciągnął ją do bramy, gdzie, mimo że go błagała, a potem krzyczała i paznokciami rozdarła mu policzek, zgwałcił i pozbawił dziewictwa – wpadła w popłoch i przejęta obrzydzeniem oraz panicznym lękiem, szybko przesunęła się do przodu i wysiadła z autobusu na najbliższym przystanku, skąd zabrała ją nad Zalew jadąca renówką para starszych osób.

Szukając dla siebie odpowiedniego miejsca wkroczyła na wąską i obrośniętą krzewami ścieżkę, w pobliżu której dostrzegła splecioną w miłosnym uścisku parę i usłyszała nieartykułowane pomruki oraz jęki rozkoszy.

J

W solarium pełno kobiet, młodych i starych, w większości grubych, z olbrzymimi, obwisłymi piersiami, przy których te szczupłe czy wręcz chude wyglądają jak młode brzózki i uschłe sosny na tle baobabów.

Niewidomy Azjata o sprawnych i kojących rękach zrobiwszy Jagodzie relaksujący masaż, podszedł do tęgiej szatynki, a Jagoda poczuła się senna. Jest niewyspana, musi się zdrzemnąć, czeka ją długi, pracowity wieczór. Jak ten wczorajszy, gdy najpierw służyła jako tłumaczka i hostessa, potem dama do towarzystwa, a potem...

Kleją się jej oczy. Wie, że niebezpiecznie zasnąć na słońcu, więc przeniesie się w cień i tam nadrobi zaległości w spaniu. Później pójdzie do manicurzystki i fryzjera, w domu się przebierze i pojedzie na kolację.

G

Powracając od stryja, Henryk D. wysiadł z pociągu na Dworcu Wschodnim i tramwajem pojechał na basen. Był w doskonałym humorze, pełen nadziei i wyraźnie zarysowanych planów na przyszłość. Stryj pochwalił jego zamiary i zachęcił go do ich realizacji.

– Najwyższy czas! – powiedział, gdy usłyszał, że on, jego bratanek, postanowił się rozwieść – Jak wiesz, nie darzę sympatią Felicji, ale byłbym przeciwny waszemu rozwodowi, gdyby godził w dobro dzieci lub twoje dobro. Na szczęście córki są już dorosłe, dobrze wykształcone i usytuowane w życiu, mają własne mieszkania i rodziny, więc nie muszą liczyć na twoją pomoc. No, pomoc zawsze jest mile widziana, ale nie zawsze uzasadniona i konieczna. Młodzi ludzie sami powinni sobie radzić, nie należy im dawać za dużo, bo to źle wpływa na ich charaktery. Zresztą mają matkę, ona jest im teraz potrzebna, żeby im pomogła w wychowaniu dzieci. I tak, bratanku, toczy się życie, z pokolenia na pokolenie.

Ja nie mam dziecka, czego bardzo żałuję. Ale nic na to nie poradzę, zejdę z tego świata bez uścisku dłoni córki czy też syna, ty zaś będziesz miał przy sobie córki i wnuki, oby jak najwięcej. Jesteś jeszcze młody i zdrowy, więc mam nadzieję, że dochowasz się także prawnuków. A co do Felicji, to dobrze, że postanowiłeś się z nią rozejść, bo jak mi wiadomo, od dawna jej nie kochasz.

– Nieprawda – zaprzeczył. – Wciąż kocham Felicję, tylko…

– Przestała cię pociągać, tak?

– Właśnie.

– Co na jedno wychodzi. Życie z kobietą, której się nie pożąda, a która ma o to pretensję i daje ją odczuć, albo tylko skrywa, to nie życie, ale, jak mi sam niedawno powiedziałeś, męczarnia. A przecież masz dopiero sześćdziesiąt lat.

– Za miesiąc ukończę sześćdziesiąt cztery.

– Sześćdziesięciolatek to młody człowiek, w sile wieku. Dobrze zarabiasz, więc jak będziesz wolny, znajdziesz sobie odpowiednią kobietę, czterdziestolatkę, a może młodszą.

– Jedną już sobie upatrzyłem.

– Tę księgową, Lucynę, tak?

– Właśnie.

– Znasz ją tylko z pracy, a to nie wystarcza, musisz ją poznać bliżej, w łóżku i poza nim, jeśli oczywiście widzisz w niej przyszłą żonę, a nie tylko kochankę.

– Jeszcze nie wiem.

– Zaproś ją tutaj, to się jej przyjrzę.

– Tutaj? Pod jakim pretekstem?

– Pod żadnym pretekstem, zwyczajnie, do siebie, bo przecież będziesz tu mieszkał.

– Nie chciałbym cię krępować. Stać mnie na to, żeby wynająć mieszkanie.

– Kawalerkę w bloku, co?

– Kawalerka na razie mi wystarczy. Jak się rozwiodę, wezmę z banku kredyt i kupię sobie mieszkanie. Willa nie jest mi potrzebna, no i nie na moją kieszeń.

– A moja ci się nie podoba?

– Podoba mi się.

– To przenieś się do niej, będziesz miał do dyspozycji górę, a po mojej śmierci cały dom. Już ci to proponowałem, ale nie chciałeś. Myślałem, że będziemy razem przyjmować kobietki i korzystać z życia. Ale dopadła mnie choroba i już jestem do niczego. Mogę tylko popatrzeć na panienki, a kochać się z nimi wyłącznie we śnie.

– Bardzo mi przykro.

– Mnie też. Ale nie mówmy o mnie, tylko o tobie. Zamieszkaj ze mną i żyj jak ja do niedawna żyłem i jak żył mój ojciec a twój dziadek, po pańsku. Najpierw jednak wnieś do sądu pozew o rozwód. Przyjdź do mnie jutro lub pojutrze, to ci pomogę go napisać, a potem poinstruuję, co masz mówić na rozprawie.

Spędził ze stryjem blisko dwie godziny, rozmawiając z nim o swym rozwodzie i zobowiązaniach wobec Felicji, a gdy przyszła gosposia stryja, umówił się z nim na jutro i poszedł na stację kolejową.

H

Bronisław Lizak opuścił szpital i wracając do karetki otarł chusteczką pot z czoła. Było upalnie, termometr wskazywał dwadzieścia sześć czy nawet dwadzieścia siedem stopni w cieniu. To ciężki dzień dla zawałowców. Już dwóch odstawili do szpitala. Po pierwszym, młodym, zaledwie czterdziestoletnim, była mocno sponiewierana panienka, menel ze zmasakrowaną twarzą, niedoszły samobójca, postrzelony w brzuch gangster, ciężarna kobieta i ten drugi zawałowiec, staruszek, którego w ostatniej chwili uratowali od śmierci. Jego dziadkowi chyba też grozi zawał. Musi mu powiedzieć, żeby więcej o siebie dbał, no i wreszcie poszedł do lekarza, bo jak mu wiadomo, dawno u żadnego nie był, unikał ich jak zarazy, a nie powinien, bo ma osiemdziesiąt lat na karku i nie może być, jak twierdzi, całkiem zdrowy. Nie chce go stracić. Teraz ma tylko jego, on daje mu to, czego poskąpili rodzice, którzy po wyjeździe do Kanady rozstali się, założyli nowe rodziny i o nim zapomnieli. Zapomniała o nim także Grażyna, a przecież przyrzekła mu dozgonną miłość. Pewny jej uczuć przerwał studia medyczne i zajął się biznesem, żeby Grażyna miała wszystko, o czym marzyła, lecz ona znalazła sobie innego i zażądała rozwodu, a potem wyrzuciła go z domu i nie chciała więcej znać. Wtedy zaczął podrywać jej koleżanki. Przedtem go nie interesowały, żadna inna kobieta go nie interesowała, a po rozwodzie przelatywał wszystkie, które miały na to ochotę – koleżanki Grażyny, pracownice pogotowia. także co ładniejsze pielęgniarki i lekarki. Mieszkał u dziadka, jednak większość nocy spędzał w łóżku kolejnych kobiet. Kochając się z nimi często myślał o Grażynie, ją miał wtedy przed oczami.

Gdy opuszczał szpital, przechodząc przez korytarz prowadzący do oddziału chirurgii, usłyszał rozmowę lekarza z żoną pacjenta, młodą kobietą w letniej niebieskiej sukience.

– Panie doktorze – powiedziała kobieta – mogę mieć nadzieję?

– Zawsze trzeba ją mieć – odpowiedział wymijająco lekarz.

– Ale ja bym chciała mieć pewność.

– Pewność to przywilej Boga i głupców. My lekarze, rzadko ją miewamy.

– To znaczy?

– Zrobiliśmy wszystko, co w naszej mocy, ale jaki będzie rezultat, tego jeszcze nie wiem. Proszę przyjść jutro, kiedy pani mąż powinien się obudzić ze śpiączki.

– A może się nie obudzić?

Lekarz dotknął ręki kobiety, odwrócił się i szybko odszedł.

Kobieta, która z wyglądu podobna była do Grażyny, stała chwilę na korytarzu, po czym wolnym krokiem podążyła w stronę drzwi i wyszła na ulicę tuż po nim.

– Gdzie teraz? – zapytał lekarza.

– Na Żoliborz.

Przejeżdżali obok jego domu. Pustawą ulicą szedł dziadek, miał na głowie słomkowy kapelusz, w ręku torbę z zakupami. Jutro Boże Ciało, sklepy będą zamknięte, staruszek zaopatrzył się w potrzebne produkty.

C1

Na oddziale chirurgicznym okna są uchylone, wpuszczając do sal świeże i coraz cieplejsze, pełne ożywczego słońca powietrze. Po obchodzie z udziałem ordynatora i wszystkich lekarzy, Kazimierz Rogala wypił kawę i zaszedł do nadzorowanej przez siebie sali, w której leżało sześciu pacjentów. Operacje już się rozpoczęły i jeden z nich, Tomasz Bijak, wkrótce powędruje na stół. Drobna sprawa, przepuklina pachwinowa.

Dziesięć lat temu już był na nią operowany, tyle że lewostronną, teraz zoperują mu prawostronną. Będzie pod narkozą, więc nie zaboli, ale potem nie można się śmiać. Po pierwszej operacji leżał obok pacjenta, który lubił opowiadać kawały. Znał ich dużo, bardzo dużo. I dużo też było śmiechu. On go unikał, ale czasami nie wytrzymywał i też się śmiał. Wtedy bolało. Przy kasłaniu też. Ale mniej więcej po miesiącu już się mógł śmiać i kasłać do woli. Teraz będzie podobnie. Z panem Józefem sprawa poważniejsza, ale i on nie powinien się bać. Nasz doktor będzie go operował. A to dobry lekarz, młody, ale bardzo zdolny chirurg, można mu zaufać. On mu ufa. Ufa mu również Józef, najstarszy z pacjentów, któremu znacząco powiększyła się śledziona. Nie takie rzeczy przeżył, więc i tę operację przeżyje. Jest grubo po osiemdziesiątce, ale podobno bije od niego energia, bo mimo że miewa bóle, nie okazuje tego po sobie. Wczoraj opowiadał dowcipy i rozśmieszył całą salę, nawet tego po ciężkiej operacji, a dzisiaj, zaraz po obchodzie opowiedział swoje życie, i to przy doktorze Rogali.

Kiedy wybuchła wojna, miał piętnaście lat i ukończone gimnazjum. Liceum ukończył w czasie okupacji, choć musiał pomagać mamie w utrzymaniu domu, bo ojciec zginął w pierwszych dniach wojny. On też walczył z Niemcami, w Powstaniu Warszawskim i w partyzantce. W Powstaniu zginęli prawie wszyscy jego szkolni koledzy. Myśleli, że alianci przyjdą im z pomocą, ale ograniczyli ją do zrzutów, których większość przechwytywali Niemcy. Liczyli też na Ruskich, a oni stali spokojnie za Wisłą i nie przybyli z odsieczą. Jak upadło Powstanie, umieścił matkę na wsi, a sam wrócił do partyzantki. Po wojnie złożył broń, lecz ubecja wzięła go na przesłuchanie i gdyby nie wstawił się za nim spokrewniony z matką działacz partyjny, znalazłby się w więzieniu, jak jego koledzy z AK. A tak podjął studia, ukończył je i jako inżynier budowlany zaczął odbudowywać Warszawę. Kierował pracami na Trasie W-Z i na Muranowie. Budował też Nową Hutę i pracował na innych wielkich budowach socjalizmu. Kochał swoją pracę i jak przeszedł na emeryturę, służył swym doświadczeniem zawodowym młodym inżynierom. Poza tym był rzeczoznawcą i członkiem różnych komisji. Jeszcze tydzień temu uczestniczył w posiedzeniu komisji przy Urzędzie m. Warszawy i wypowiadał się na temat zabudowy stolicy. Nie podoba mu się to, co się w niej dzieje. Nowe wieżowce psują panoramę Warszawy. Pałac Kultury i Nauki wygląda przy nich całkiem znośnie. Po komisji udał się na Muranów, gdzie spotkał swojego dawnego majstra, Franciszka Lizaka.

– Znam go – oznajmił przysłuchujący się jego opowieści doktor Rogala – mieszkamy w tym samym domu. Niedawno z nim rozmawiałem.

– Dobry i dzielny z niego człowiek – stwierdził Józef. – Też walczył w Powstaniu i sam wyeliminował hitlerowski czołg. Niech go pan ode mnie pozdrowi. Robi świetną przepalankę. Chętnie bym się jej napił, kapeczkę, dla smaku i zdrowia.

– To się jej pan napije.

– Myśli pan doktor, że będę mógł?

– Z całą pewnością,

Józef niewyraźnie się uśmiechnął i gdy doktor Rogala podniósł się ze stojącego przy łóżku krzesła, jeszcze raz poprosił go o pozdrowienie swojego majstra.

D2

Anna K. wyszła z archiwum trzy godziny wcześniej, ponieważ rozbolał ją ząb i musiała pójść do dentysty. Ponadto chce się przygotować do spotkania z sąsiadem. Umówili się w eleganckiej kawiarni, więc musi pięknie wyglądać. Koleżanki z pracy podały jej telefon do modnego fryzjera, który akurat miał wolne okienko i zgodził się ją uczesać. Potem pójdzie do manicurzystki. Pan Stefan jest od niej starszy o piętnaście, może nawet więcej lat, ale przystojny i elegancki. Z uśmiechu i koloru oczu przypomina Zbyszka, a z figury i elegancji jej ojca. Niedawno go widziała. Był w towarzystwie bardzo młodej dziewczyny, na oko osiemnastolatki. Ciągnie go do takich. Wcześniej miał szesnastolatkę, a jeszcze wcześniej ją, podówczas czternastolatkę, którą pozbawił dziewictwa i sprawił, że zaszła w ciążę. Mama była nią zszokowana. Nie wiedziała jednak, że jej córka zaszła w ciążę z własnym ojcem. Gdyby się to wydało, chyba by tego nie przeżyła. Na szczęście nie wyszło to na jaw, bo ojciec wymyślił bajeczkę, w którą uwierzyła i prawdopodobnie nadal wierzy. Przyszedł do niej nad ranem, gdy mama jeszcze spała, i poradził, co ma jej powiedzieć.

– W to, co wymyśliłaś – stwierdził, gdy usłyszał, co zamierzała mamie powiedzieć – matka nie uwierzy, wynajmie detektywa, który po rozmowach z twoimi koleżankami i kolegami ze szkoły, powie jej, że nie miałaś żadnego chłopaka. Wtedy matka tak długo będzie ci wiercić dziurę w brzuchu, aż powiesz prawdę, czym wpędzisz ją do grobu, bo choruje na serce. Miała jeden zawał, drugi może się okazać śmiertelny. Musisz inaczej to przedstawić. Powiesz że gdy wracałaś wieczorem po lekcji angielskiego, na klatce schodowej dopadł cię jakiś mężczyzna, wciągnął do piwnicy i zgwałcił. I że na schodach, no i w piwnicy było ciemno, a ty byłaś tak przestraszona, że nie widziałaś ani jego twarzy, ani ubrania. Zapamiętałaś tylko ból, jaki ci sprawił. Zaraz potem uciekł, więc podniosłaś się z posadzki i słaniając na nogach przyszłaś do domu. Ja w tym czasie oglądałem w telewizji jakiś mecz i zobaczyłem cię dopiero wtedy, jak opuściłaś łazienkę, gdzie się wykąpałaś i przebrałaś. – Ojciec spojrzał na zegarek, uchylił drzwi i zajrzał w głąb pokoju stołowego, aby sprawdzić, czy nie ma w nim matki, po czym szepnął: – To powinno matce wystarczyć. A jak cię zapyta, dlaczego wcześniej ją o tym nie poinformowałaś, powiesz, że się wstydziłaś. Tak się wstydziłaś, że nawet nie śmiałaś spojrzeć jej w oczy. Gdy tak to przedstawisz, nie bój się, na pewno ci uwierzy.

Mama uwierzyła. Co więcej, tak się przejęła jej relacją, że w oczach miała łzy. Potem przytuliła ją do siebie, zapytała, czy faktycznie nie pamięta żadnego szczegółu z wyglądu gwałciciela, naradziła się z ojcem i wspólnie doszli do wniosku, że w tej sytuacji jedynym wyjściem jest aborcja. Dokonał jej ten sam ginekolog, który stwierdził ciążę. Matka przypilnowała, żeby wszystko odbyło się jak należy, a po zabiegu przywiozła ją do domu i troskliwie się nią zaopiekowała. Tymczasem ona czuła w sobie pustkę, co chwilami przynosiło jej ulgę, a chwilami ją przerażało i bolało. Wyrwano z niej dwumiesięczny płód, nie pozwalając mu się rozwinąć i wyjść na świat jako zdolne do życia dziecko, z nóżkami i rączkami, i z główką wyposażoną w usteczka i oczka. Nie zobaczy jej, ani ona jego. To wina ojca, on tak postanowił. Powiedział, że jest za młoda, nie poradzi sobie z wychowaniem dziecka. Może miał rację, dziecko potrzebuje stałej opieki, a kalekie szczególnej troski i wyrzeczeń. Ponadto byłoby to dziecko nie tylko jej, ale i ojca. Wcześniej czy później matka by się o tym dowiedziała i dostała drugiego zawału. Więc chyba dobrze zrobiła, że poszła na zabieg. Ojciec mówił, że dużo kobiet się na to decyduje i że po dwóch, trzech dniach wszystkie dochodzą do siebie i żyją jakby nic się nie stało. Czy z nią będzie tak samo?

Na razie czuła się fatalnie, wszystko ją denerwowało, zwłaszcza widok ojca. Wdarł się w nią i posiał nasienie, czego efektem był dwumiesięczny embrion, który kazał zniszczyć. Żeby sen, który nadchodzi, trwał jak najdłużej, wiele lat, po których byłaby już dojrzałą i samodzielna kobietą, zdolną do decydowania o własnym losie. Wtedy by nie poszła na zabieg, urodziłaby dziecko, o ile oczywiście nie byłoby to dziecko jej ojca.

Z takimi myślami wtedy się zmagała, dobrze to pamięta. Pamięta też wyraz współczucia i zatroskania na twarzy matki, a także twarz ojca, na której raz malowała się troska, innym razem ulga. Nienawidziła go za nią, a gdy kilka dni później uśmiechając się do niej obłudnie, chciał ją pogłaskać, odepchnęła go.

– Nie dotykaj mnie! – krzyknęła. – Jak to zrobisz, wszystko powiem mamie.

Matka przyjęła jej reakcję jako wyraz zrozumiałej urazy do mężczyzn, lecz to „wszystko powiem mamie" zaintrygowało ją.

– Co przede mną ukrywasz? – zapytała.

– Nic nie ukrywam – odpowiedziała, zerknąwszy na wystraszoną twarz ojca. – Tak mi się tylko powiedziało.

– Ukrywasz, ukrywasz – nie dawała za wygraną matka – tylko nie chcesz mi powiedzieć. Pewnie dotyczy to dni, kiedy byłam na szkoleniu, tak?

– Nie.

Matka przyjrzała się jej badawczo, a ona ponownie spojrzała na ojca i po chwili powiedziała:

– Jak wczoraj wracałam z angielskiego, widziałam ojca z jakąś kobietą.

– Kłamiesz! – zareagował ojciec.

Faktycznie kłamała, ale musiała czymś pokryć to, co wcześniej powiedziała. A że wybrała takie, a nie inne kłamstwo, to dlatego, że rozgniewał ją wyraz ulgi na twarzy ojca.

– Siedzieliście w kawiarni i trzymałeś tę kobietę za rękę.

Ojciec był wzburzony.

– Przywidziało ci się – powiedział – Nie byłem w żadnej kawiarni.

– Wróciłeś do domu później niż zwykle – powiedziała matka – więc gdzie byłeś?

– Już ci mówiłem, byłem w biurze, bo zapowiedziano kontrolę i musiałem się do niej przygotować.

Matka ojcu nie uwierzyła i od tej pory podejrzewając, że ma kochankę, zaczęła przeszukiwać jego kieszenie, zaglądać do notesu i dyskretnie go obwąchiwać. Ponadto kontrolowała jego każdą dodatkową godzinę w pracy i pierwsza odbierała telefony, a gdy okazywały się głuche, spoglądała z wyrzutem na ojca i robiła mu wymówki, co doprowadzało ich do coraz burzliwszych kłótni i ojciec zamiast w sypialni, kładł się spać w pokoju stołowym, Miała z tego powodu wyrzuty sumienia, bo była przekonana, że to ona skłóciła rodziców, ale wkrótce wyszło na jaw, że ojciec rzeczywiście miał kochankę, i to młodziutką, trzy lata starszą od niej panienkę z biura, która z czasem owinęła go koło palca i namówiła do rozwodu i wyprowadzki z domu. Mama przyjęła to nadzwyczaj spokojnie, ona też, gdyż po aborcji tak znienawidziła ojca, że nie mogła na niego patrzeć. Gdy jeszcze chodziła do szkoły, dzwonił do niej kilka razy i proponował jej spotkanie w kawiarni, ale mu odmawiała, bo wciąż czuła do niego głęboki uraz i nie mogła mu wybaczyć tego, co jej zrobił. Dopiero podczas studiów się z nim spotkała, ponieważ bardzo na to nalegał i powiedział, że ma coś ważnego do zakomunikowania. Chodziło o to, że jego młoda partnerka odeszła od niego i chciał wrócić do matki. Poinformowała o tym matkę, lecz matka, tylko się uśmiechnęła z satysfakcją i ani myślała przyjąć ojca, bowiem poznała innego mężczyznę i zamierzała za niego wyjść. Więcej się z ojcem nie spotkała. Dzwonił do niej, narzekał na samotność i zapraszał do siebie, lecz bezskutecznie. Widywała się wyłącznie z matką, która po zamianie ich trzypokojowego mieszkania na dwa mniejsze, co nastąpiło po podjęciu przez nią studiów, zamieszkała na Mokotowie. Ona natomiast przeprowadziła się do położonego na Muranowie dużego bloku, gdzie jedyną osobą, którą bliżej poznała, była Katarzyna. I w niej znalazła powierniczkę swoich myśli, przeżyć i tajemnic. Zwierzając się jej z zabiegu, któremu z woli rodziców się poddała, opowiedziała o swych odczuciach w czasie jego trwania, rękach ginekologa i palcach wyglądających jak szpony, o plusku wody, który potem usłyszała, a może tylko sobie wyobraziła, no i o bólu i pustce zarówno w łonie, jak i w głowie. Opowiedziała również o koszmarach, które ją po nocach nawiedzały, a za dnia się przypominały i przyprawiały o czarne myśli, Długo ją ten zabieg prześladował, przez wiele lat, a i teraz prześladuje, choć nie tak często jak dawniej. Czasami na myśl o nim odczuwa ulgę – pozbyła się niepożądanego w jej wieku płodu – lecz znacznie częściej przyprawiał o wyrzuty sumienia. Którejś nocy, nie mogąc zasnąć, napisała wiersz:

Przedwcześnie zerwana
róża
w głębi
zmywanej wodą
Spóźniony żal
plusk
zduszony płacz
nienarodzonego.

Nie powiedziała Katarzynie, że zaszła w ciążę z rodzonym ojcem. Nikomu o tym nie powiedziała, a ciekawość sąsiadki i zarazem przyjaciółki zaspokoiła kłamstwem, mówiąc, że sprawcą ciąży był szkolny kolega, z którym straciła cnotę. O historii z ojcem nie pisnęła ani słowa, za to zwierzyła się przyjaciółce z okoliczności, w jakich straciła pierwszego chłopaka, okoliczności tak drastycznych, że nie chciała o nich mówić z matką.

D1

Stefan N. opuścił klasę w ciszy, jaka zapadła pod koniec lekcji i trwała mimo dzwonka na przerwę. Chcąc kolejną grupę uczni przygotować do wycieczki do Krakowa i Oświęcimia postanowił opowiedzieć im o okrucieństwach II wojny światowej i Holocauście. Zaledwie rozpoczął, odezwał się Nowicki, jeden ze zdolniejszych uczniów:

– Proszę pana, to prawda, że w Jedwabnym Polacy zamordowali kilkuset Żydów?

– Nie tylko w Jedwabnem to się zdarzyło – odparł – w innych wschodnich miejscowościach też.

– Ja dwa miesiące temu tam byłem, pytałem miejscowych o tę zbrodnię, a oni albo milczeli, albo mówili, że to żydowskie kłamstwo.

– To nie kłamstwo, tak było naprawdę, są na to dowody – powiedział. – Zapędzono trzystu Żydów do szopy i podpalono ją.

– Nieprawda – zaprotestował Rosół – mój ojciec mówi, że to sprawka hitlerowców.

120

– Hitlerowcy wymordowali sześć milionów Żydów, ale w tym wypadku nie oni, lecz mieszkańcy Jedwabnego Żydów zamordowali.

– Ale za namową Niemców – włączył się do dyskusji Kaźmierczak.

– W każdym razie za ich wiedzą, bo stali obok i się wszystkiemu przyglądali, choć mogli temu zapobiec.

– Holendrzy też nie zareagowali, gdy na ich oczach Serbowie mordowali bośniackich muzułmanów – powiedział Kaźmierczak.

– Nie mówimy o czasach powojennych, tylko o tym, co się wydarzyło w czasie ostatniej wojny.

– Tata mówił, że jak Ruscy weszli do Polski – odezwał się Rosół – to Żydzi przynosili im listy co znaczniejszych Polaków, których Ruscy rozstrzelali lub wysłali na Sybir. I że Żydkom należała się za to nauczka.

– Ale nie taka – zaoponowała Zosia Bednarek. – Prawda, panie profesorze? – dodała przypochlebnie.

– Masz rację – przyznał – nie taka.

– Dużo Żydów było w UB – powiedział Rosół. – A ubecy wiadomo, jakie stosowali tortury, żeby wydusić z ludzi zeznania.

– Jeśli idzie o tortury – zauważył Kaźmierczak – to ubeków, Szwabów, Ruskich i wszystkich innych przebili Ukraińcy. Czy wiecie – zwrócił się do klasy – że w czasie wojny chcąc rozprawić się z Polakami, Ukraińcy zastosowali 135 sposobów torturowania i mordowania?

– Sto trzydzieści pięć! – rzucił z niedowierzaniem Nowicki. – Jakich? I skąd o tym wiesz?

– Z książek i z Internetu, gdzie wszystko jest dokładnie opisane – powiedział Kaźmierczak. – Uzbrojeni w cepy, piły, kije, młotki, siekiery, noże, orczyki i inne narzędzia Ukraińcy wymordowali na Kresach Wschodnich sto czy też więcej tysięcy Polaków, swoich sąsiadów.

– Polacy też mordowali Ukraińców – zauważył – i to już w XVII i XVIII wieku.

– Tak było w okresie powstania Chmielnickiego – powiedział Bijak. – Wtedy jedni mordowali drugich, Polacy Ukraińców, a Ukraińcy Polaków. Rąbano ludzi siekierami, wrzucano rannych do studzien, przerzynano piłą, wleczono koniem, wydłubywano oczy, wyrywano języki.

– Przestań! – krzyknęła Zosia i zwróciła się do niego: – Wcale tak nie było, prawda?

– Niestety, tak właśnie było – stwierdził. – Ale dawno, trzy wieki temu.

– Wcześniej też – stwierdził Bijak.

– Tak, wcześniej też – przyznał. – Takie wtedy były czasy, tacy ludzie i takie metody walki. W dwudziestym wieku też się działy okropne rzeczy. W czasie I wojny światowej Turcy zamordowali półtora miliona Ormian, a w czasie II wojny, chorwaccy ustaszowcy mordowali Serbów, zaś po wojnie plemię Hutu wymordowało milion członków plemienia Tutsi, nie wspominając już o zbrodniach stalinowskich i hitlerowskich.

– Ale te ukraińskie – powiedział Kaźmierczak – były wyjątkowo okrutne. Dzieciom rozbijano główki, wrzucano je w płomienie, wbijano na sztachety lub krajano na kawałki i pieczono, a kobietom rozpruwano brzuchy, umieszczano w nich żywego kota i zaszywano...

W klasie panowała cisza, Zosia i pozostałe dziewczynki miały przerażone twarze, zakryły uszy palcami, chłopcy wpatrywali się w Kaźmierczaka, który wyliczał popełnione przez Ukraińców zbrodnie.

– Dosyć! – zwrócił się do niego podniesionym głosem.

– Myśli pan, że nie było tak? – Kaźmierczak nie dawał za wygraną.

Nie odpowiedział, gdyż zawiodła go umiejętność omijania drażliwych spraw i postawiła w sytuacji człowieka przypartego do muru. Słyszał i czytał o ukraińskich zbrodniach w czasie II wojny światowej, ale różnie je przedstawiano – Polacy w trosce o dobro sąsiedzkich stosunków, oszczędnie, z dystansem i dyplomatycznym umiarem, a Ukraińcy, jak wynikało z licznych dowodów, fałszywie, przemilczając wiele zbrodni, a za te, których nie udało się przemilczeć, winili Polaków – toteż nie wiedział, co ma powiedzieć.

– Było, było – powiedział za niego Kaźmierczak – i pan o tym wie, musi wiedzieć

– Wiem, chłopcze, ale bardzo mało, bo polscy autorzy omijają ten temat, a ukraińscy, jak dowodzą Siemaszkowie, przedstawiają go w fałszywym świetle.

– Czyli kłamią, tak? – powiedział Kaźmierczak.

– W każdym razie patrzą na to inaczej, z innej perspektywy. Należy przy tym pamiętać, że w XVII wieku wojska polskie pod wodzą króla Jana Kazimierza wyrżnęły pod Beresteczkiem blisko 100 tysięcy Kozaków zaporoskich i sprzymierzonych z nimi Tatarów.

– Ale w bitwie – zauważył Kaźmierczak – a nie tak, po sąsiedzku.

– Taras Szewczenko, wielki poeta ukraiński, pisze, że pole pod Beresteczkiem było czarne od wron i kruków, które wydłubywały trupom oczy.

– Sto trzydzieści pięć sposobów torturowania i mordowania – zripostował Kaźmierczak. – Sto tysięcy ofiar, sto tysięcy zbrodni popełnionych na niewinnych ludziach. Przecież to ludobójstwo większe niż to w Katyniu. Niemcy też mordowali, Ruscy również, ale nie tak okrutnie. Dlaczego?

– Nie wiem, chłopcze. Próbuję sobie to wytłumaczyć, ale nie wszystko jestem w stanie zrozumieć. Polacy zawinili wobec Ukraińców pychą i złym obchodzeniem się, traktując ukraińskich chłopów jak niewolników. Spowodowana tym nienawiść narastała, gromadziła się latami, setkami lat, no i wybuchła. Człowiek do wszystkiego jest zdolny, do najpiękniejszej, pełnej wyrzeczeń miłości i do najpotworniejszych zbrodni.

– Do których namawia ludzi diabeł – powiedział ktoś. – I on jest winny, przede wszystkim on.

– Pewnie tak, jeśli diabłem nazwiemy zło. Ono w nas jest, tylko się nie ujawnia, bo sprzeciwia się mu dobro i Stwórca, który w nie ludzi wyposaża, choć nie zawsze tak, żeby zapobiec złu, które je pokonuje. Wszyscy jesteśmy winni, żaden człowiek nie jest bez skaz i wad. Polacy są z natury cierpiętnikami. Kochają cierpieć, a jeszcze bardziej kochają narzekać na wszystko i wszystkich, zapominając o tym, że sami są wielu sprawom winni. I że nie tylko Rosjanie, Ukraińcy i Niemcy są zdolni do czynienia zła, lecz oni też. Historia wykazała to przed wiekami i po I wojnie światowej, kiedy z zapiekłej nienawiści do komunizmu zaniedbali swych obowiązków wobec jeńców wojennych, w dużym stopniu przyczyniając się do śmierci z głodu i chorób kilkudziesięciu tysięcy Rosjan. Z tego, co się zdarzyło w Jedwabnem i kilkunastu czy też kilkudziesięciu innych miejscowościach, wynika czarno na białym, że Polacy nie są całkiem niewinni, za jakich chcą uchodzić, że też zabrudzili sobie ręce, też maczali palce w okrucieństwach wojny.

– Panie profesorze! – usłyszał.

Stał przed nim Kaźmierczak z kartkami w ręce.

– Te wszystkie sposoby – powiedział – o których mówiłem, wypisałem na kartkach. Proszę, niech je pan weźmie.

Kaźmierczak wręczył mu trzy kartki wielkości papieru podaniowego, gęsto zapisane ręcznym pismem.

W salonie fryzjerskim były trzy stanowiska, dwa zajęte, jedno wolne.

– Pani u nas pierwszy raz, prawda? – zapytał Feliks, fryzjer, z którym była umówiona.

– Koleżanka mi pana poleciła – powiedziała.

– Proszę, niech pani usiądzie – powiedział Feliks, przyjrzał się krytycznie jej włosom – U kogo się pani czesała?

– W różnych miejscach, często sama.

Feliks dotknął jej głowy, ujął w rękę kosmyk włosów, spojrzał na nią karcąco. Ale zaraz się do niej uśmiechnął, a dłonie miał małe i delikatne, jak Zbyszek.

– Jak panią uczesać?

– Zdaje się na pana. Koleżanka mówiła, że jest pan prawdziwym mistrzem i potrafi dostosować uczesanie do twarzy.

– Twarzyczkę trzeba będzie odświeżyć ziołową maseczką, a potem zrobić odpowiedni makijaż. Zajmie się tym pani Danusia, kosmetyczka, która także udzieli pani kilku fachowych rad, obejrzy paluszki i zrobi manicure. Posiedzi pani u nas dwie, trzy godzinki i wyjdzie tak piękna, że żaden mężczyzna nie przejdzie obok pani obojętnie.

Niewiele czasu i starań poświęcała swemu wyglądowi. Chciała wyglądać tylko schludnie, żeby nie odpychać od siebie ludzi. Spojrzenia, jakimi mężczyźni obrzucali ponętnie wyglądające kobiety, mierziły ją. Była zgrabna, miała długie nogi, ładnie zarysowane biodra i wydatny biust, ale swoich kobiecych walorów nie wystawiała na pokaz, ukrywała je pod długimi spódniczkami i luźnymi bluzkami. Tak ubierała się przez szesnaście lat, z wyjątkiem okresu, w którym zainteresowała się Zbyszkiem. Wcześniej i później nosiła się bardzo skromnie, a w latach szkolnych, po aborcji, na czarno. Myśli też wtedy miała czarne. Nic ją nie interesowało, zaniedbała się w nauce i przedtem pierwsza w klasie uczennica, spadła na jedno z ostatnich miejsc. Zaniepokojona tym matka znalazła dla niej korepetytora. Lubiła do niego chodzić, bo był miły i traktował ją jak córkę, lecz gdy któregoś dnia wlepił samczy wzrok w jej piersi, które niechcący odsłoniła, bo zrobiło się jej tak gorąco, że musiała rozpiąć bluzkę, zrezygnowała z korepetycji, przyłożyła się do nauki i z powrotem stała prymuską. Była nią także w liceum, a i na uczelni uchodziła za zdolną i pracowitą studentkę. Od chłopców stroniła, i to zarówno tych ze szkoły, jak i ze studiów. Unikała też starszych panów. Wszystkich mężczyzn unikała, tych starszych dlatego, że przypominali jej ojca lub korepetytora, a młodych z tego powodu, że z ich rozmowy, którą kiedyś przypadkiem podsłuchała, wynikało, że chodzi im tylko o seks i zaliczenie jak najwięcej dziewcząt. Awersję do mężczyzn przezwyciężyła na jakiś czas znajomość ze Zbyszkiem.

Poznali się w bibliotece uniwersyteckiej. Siedzieli przy sąsiednich stolikach, ona przy swoim ulubionym, on pewnie też, bo po kilku dniach znowu go przy nim zobaczyła. Za pierwszym razem tylko na nią kilkukrotnie spojrzał, dyskretnie, spod oka, a za drugim, pozdrowił ją skinieniem głowy. Po kilku kolejnych dniach natknęli się na siebie przy drzwiach, które on przed nią otworzył i coś powiedział, nie pamięta co, ale z pewnością coś miłego, bo zaraz potem usiedli na pobliskiej ławce i wszczęli rozmowę. Potem często na tej ławce siadali i rozmawiali. Zbyszek miał rozległą wiedzę na wiele tematów, których znajomość pogłębiał w bibliotece, przesiadując w niej prawie codziennie, dwie lub trzy godziny, a czasami dłużej. Dobrze się im rozmawiało, więc gdy któregoś dnia ktoś zajął ich ławkę, poszli do kawiarni, w której później często się spotykali. Zbyszek zaimponował jej nie tylko swą wiedzą, lecz także taktem oraz szacunkiem do kobiet, toteż zaczęło jej na nim zależeć i żeby podnieść w jego oczach swą atrakcyjność, zamieniła szare bluzki na kolorowe, a długie i luźne spódnice na obcisłe dżinsy. Chłopak nie miał wcześniej żadnej dziewczyny, był nieśmiały i długo nie mógł się zdecydować na pocałunek. Długo też w kinie jego mała i delikatna dłoń szukała jej dłoni, a gdy ją odnalazła, zadrżała jak listek osiki. Chodząc z nią co tydzień do kina, stawał się coraz śmielszy, wreszcie tak śmiały, że nie tylko trzymał jej dłoń w swojej, ale i całował to w policzek, to włosy. I oto latem pojechali nad Zalew Zegrzyński. Było gorąco, więc założyła obcisły podkoszulek oraz spodnie z nogawkami do kolan. Gdy się wykąpali, poszli na długi spacer. Wstąpili na leśną drogę, gdy zobaczyli za sobą grupę nastolatków. Szli za nimi i byli coraz bliżej, w końcu tak blisko, że słyszała prowadzoną przez nich rozmowę. Dowcipkowali na ich temat i wulgarnymi słowami opisywali jej figurę. Zwróciła im uwagę, Zbyszek również to zrobił. Wtedy oni ich otoczyli, zmusili do opuszczenia dróżki i wciągnęli w głąb lasu, gdzie Zbyszka pobili, a ją rozebrali do naga i zgwałcili, jeden po drugim.

– Jeśli nas wydasz glinom, potniemy ci buzię i cycki – powiedział najstarszy, przeszukał jej torebkę, zajrzał do dowodu i spisał adres.

O tym, co się wydarzyło, nie doniosła policji, a to nie dlatego, że bała się zemsty, lecz dlatego, że jak Zbyszek, tak i ona była przekonana, że policja nie odnajdzie gwałcicieli, za to zasypie ją niedyskretnymi, przekraczającymi jej siły pytaniami.

Jak wydostali się z lasu i dojechali do domu, tego nie pamiętała. Nie pamiętała wielu rzeczy. Pierwszą twarzą, która przebiła się poprzez pałające pożądaniem twarze młodocianych gwałcicieli, była twarz zaprzyjaźnionej z nią sąsiadki. Dowiedziawszy się od Zbyszka, co zaszło w lesie, Katarzyna kazała się jej wykąpać i dała pigułki zapobiegające ciąży. Nie zaszła w nią, ale to, co ją spotkało w lesie, było znacznie gorsze niż to, co zrobił ojciec. Bardzo długo się z tym zmagała. I długo nie opuszczała domu. Przedpołudnia spędzała na wersalce, wpatrzona w sufit, a popołudnia w towarzystwie Katarzyny. W pierwszych dniach niewiele wymienili słów. Sąsiadka gotowała obiad, a potem w milczeniu oglądała telewizję. Ona zaś siedziała obok i też wpatrywała się w ekran telewizora, ale zamiast dziejących się na nim zdarzeń, widziała napastliwe twarze, albo nic nie widziała. Katarzyna skontaktowała ją z psychologiem, ale i podczas wizyt u niego była zablokowana, nie będąc w stanie podzielić się z nim tym, co czuła i co najczęściej umykało jej świadomości. Wydobyła to z niej Katarzyna, jej pierwszej zaczęła się zwierzać ze swych wspomnień, myśli i uczuć. Dzień po ich fatalnym spacerze, odwiedził ją Zbyszek. Miał na twarzy dwa plastry, ale dowiedziała się o tym od Katarzyny, gdyż sama tego nie zauważyła. Nie kleiła się im rozmowa i unikając swego wzroku niewiele sobie powiedzieli. Ona wstydziła się jego, a on jej, bo dał się pobić małolatom i nie obronił jej przed gwałtem. Potem kilka razy do niej dzwonił i pytał ją o samopoczucie, lecz gdy miesiąc później zobaczyła go na ulicy, opuścił głowę, udając, że jej nie zauważył. Tak się zakończyła ich znajomość. Nie dane jej było przerodzić się w miłość.

Wtedy, gdy zobaczyła na ulicy Zbyszka – a miało to miejsce, kiedy doszła do siebie na tyle, żeby wyjść z domu i pokazać się ludziom – była już ubrana w długą spódnicę i luźną bluzkę. Tak się nosiła aż do dzisiaj. Nie chciała, żeby nastolatki wlepiali w nią oczy, a starsi panowie ślinili się na jej widok. Na uczelni odnoszono się krytycznie do jej dawnego stroju, lecz w archiwum, gdzie po roku podjęła pracę i gdzie były zatrudnione same kobiety, przyjęto go z uznaniem. Była zadowolona ze swej pracy, bo lubiła szperać w starych dokumentach. Lubiła też czytać stare książki, gdyż opisani w nich mężczyźni byli na ogół dżentelmenami, odnosili się z szacunkiem do kobiet i ich nie napastowali. Marzyła o takim partnerze, ale w życiu jeszcze go nie spotkała. Może pan Stefan takim się okaże.

C2

Rozłożywszy kocyk w pobliżu wody, Krystyna zdjęła bluzkę i spódniczkę, natarła się olejkiem, wyciągnęła z torby miesięcznik poświęcony modzie, przejrzała go i rozglądnęła się po leżących w pobliżu osobach, zatrzymując spojrzenie na jasnowłosym chłopaku.

Jest w wieku Ludwika, nie młodszy od znanego jej ze zdjęcia narzeczonego Bożeny. Szkoda, że jej tu nie ma, lubi z nią rozmawiać, Z początku dziewczyna patrzyła na nią z nieukrywaną wrogością, lecz z czasem przekonała się do niej, często ją odwiedzała i zwierzała się z miłosnych przygód. Miała ich dużo, więcej niż ona, opowiadając o nich jak Katarzyna swobodnie, bez przemilczeń i zahamowań. Ostatnią jednak zrelacjonowała z oporami, jakby się jej wstydziła, albo nie mówiła prawdy.

B

Pracownicy spalarni byli poruszeni. Znajdywali w śmieciach różne rzeczy, nigdy ludzki płód. Był w niebieskiej reklamówce, która na taśmie się rozerwała, odsłaniając swą zawartość – prawie już gotowe do życia dziecko, z główką, rączkami i nóżkami, tyle że otoczone błoną, z kawałkiem pępowiny.

– Jak myślisz, samo wyszło na świat? – zwrócił się do kolegi jeden z pracowników kompostowni.

– A gdzie tam samo! Ktoś mu w tym pomógł.

Podobnego zdania był komisarz Piątek. W pierwszej chwil zszokowany widokiem sporej wielkości płodu, dostał mdłości, po czym powiadomił naczelnika komisariatu, a że już był w spalarni reporter, kazał mu ją opuścić i zwrócił się do jej pracowników:

– Kiedy to znaleźliście?

– Jakieś półtorej godziny temu – poinformował go jeden z nich.

– W starych czy świeżych śmieciach?

– W świeżych, z pierwszej dostawy.

– Czyjej?

– Sobiesiaka.

To jego sąsiad. Jak przyjedzie z kolejną dostawą śmieci, spyta go, skąd te pierwsze zabrał, co pozwoli znaleźć kobietę, z której brzucha wyrwano płód, jak i osobę, która tego dokonała. Bo sama nie mogła tego zrobić, w żadnym wypadku. I pewne też jest, że osobą, która to zrobiła, był mężczyzna. Kobieta by się na to nie zdobyła, chyba że jakaś potwora. Tak czy inaczej, musi zaczekać na Sobiesiaka, on mu pomoże w wyjaśnieniu tej sprawy. Są kobiety, które nie mogą mieć dziecka i błagają Boga i lekarzy, aby im pomogli zajść w ciążę, a ta kazała ją usunąć. Na pewno panna, prawdopodobnie nieletnia. Pieprzą się dzieciaki na potęgę, i to już czternastolatki, gimnazjalistki, niekiedy młodsze rozkładają nogi, bo tak trzeba, bo chłopak tego chce, a w Internecie, kinie i w telewizji pokazują, jak się to robi. Trochę boli, ale tylko za pierwszym razem, potem już nie będzie, potem nawet jest przyjemnie, no i chłopak jej nie rzuci dla innej, będzie jego dziewczyną, i to na długo, może nawet na całe życie, jak jej obiecał, nalegając, żeby poszła na zabieg, bo mieli wpadkę. Cóż, zdarza się. Ale jest sposób, żeby sprawę załatwić szybko i skutecznie. Trzeba tylko pójść do odpowiedniego lekarza, potem dalej będą ze sobą, bez dziecka, na które są jeszcze za młodzi, najpierw muszą ukończyć szkołę i usamodzielnić się w życiu.

Zbigniew Piątek znał tę śpiewkę, niedawno słyszał ją z ust czternastoletniej dziewczynki, która w tajemnicy przed rodzicami poddała się nielegalnej aborcji, o czym doniosła jej szkolna koleżanka, zazdrosna o chłopaka, którego chciała mieć dla siebie. W przeciwieństwie do tamtej aborcji, przeprowadzonej w trzecim miesiącu ciąży, ta została dokonana na dużo starszej, bo pięcio- czy też sześciomiesięcznej istocie, jak ocenił na podstawie książki, którą niedawno czytała żona, od lat wyczekująca na dziecko, którym niechętna temu natura nie chciała ją obdarzyć.

K

Mirosław W. przejrzał wysmażony w nocy felieton, zadzwonił do żony. Uspokojony poprawą jej samopoczucia, popatrzył na swych nowych kolegów po piórze i wrócił myślami do tych z poprzedniej redakcji, w której do niedawna pracował. Wszyscy byli zwolennikami rządzącej partii, a on zawsze stawał po stronie przegranych, toteż często toczyli spory polityczne, w których oni wychwalali politykę rządu i patrząc przez palce na jego potknięcia i zaniedbania, kąśliwie atakowali opozycję, natomiast on nie tylko wyrażał się krytycznie o ekipie rządowej i punktował jej niedociągnięcia, ale i w wielu kwestiach zgadzał się z opozycją, co jego oponentów doprowadzało do szewskiej pasji. Niemniej jednak go szanowali i zazdrosnym okiem patrzyli na spływające do redakcji listy od czytelników, wyrażających uznanie dla jego publicystyki; z empatią opisywał ludzi skrzywdzonych przez los, napominał bezdusznych urzędników i krytykując rząd zarzucał mu małe zainteresowanie sytuacją kilku milionów ludzi cierpiących nędzę, bądź żyjących na granicy ubóstwa. Ponadto tropił i potępiał korupcję, o której mu donoszono w licznych listach. W jednym z nich poinformowano go o ciemnych stronach przeszłości ministra Widawskiego i jego powiązaniach ze światem biznesu. Przedstawione w liście zarzuty były poważne i przeciekły do Internetu, toteż za zgodą zastępcy redaktora naczelnego, gdyż ten akurat przebywał na urlopie, skontaktował się z autorem tegoż listu i wskazanymi przez niego osobami i dziesięć dni później opublikował artykuł. Wynikało z niego, że minister najpierw korumpował urzędników i polityków, a następnie sam brał łapówki. W kołach parlamentarnych i rządowych zawrzało. Widawski zaprzeczył podanym w artykule faktom, wynajął wziętego adwokata i wniósł sprawę do sądu, który po przesłuchaniu podanych w artykule świadków i zręcznej, pełnej swady mowie jego obrońcy, wydał wyrok uniewinniający. Zadecydowały o tym zeznania świadków. Wcześniej wszyscy zapewniali, że widzieli, jak Widawski jednym wręczał, a od inny brał łapówki. Teraz, odpowiadając na pytania sądu i sprytnego adwokata, jeden ze świadków zeznał, że nie jest pewny, iż była to łapówka, drugi oznajmił, że znajdował się wtedy pod wpływem alkoholu, natomiast trzeci stwierdził, że niczego nie widział, tylko o tym słyszał. Pan minister z powrotem zasiadł za swoim biurkiem, natomiast redaktor naczelny i jego zastępca musieli poszukać sobie pracy gdzie indziej. Oczywiście zwolniono z redakcji również jego, autora artykułu, mimo że koledzy redakcyjni, jego polityczni oponenci, ujęli się za nim. Spalony u jednego wydawcy, znalazł pracę u drugiego, tyle że w gazecie o charakterze bulwarowym. Wpłynęło to niekorzystnie na jego pozycję w środowisku dziennikarskim, które takie gazety nazywało pogardliwie szmatławcami, ale wydawca mu obiecał, że w niedalekiej przyszłości zatrudni go w tygodniku, i to na stanowisku zastępcy redaktora naczelnego. W oczekiwaniu na awans robił to, co do niego należało i co wcześniej robił. Pisał teksty publicystyczne, tyle że już innym językiem i niższej rangi, bo w gazecie przeznaczonej dla masowego czytelnika, w której dominowała sensacja, plotka i zdjęcia nagich kobiet lub wyzywająco ubranych aktorek, nie było miejsca na poważne, głęboko penetrujące rzeczywistość artykuły, jakie pisał wcześniej.

– Podobno Widawski ma zostać wicepremierem – powiedział siedzący przy sąsiednim biurku kolega redakcyjny, kątem oka spoglądając na niego.

– Skąd wiesz? – spytał drugi i też na niego spojrzał.

– Tak słyszałem.

– A ja słyszałem, że jego żona ma kochanka.

– Nie mów? – ożywił się pierwszy. – Kto nim jest?

– Jakiś biznesmen, młodszy od niej o dziesięć lat.

– Facet Nowackiej, która ostatnio robi w serialu za właścicielkę burdelu, jest młodszy o piętnaście lat.

– Ma dziurę w majtkach.

– On?

– Co ty! Ona.

– Widziałeś?

– Nasz paparazzi podpatrzył. Kiedyś przed nim uciekała, chciała go podać do sądu, a teraz, kiedy dzięki niemu znalazła się w serialu, gotowa jest sama mu zapłacić za zdjęcia. A ma co pokazać. To bardzo seksowna babka, prawdziwa seksbomba. Chętnie bym ją przeleciał.

– Ty!? Nie dla psa kiełbasa. Ten, co ją aktualnie bzyka, wygląda jak model i jest synem milionera, a ty pismak, gołodupiec.

W pokoju redakcyjnym zapanowała cisza.

– Basia, ta młodziutka blondyneczka – przerwał ją po chwili drugi redaktor – serialowa podopieczna Nowackiej, wciąż się spotyka ze swoim staruszkiem.

– Nie tylko się z nim spotyka, ale i mieszka w jednej z jego rezydencji.

– Przecież facet jest od niej starszy o czterdzieści lat.

– Ale ma kasę i pewnie wciąż sprawny przyrząd, więc stać go na dwudziestoletnią dziewczynę, która dopiero od dwóch miesięcy występuje w telewizji.

Do pokoju wszedł fotoreporter, położył na biurku aparat.

– O, jest nasz paparazzi! Co upolowałeś?

– Nic szczególnego. Zalany w trupa idol, kilkunastoletnia ćpunka śpiąca na ławce w parku, banda nastolatków depcząca po menelu, gwiazda estrady sikająca na stojąco i inne obrazki, jak codziennie. Jedyna nowość to znaleziony na śmietniku sześciomiesięczny płód.

– Pewnie poroniony.

– Jasne, że poroniony, tyle że sztucznie, z pomocą narzędzia i czyichś rąk, co prawo i medycyna nazywają morderstwem.

– To będzie news, trzeba go krótko opisać i wyeksponować, może nawet na pierwszej stronie.

– Ze zdjęciem?

– Zobaczymy. Pokaż swój łup.

Dwaj redaktorzy, sekretarka i fotoreporter podeszli do komputera; na monitorze pojawiły się zdjęcia. Tylko on jeden się nimi nie zainteresował, zatroskany stanem żony i dzieckiem, które lada dzień ma przyjść na świat, codziennie brukany gwałtami, morderstwami i innymi wydarzeniami, które bynajmniej nie zachęcają do życia. Jak sobie jego maleńka w tym świecie poradzi, kiedy dorośnie i rozpocznie samodzielne życie? Bo wcześniej na nim będzie się mogła oprzeć, no i na matce. Lecz czy zdołają ją osłonić przed złem świata, skoro z każdym dniem staje się ono coraz napastliwsze, skoro granice dobra i zła się zacierają, a obowiązujące wcześniej zakazy i normy padają pod naporem różnych grup nacisku, żądających dla siebie większych praw, większej wolności. Do czego nas to doprowadzi, do jakiego świata! Chyba ten nasz się już kończy, w wulkanie gromadzi się lawa, która zaleje całą zachodnią cywilizację. Jej miejsce zajmie inna, prawdopodobnie wschodnia, jeśli także ona nie zginie.

Mirosław W. dokończył korekty felietonu i spojrzał na zegarek. Nie pójdzie na obiad do domu, zje go w barze, gdyż ma kolegium. Na razie nie jest głodny, no i nie ta pora, coś sobie poczyta, albo nie, zajrzy do Internetu. Sięgnął po myszkę i zaczął surfować. Przeczytawszy najnowsze

131

wiadomości ze świata, zanurzył się w tych sprzed lat, wyławiając artykuł, o którym dzień wcześniej rozmawiał z przyjacielem. Jego porażająca treść świadczyła dowodnie, że dziejące się na świecie zło nie jest tylko wynikiem tego czy innego systemu i wspomagającej go ideologii, jak twierdzą niektórzy, mając na myśli Holocaust i inne hitlerowskie wyczyny czy też zbrodnie stalinowskie, lecz tkwi w każdym z nas, codziennie o sobie przypomina i może przybrać postać przerażającej masowej zbrodni, jeśli je zignorujemy i przyjmiemy postawę widza, jak miało to miejsce z Holendrami w rozgrzanej namiętnościami Jugosławii.

Żydzi wciąż nagłaśniają Holocaust, i słusznie, ale o tym, co się nie tak dawno zdarzyło na Bałkanach, też powinniśmy pamiętać, a wygląda na to, że wydarzenia te chcemy wymazać z pamięci.

Kiedy Mirosław W. przeczytał polecony mu przez przyjaciela tekst, dowiedział się, że kolegium redakcyjne przełożono na późniejszą godzinę, gdyż naczelny został wezwany przez wydawcę na konsultacje. Zadzwonił do żony i usłyszawszy, że czuje się dobrze, poprosił do telefonu teściową, uprzedzając ją, że wróci do domu pod wieczór, po czym zatelefonował do jednego ze swych czytelników i gdy ten mu powiedział, że dzisiejsze popołudnie ma wolne, umówił się z nim na wywiad, jako że sprawa, którą ów czytelnik wcześniej mu zasygnalizował, była społecznie ważna i wymagała prasowej interwencji.

B

Umówiwszy się ze Zbigniewem Piątkiem na objazd terenu, z którego w pierwszym rzucie zabrali śmieci, Antoni Sobiesiak zajął miejsce w szoferce i ruszył w powrotną drogę do miasta.

– Strzeliłbym sobie setę – powiedział do towarzyszącego mu Leszka Drobiaka. – A ty?

– Ja też.

– A niech to diabli! – zaklął na wspomnienie zawartości niebieskiej torby, którą przywiózł z miasta.

Nie kontrolowali pojemników na śmieci, ale wiedzieli, że menele, którzy w nich grzebali, znajdywali różne nadające się do sprzedaży rzeczy, książki, butelki i metale, a także zdechłe szczury i koty. Tym razem, w foliowej torbie, którą razem z innymi torbami wrzucili do śmieciarki, odkryto coś, co w ich oczach z daleka wyglądało na sporą kulkę surowego mięsa, a co okazało się ludzką istotą, wielkości około dwudziestu centymetrów, z dużą główką i puszystym meszkiem na ciałku. Na jego widok Leszek zdębiał, on też.

– To poroniony płód – stwierdził Leszek, gdy go im pokazano w obecności policji, która pojawiła się w spalarni pomiędzy ich drugim a trzecim kursem.

– Zdarza się – powiedział. – Moja żona też poroniła.

– W którym miesiącu?

– Trzecim.

– I pewnie naturalnie, bez niczyjej interwencji.

– Oczywiście.

– Ten został poroniony sztucznie.

– Skąd wiesz?

– Marysia, która jest akuszerką, dużo mi na ten temat mówiła – powiedział Leszek i ponownie zerknąwszy na płód stwierdził: – Dokonano nielegalnej aborcji, i to w piątym lub szóstym miesiącu ciąży, gdy płód jest już małym człowieczkiem, który ma oczka, serduszko i inne narządy, a ponadto może ruszać rączkami i nóżkami.

Słowa Leszka potwierdził wezwany lekarz, dodając, że aborcja w piątym miesiącu ciąży to morderstwo, za które on skazałby winnego na co najmniej dziesięć lat odsiadki, nawet gdyby nim był kolega po fachu, choć to mało prawdopodobne, raczej amator, okrutnik, bez serca.

– Uważaj! – wyrwał go z zamyślenia głos Leszka, gdy z przeciwka nadjechał mercedes, z którym omal się nie zderzyli.

Wciąż miał przed oczami tę już ukształtowaną istotkę. Płód, który na jego życzenie zgodziła się wyskrobać Barbara, był zaledwie dwumiesięczny, ale potencjalnie człowiek. Tylko że w tamtych czasach inny był stosunek do aborcji, i to zarówno u większości lekarzy, jak i przeważającej części społeczeństwa. Aborcję do trzeciego miesiąca ciąży traktowano jak zabieg kosmetyczny.

– Widzę, że jeszcze nie ochłonąłeś – powiedział Leszek. – Na mnie też ten martwy człowieczek zrobił wrażenie, choć niejedno słyszałem i widziałem. Po pracy musimy pójść na kielicha.

– Koniecznie.

Leszek pracował w MPO blisko rok, on trzy lata. Wcześniej był zatrudniony w prywatnej firmie budowlanej, a jeszcze wcześniej w dużej firmie państwowej. Mało tam płacili, więc dorabiał sobie lewymi kursami, których w zakładzie prywatnym już nie miał, za to więcej zarabiał. Nadal by w nim pracował, gdyby jego właściciel nie zbankrutował. W ten sposób trafił do MPO, gdzie akurat był wolny etat. Zarabia mniej, ale pracuje w ustalonych godzinach, od szóstej do czternastej, a nie wieczorami, jak przedtem. Obiecano mu podwyżkę, a że Romek poszedł do pracy, Małgosia nie będzie musiała jej szukać dla siebie. Właścicielka sklepu, w którym pracowała kilkanaście lat, też splajtowała, bo postawiono obok market. Magda pytała tam o pracę dla siebie, lecz dano jej do zrozumienia, że jest na nią za stara, że wolą młode ekspedientki. A prywatnych sklepików jest mało, coraz mniej. Trudno, dadzą sobie radę. Jak Jadzia i Leszek studiowali, Małgosia musiała pracować, teraz już nie musi, a gdy Grzesiek pójdzie na studia, w utrzymaniu domu pomogą im starsze dzieci. Wyjechali do Anglii, lecz za kilka lat wrócą do kraju, a jeśli nie, nie pozwolą, żeby brat skończył na maturze, bo jest wybitnie uzdolniony i nauczyciele wróżą mu wielką przyszłość. Słynny naukowiec – synem śmieciarza. Tak go niedawno nazwano, śmieciarzem. Nie obraził się, bo niby dlaczego? Kiedyś woził cegły i deski, a teraz śmieci. co za różnica. Nie wszystkie są bezwartościowe, niektóre nadają się do dalszego użytku i można je sprzedać na rynku. Ostatnio jest dużo książek. Za jedną, bardzo starą, antykwariusz zapłacił sto złotych, co oznacza, że była warta kilka, a może i kilkanaście razy więcej. Tak, również w śmieciach znajdują się cenne rzeczy. A ten płód... Nie będzie dziś jadł mięsa, jutro chyba też go nie tknie, choć Małgosia ma upiec gąsiora, bo przyjadą z Anglii dzieciaki i jak się dowiedział od Grzesia, przyjdzie do nich najbliższa rodzina. Magda nic mu nie mówiła, ale przecież wie, że ten rodzinny zjazd odbędzie się z okazji dwudziestopięciolecia ich małżeństwa. Przeżyli ze sobą ćwierć wieku, w zgodzie i szacunku, no i w miłości. Tylko raz ją zdradził, dawno temu. Wyspowiadał się z tego, ale jak sobie to przypomni, ma wyrzuty sumienia. Na szczęście Małgosia niczego się nie domyśliła, bo zrobiłaby mu awanturę, a może i wyrzuciła z domu. Dzisiaj jej to wyzna, żeby następne dwadzieścia pięć lat oczyścić ze zła, które go gryzie. Gdy powie Małgosi, kiedy i w jakich okolicznościach to się zdarzyło, i że potem już się nie spotkał z tą dziewczyną, ani żadną inną, przez całe dwadzieścia lat, Małgosia mu wybaczy. Kupił jej w prezencie piękną bluzkę, wybraną z pomocą sąsiadki, na pewno się z niej ucieszy. O tym pięciomiesięcznym płodzie nie wspomni, bo zepsułby jej humor. Boże, toć dzisiaj jej imieniny! Dobrze, że sobie o tym przypomniał. Jak będzie wracał do domu, wstąpi po drodze do swego dłużnika, a potem zajdzie do znajomego ogrodnika i kupi piękną wiązankę kwiatów.

F

Komisarz Piątek wrócił do komisariatu. Dochodzenie w sprawie znalezionego w spalarni płodu miało się rozpocząć od zlokalizowania miejsc, z których prowadzona przez Sobiesiaka śmieciarka zebrała rano śmieci. Wszystkie te miejsca objadą z Sobiesiakiem, ale dopiero za trzy godziny, kiedy ten zakończy pracę, którą z powodu odkrytego w śmieciach płodu musiał przerwać. Do tego czasu zajmie się robotą papierkową. Tak sobie zaplanował, lecz gdy rozłożył na biurku papiery, wpłynęło doniesienie, że została ciężko pobita i dźgnięta nożem czterdziestoletnia kobieta. Wsiedli z dzielnicowym do suki i pojechali na miejsce przestępstwa.

D1

W sali operacyjnej warczą wentylatory. Kazimierz Rogala przeszedł do pomieszczenia pooperacyjnego i otarł pot z czoła. Asystował Florkowi. Dobry z niego operator, na razie lepszy od niego, z dłuższą praktyką. Przeprowadził operację szybko i sprawnie, bez komplikacji. Teraz jest przerwa. Potem odbędzie się trzecia w tym dniu operacja, znacznie poważniejsza, lecz bez jego udziału, a potem czwarta, ostatnia, którą on przeprowadzi. To będzie jego pierwszy poważny zabieg. Wcześniej miał trzy wyrostki. Operował też przepuklinę, ale pod ścisłym nadzorem ordynatora. Teraz go nie będzie, gdyż otrzymał wezwanie do sądu.

– Już raz się nie stawiłem – powiedział – nie mogę drugi raz, bo wlepią mi karę, a ponadto przyjacielowi, w którego sprawie występuję jako świadek, bardzo zależy na mojej obecności, więc kolega rozumie, muszę tam być. A pan da sobie radę. Asystował kolega przy dwóch śledzionach, więc i z tą pan sobie poradzi. Będzie panu asystował Florek, też zdolny chirurg, no i z kilkuletnią praktyką. A co do pacjenta, to jak wczoraj mówiłem, należy wziąć pod uwagę jego wiek. Pan Józef wydaje się okazem zdrowia i mimo osiemdziesiątki z okładem, kipi energią, ale ma już swoje lata i jest zmiażdżycowany. Proszę o tym pamiętać.

Opuściwszy salę pooperacyjną Kazimierz Rogala skierował się w stronę gabinetu lekarskiego, żeby zjeść zabrane z domu kanapki i wypić drugą w tym dniu kawę. Za godzinę lub trochę później będzie pierwszy raz operował śledzionę. Musi mu się udać.

D2

Nad Zalewem i pobliską stolicą kraju zamieszkałego przez bohaterski, choć nie zawsze liczący się z realiami naród, przedkładający honor nad wszystko inne – na pewno podczas Powstania Warszawskiego, ale też wiele razy wcześniej – wznosi się bezchmurne niebo, na którym od rana króluje słońce. Krystyna wyszła z wody i powtórnie posmarowawszy się olejkiem, padła na rozpostarty na trawie kocyk. Ale zaraz podniosła głowę i jakby ściągnięta jego dyskretnymi spojrzeniami, zerknęła po raz kolejny na opalonego na brąz chłopca o jasnych włosach i zielonych oczach, pełnych młodzieńczego, a skrywanego żaru. Od dawna się jej przygląda. Na pewno mu się podoba, tylko nie śmie tego okazać. Jest kilka lat młodszy od niej, bardzo przystojny, taki, jakim dawniej był Kazik. Szczupły, muskularny, ale nie napakowany, jak ci dwaj z ogolonymi głowami i przypominającymi kaloryfery klatkami, którzy przechadzają się wzdłuż brzegu i z dumą prężą swe ciała, przekonani, że wszystkie kobiety ich obserwują, zarówno te młode, jak i starsze, zwłaszcza te starsze. Zauważyła, że i on zwrócił na nią uwagę, bo zlustrował ich długim spojrzeniem, a następnie zerknął na nią, jakby chciał się przekonać, czy także ona jest pod wrażeniem ich męskich, zgrabnych tyłków i atletycznych torsów. Owszem, zrobili na niej wrażenie, ale woli patrzeć na tego chłopca, przypominającego jej Adonisa czy nawet samego Apollina z obrazków, które oglądała w dziewczęcych latach. Chętnie nawiązałaby z nim znajomość i porozmawiała, ale nie może się do niego odezwać, bo stąd za daleko, no i niezręcznie pierwszej zacząć, nie wypada. Poza tym nie wie, jak by to odebrał. Kiedy pluskała się w wodzie, stał obok i patrzył na nią z błyskiem w oczach, lecz zaledwie na niego spojrzała, opuścił wzrok, zanurkował pod wodę i wynurzywszy się kilka metrów dalej popłynął za boje. Jak na swój pociągający wygląd jest bardzo nieśmiały. A może gej? Jeśli nawet, to nic nie szkodzi, przecież geje też potrafią rozmawiać z kobietami, i to podobno ciekawiej niż heteroseksualni, którym mózgi paraliżuje samczy pęd. Co zrobić, żeby go ośmielić? Już na nią nie patrzy, zajął się czytaniem jakiejś książki. Z profilu jest podobny do sąsiada z piątego piętra, którego dwa razy widziała w windzie. Tylko że ma on inne oczy i nie jest tak pociągający jak ten Adonis, z którego regularnej twarzy nie bije smutek, jak od tamtego.

Michał – chyba tak ma na imię jej sąsiad – jest typem samotnika, to się wyczuwa. Franciszek mówił, że kiedyś przyszedł z jakąś blondynką, ale tylko raz, po pracy. Pewnie była to koleżanka biurowa albo prostytutka, bo nie przebywała u niego długo, zaraz wyszła. Zbliża się do trzydziestki, więc powinien się ożenić, a nie żyć samotnie. W ich domu jest kilka samotnych dziewczyn, Katarzyna, ładna i po studiach, Anna, archiwistka, też po studiach, no i Bożena. Nie, Bożena nie wchodzi w rachubę, ma narzeczonego, wkrótce za niego wyjdzie, a dziś ma się z nim uroczyście zaręczyć. Tylko jak rozwiąże swój problem, którym wczoraj się z nią podzieliła. Przed dwoma miesiącami zaszła w ciążę, a nie wie, czy z Ludwikiem, czy z kolegą przyjaciółki, u której była na imieninach, Dużo wypiła, więc przyjaciółka poprosiła kolegę, żeby odprowadził Bożenę do domu. Szli przez park, z trudem trzymała się na nogach i gdy zakręciło się jej w głowie, usiedli na ławce. I tam się to stało, na parkowej ławce. Podoba się chłopakowi, ale ona woli Ludwika, bo chłopak jeszcze studiuje, a Ludwik po roku pracy został zastępcą kierownikiem działu i ma ojca profesora. Tylko co ma zrobić z ciążą? Gdyby była przekonana, że będzie to dziecko Ludwika, to by się ucieszyła, ale nie jest tego pewna, raczej nie z nim zaszła w ciążę, lecz z kim innym.

Wyznawszy to Bożena rozglądnęła się po jej mieszkaniu i zanim poszła do swojego, przywołana przez Agnieszkę, swoją młodszą siostrę, spytała o Kazika, jakby to on był tym kimś innym.

E

Michał sięgnął po drugą, zmrożoną w lodówce butelkę piwa, włączył radio i powrócił na wersalkę. Nic mu się nie chce. Opanowała go apatia. Lepsze to niż niepokój, który go przez lata dręczył, no i nadal dręczy, choć nie tak często jak dawniej. Chodził wtedy po barach i szukał ukojenia w alkoholu i w ramionach kobiet, albo zmieniał miasto, czy też kraj, a jeśli przebywał w pobliży dżungli, w niej znajdował spokój, w wyprawach w towarzystwie członków koczującego w jej sąsiedztwie plemienia. Teraz go na to nie stać. Za ostatnie pieniądze, po kilkumiesięcznych poszukiwaniach kupił okazyjnie małe mieszkanie na Muranowie i utrzymując się z pensji pracownika muzeum, żył bardzo skromnie i samotnie. Nie znał sąsiadów, toteż się zdziwił, gdy od niewidomego, któremu pomógł przejść przez jezdnię, dowiedział się, że mieszka w tym samym domu co on. Tego z ławki już wcześniej widział, dwa czy trzy razy, ale dopiero dzisiaj z nim rozmawiał. Staruszek namawiał go do zawarcia znajomości z którąś z trzech żyjących samotnie sąsiadek. Chyba z jedną z nich jechał windą, nie zrobiła na nim korzystnego wrażenia. Gładko uczesana i niemodnie ubrana, w długą spódnicę i bluzkę zapiętą pod szyję, wyglądała na kobietę, która sama się skazała na staropanieństwo. Drugą, o której słyszał, że jest jeszcze panną, widział, jak wchodziła do domu. W przeciwieństwie do pierwszej, ubrana była modnie i wyzywająco, ale i ona go nie zainteresowała. Trzecią, bardzo młodą, zgrabną i seksowną, jak ocenił na oko, też pannę, widział tylko chwilę, gdy minąwszy go, podążyła w stronę mercedesa, który zabierał ją co wieczór, z czego wywnioskował, że jest czyjąś utrzymanką lub wysokiej klasy prostytutką. Ona również go nie zainteresowała. Po Amelii żadnej kobiecie się to nie udało, a swoje potrzeby seksualne realizował z prostytutkami lub kobietami, które chciały się z nim kochać, a nie żądały od niego czułych słów i obietnic. Do tych pierwszych rzadko się uciekał, drugich miał wiele, kilkadziesiąt Metysek, Mulatek, Murzynek i Azjatek, a także Europejek. Był z nimi szczery, mówił im o swojej jedynej, tragicznie zakończonej miłości, a one mu współczuły i nie skąpiły uścisków, niektóre gotowe rzucić dla niego męża, narzeczonego czy też kochanka. Jedna nawet zasłoniła go swym ciałem, gdy jej narzeczony wymierzył do niego z pistoletu. Niektóre mu się podobały, lecz czuł się z nimi samotny. Z samym sobą też się czuł samotny, toteż często podejmował pracę w jakimś barze lub hotelu, tłumacząc to sobie chęcią bliższego poznania tego czy innego środowiska, jako że studiował socjologię i etnografię, co kazało mu również szperać po bibliotekach i zaglądać do muzeów oraz małych wiosek w poszukiwaniu świadectw starych kultur. W jednej z nich, peruwiańskiej, spędził blisko rok. Uczestnicząc w codziennym życiu jej mieszkańców, z którymi często wyprawiał się w głąb dżungli, odzyskał na jakiś czas spokój wewnętrzny i chęć do życia. Dobrze też mu było na niewielkiej wysepce Oceanii, której bujna roślinność i życzliwość ludzi pozwoliły mu zapomnieć o dręczącym go przez lata niepokoju i poczuciu winy. Pogodzony z sobą i światem wrócił do kraju, zwiedzając po drodze Ateny, Rzym i Paryż, gdzie doznał szczególnego rodzaju wzruszenia. Miało to miejsce w kawiarence w Dzielnicy Łacińskiej, jednej z wielu przy bulwarze St.Michel, do której z niejasnego powodu przez kilkanaście dni pobytu w Paryżu zachodził codziennie. Siadał przy tym samym, wystawionym na ulicę stoliku, tuż przy drzwiach, prowadzących do niewielkiego wnętrza, niby takiego jak w innych tego typu lokalikach, dla niego jednak wyjątkowego, nasyconego ciepłem i liryzmem. I właśnie tam naszło go wzruszenie, które sprawiło, że na chwilę trwającą kilkanaście sekund czy też kilka minut, przeniósł się w inne miejsce i inny czas, czas jego wczesnego dzieciństwa, z matką pochyloną nad nim i głaszczącą go po włosach, a potem wskazującą kogoś, kto zdążał w ich stronę z naręczem kwiatów w rękach. Było to doznanie tak silne, że w nocy nie mógł zasnąć, a nazajutrz wykupił bilet na samolot i wcześniej niż zamierzał powrócił do kraju, gdyż domagała się tego odświeżona w kawiarni pamięć o matce i tęsknota za związanymi z nią miejscami. Tylko że w Warszawie, do której go ciągnęło i w której w czasie jego nieobecności powstało kilkanaście wysokich biurowców i nowe markety, poczuł się obcy, brakowało mu dżungli, bujnej roślinności i życzliwych ludzi. Ale najboleśniej odczuł spotkanie z Dorotą, przyjaciółką Amelii, która rozdrapała, wydawało się, już zagojoną ranę.

– Widziałam się z nią tamtego dnia – powiedziała. – Była załamana, bo lekarz stwierdził u niej ciążę, a ty powiedziałeś, że nie chcesz jej więcej znać.

– Powiedziałem to w gniewie, bo dowiedziałem się, że mnie zdradza.

– Wiem, ale Amelia postanowiła z tym skończyć. Obiecała ci to, a ty zamiast jej wybaczyć, potraktowałeś ją jak szmatę i zniknąłeś na cały dzień, mówiąc przedtem, że się nią brzydzisz.

– Tego nie powiedziałem.

– Ale ona tak to odebrała.

– Jeśli nawet, to nie mogło to być powodem jej samobójstwa,

– Bała się, że nie uwierzysz w swoje ojcostwo i odeślesz ją do matki albo każesz pójść na zabieg – rzekła Dorota. – Ale chyba nie to skłoniło ją do targnięcia się na życie – powiedziała po krótki namyśle. – A co, tego naprawdę nie wiem – stwierdziła i zaraz zaważyła: – Uskarżała się na twoją oschłość i miała do ciebie żal, że nie zaproponowałeś jej małżeństwa.

– Zamierzałem to zrobić podczas uroczystej kolacji, która zaplanowałem na sobotę, lecz w środę dowiedziałem się o jej zdradzie, a w czwartek... Długo ze sobą rozmawiałyście?

– Niedługo, z piętnaście, dwadzieścia minut. Umówiłyśmy się, że po południu dłużej porozmawiamy, jak do niej przyjdę.

– Ale nie przyszłaś.

– Przyszłam, tylko za późno, po siódmej. Nikt mi nie otworzył drzwi, więc pomyślałam, że się pogodziliście i poszli do jej matki. Bo chciała do niej pójść, i to z tobą, żeby jej powiedzieć, że spodziewacie się dziecka. I mielibyście je, no i Amelia by żyła, gdybym przyszła wcześniej i dłużej z nią porozmawiała. Ale i ty powinieneś przyjść wcześniej.

– Do dziś nie mogę sobie tego darować.

– Ja sobie też. Była sama i różne myśli przychodziły jej do głowy. Bała się, że po tym, co jej powiedziałeś, pójdziesz do jej matki i wszystko jej powiesz.

– Przysiągłem jej, że tego nie zrobię.

– No cóż, chyba nigdy się nie dowiemy, dlaczego odebrała sobie życie. Wszyscyśmy zawinili, ty, ja, i ten jej ojczym, a może także matka. Jak Amelia odwiedziła mnie w niedzielę, były u mnie trzy koleżanki, taki babski wieczór. Pewnie ci o nim mówiła.

Wspomniała o tym wieczorze, lecz gdy w środę dowiedział się od kolegi, że ten widział ją w towarzystwie ojczyma, pomyślał, że go okłamała, że ów niedzielny wieczór spędziła z mężem matki, a nie z koleżankami.

– Na tym wieczorze wszystkie opowiadałyśmy o swojej pierwszej miłości. Amelia niewiele powiedziała, tylko to, że była to zła miłość i że nie chce jej wspominać. Dopiero jak koleżanki poszły i zostałyśmy same, wyznała mi, że obiektem jej uczuć był ojczym. Pokochała go, gdy doszło między nimi do zbliżenia. Wcześniej tylko starała się zwrócić na siebie jego uwagę. Robiła to z żalu do matki, która dawniej okazywała jej miłość, a po wyjściu za mąż swoje uczucia zwróciła ku mężowi, poświęcając mu dużo większe zainteresowanie niż jej. Do niego też miała żal, bo patrzył na matkę jak w obrazek, a ją traktował jak obce, rozkapryszone dziecko. Dlatego go uwiodła, żeby mu pokazać, że jest kobietą, i to bardziej atrakcyjną niż matka. Tyle że z czasem tak go pokochała, że przestała panować na swoim uczuciem i mało brakowało, a zwierzyłaby się matce ze swojej miłości. I pewnie by to zrobiła, gdyby ojczym nie znalazł się za kratkami. Matka wtedy zbliżyła się do niej, lecz ona dalej z nią rywalizowała o uczucia ojczyma, odwiedzając go co miesiąc i piekąc dla niego to sernik, to jabłecznik, za którym przepadał.

– Mnie też go piekła – powiedział.

– Po wyjściu ojczyma z więzienia – ciągnęła Dorota – sytuacja w domu stała się tak gorąca, że musiała się przenieść do ciebie i spotykać z ojczymem, czy to w hotelu, czy to w jego biurze. Ciebie kochała, lecz nie tak namiętnie jak jego. Ostatnio jednak jej uczucia do niego osłabły, gdyż stał się mniej czuły niż dawniej, ograniczając się do zaspokojenia pożądania. Za to ty w jej oczach zyskałeś, bo sprawdziłeś się jako oddany przyjaciel, jak i coraz lepszy kochanek, dbający nie tylko o siebie, lecz także o nią, o jej doznania. Z tego powodu postanowiła przerwać romans z ojczymem. Zadecydowało o tym ich ostatnie spotkanie, podczas którego zauważyła, że ktoś ich obserwuje, co wystraszyło zarówno ją, jak i jego.

Niewiele nowego dowiedział się o Amelii od Doroty, niemniej to, co usłyszał, miało swój ciężar i sprawiło, że z powrotem zaczęły go prześladować wyrzuty sumienia. Przyczyniła się do tego także otrzymana od Doroty kaseta z utrwalonym na taśmie głosem Amelii. Dorota, podówczas studentka ostatniego roku psychologii, nosząc się z zamiarem napisania książki na temat relacji męsko-damskich, nagrała wyznania koleżanek. Zrobiła to za ich zgodą. Amelia o tym nie wiedziała, a gdy zorientowała się, że jej sekretne zwierzenia są nagrywane, kazała Dorocie wyłączyć magnetofon. Ale początek tych zwierzeń został nagrany. Nagrane też zostały jej słowa dotyczące pierwszej miłości. Obie wypowiedzi Dorota przeniosła na wręczoną mu następnego dnia kasetę, którą po powrocie do domu natychmiast przesłuchał, wywołując w pamięci spędzone z Amelią dni, te wcześniejsze, spokojne i szczęśliwe, i te dwa ostatnie, zakończone tragedią, za którą czuł się współodpowiedzialny. Był przekonany, że do popełnienia samobójstwa skłoniła Amelię nie tylko jego postawa, lecz także splot wcześniejszych przeżyć, czarnych myśli i nękających ją obaw, jednak z nim wiązała swoje nadzieje, na niego w końcu postawiła, a że ją odtrącił, jego udział w tym splocie okazał się znaczącym, co po rozmowie z Dorotą wydało mu się bardziej oczywiste niż kiedykolwiek wcześniej. Wyrzucając sobie ostatnią rozmowę z Amelią, a także to, że nazajutrz, gdy wałęsał się po mieście, mało brakowało, a wstąpiłby do jej matki i opowiedział o romansie Amelii z ojczymem, chodził z kąta w kąt, popijał piwo lub wódkę i to włączał, to wyłączał magnetofon. Podobnie spędził kilka kolejnych popołudni i wieczorów. Z czasem jednak zaczął sięgać po taśmę coraz rzadziej. Za to, coraz częściej pochylał się nad brulionem, w którym opisywał swoje podróże. Telewizji nie oglądał, gdyż nie miał telewizora i nie chciał go mieć. Wolał iść do kina, albo usiąść przed komputerem i podróżować po znanych i jeszcze mu nieznanych krajach, w poszukiwaniu śladów dawnych kultur, obyczajów, wierzeń i związanych z nimi obrzędów. Niekiedy takie podróże przerywał i na wersalce rozmyślał nad sensem istnienia. W Boga nie wierzył. Obca mu była także wiara w Szatana, choć niektórzy utrzymywali, że uwięził Boga i przejął władzę nad światem. W nic nie wierzył, ani w moc boską, ani w moc szatańską. Nie przemawiały do niego także naukowe opisy świata i teorie powstania życia na ziemi, gdyż ignorowały dręczące go pytanie o cel i sens istnienia. Sam musiał znaleźć na nie odpowiedź, wiedział o tym, lecz ilekroć się nad nim zastanawiał, czuł w głowie pustkę i zapadał w odrętwienie, albo wychylał kieliszek wódki i wracał do komputera.

Tak mijały dni, tygodnie, miesiące. Po powrocie do kraju nie nawiązał żadnej nowej znajomości, a te dawne go nie interesowały. Niemniej, gdy natknął się na ulicy na Jadwigę, koleżankę ze studiów, obecnie wdowę z dwojgiem dzieci, zaprosił ją do kawiarni, potem odprowadził do domu i co jakiś czas odwiedzał. Ale poza seksem, nic więcej go z nią nie łączyło. Kręciły się koło niego koleżanki z pracy, jednak żadna go nie zainteresowała. Żył samotnie, bez zobowiązań, lecz z pustką w sercu tak rozległą jak pole, przez które we śnie biegł. Dwa tygodnie temu, gdy doskwierała mu samotność, za pośrednictwem Internetu nawiązał kontakt z bardzo wrażliwą i jak on, samotną dziewczyną. Poinformowała go, że prześle mu swoje zdjęcie. Przed południem go nie było, może teraz będzie. Podniósł się z wersalki, włączył komputer i zastygł z wrażenia – na monitorze komputera zobaczył Amelię. Dopiero po chwili uświadomił sobie, ze to nie ona, choć bardzo do niej podobna. Napisała, że to zdjęcie sprzed kilku lat, innego nie ma, bo nie jest tą, którą kiedyś była i którą chce z powrotem być. Napisała też, że zna go z widzenia. To by oznaczało, że jest mieszkanką Muranowa, może nawet jego sąsiadką, jedną z tych trzech, o których wspomniał Franciszek, lecz którą, nie wiedział, bo wykonane przed laty zdjęcie tego nie wskazywało. Musi się mu dobrze przyjrzeć, może znajdzie jakieś cechy upodobniające ją do którejś z nich, ale chyba lepiej będzie, jak sam się o tym przekona – w realu, w kawiarni, w której się z nią spotka. Niewykluczone, ze jest to zupełnie inna dziewczyna. Zaproponuje jej spotkanie, ale jeszcze nie teraz, nie od razu. Teraz tylko napisze, że mu się podoba.

Podnosi się od biurka i zaczyna spacerować po pokoju, Jest podniecony, pod wrażeniem widoku Amelii, którą przed chwilą ujrzał na monitorze komputera. Przeczuwa w tym jakiś znak, prawdopodobnie przyjazny jego znajomości z dziewczyną z Internetu. Musi się z nią zobaczyć, i to jak najszybciej. Wyśle do niej maila. Napisze, że kogoś mu przypomina i chce się z nią spotkać, najlepiej jutro po południu. Wraca do komputera, wysyła wiadomość i podchodzi do okna. Słońce wciąż mocno grzeje. W Ameryce Południowej oraz w Afryce było znacznie goręcej, a czuł się znakomicie. Tymczasem w Warszawie mu ono nie służy. W piątek złoży podanie o urlop i wyjedzie nad morze lub na Mazury. Jak mu się spodoba dziewczyna z Internetu, to z nią pojedzie, jeśli oczywiście wyrazi na to zgodę. Zaczeka aż mu odpisze, potem, jak zrobi się chłodniej, pójdzie na spacer do parku i po mieście. Odstępuje od okna i natrafia wzrokiem na odłożoną, wcześniej ignorowaną przez niego fotografię, przedstawiającą matkę w towarzystwie mężczyzny, którego czoło, oczy i nos kogoś mu przypominają, tylko nie wie kogo. Czyżby to był ten, którego kiedyś szukał? Bierze fotografię do ręki, siada w fotelu i powraca wspomnieniami do matki, potem do Amelii i wizerunku dziewczyny z Internetu.

B

Powracający ze szkoły Grzesiek dostrzegł na korytarzu krew, o czym natychmiast powiadomił matkę.

– To krew po gąsiorze – wyjaśniła Magda S.

– Tego z piwnicy?

– Tak. Wieczorem wsadzę go do piecyka i upiekę.

– Będzie na kolację?

– Nie, na jutrzejszy obiad.

– Ale skrzydełka będą dla mnie. Jedno dasz mi dzisiaj, dobrze?

– A dlaczego akurat skrzydełka?

– Bo... – urwał – lubię skrzydełka – powiedział, nie chcąc zdradzić matce, że kojarzą mu się one z lotem Żyda, którego ma dziś zobaczyć.

– Dostaniesz skrzydełko, jeśli zetrzesz z korytarza krew.

I2

Przed domem pojawiła się kapela podwórkowa. Chudzielec w koszuli w kratę podjął zachrypniętym głosem:

> Warszawa da się lubić
> Warszawa da się lubić
> Tutaj serce można znaleźć
> Tutaj serce można zgubić

Leopold D. lubił tę piosenkę, więc wyjrzał przez okno, poszperał w kieszeniach i znalazłszy w niej złotówkę, cisnął ją pod nogi chudzielca, po czym zsunął zasłony w oknie i zaczął się przymilać do wziętej z ulicy Funi, ale ta odwróciła się od niego i ze spuszczonym łbem pobiegła w kąt pokoju.

– No, chodź do mnie, piesku – zawołał do suczki. – Chodź!

Suczka nie zareagowała.

– Ty parszywa suko! – rzucił Leopold ze złością.

Funia jakby zrozumiała obelgę, bo warknęła i wyszczerzyła kły.

Sąsiadka Leopolda też cisnęła kapeli datek, lecz w przeciwieństwie do niego, rozsunęła zasłony w oknie, żeby wpuścić do pokoju jak najwięcej słońca i ogrzać męża, który miał wysoką gorączkę i dreszcze. Dzwoniła na pogotowie, lecz to najwyraźniej zlekceważyło jej wezwanie, bo wciąż go nie było. Nakrywszy męża jeszcze jednym kocem, z niepokojem mu się przygląda. Jaki on bladziutki, jaki wymizerowany, sama skóra i kości. A do tego słabiutki i niezdarny jak kilkumiesięczne dziecko, co zaledwie stanie na nóżkach, zaraz się przewraca. O, już przyjechali. Jak zabiorą męża do szpitala, wezwie taksówkę i też tam pojedzie, żeby być przy chorym i się nim opiekować. Bez niego w domu będzie pusto i rozpaczliwie smutno, nie do wytrzymania. Zawsze o tej porze roku jeździli na działkę, którą mają w pobliżu Zalewu. W tym roku jeszcze tam nie byli i wygląda na to, że nie będą. Nie, nie może tak myśleć. Będą, i to jeszcze w tym miesiącu, którego wszystkie dni mają być gorące i piękne jak dzisiejszy.

I2 + L

Mariana Ł. odwiedził Gustaw, syn brata jego ojca, Kuzyn był od niego młodszy o sześć lat i nie pamiętał wojny tak dobrze jak on, bo urodził się kilka dni przed jej wybuchem i zapamiętał z niej tylko strzelającego do ojca Ukraińca i krew, która trysnęła z piersi rodzica. Potem ta krew długo mu się śniła i płynęła wartkim strumieniem lub otaczała go czerwonym morzem. Wyrywany ze snu, budził się przerażony, przywoływał matkę i dopiero w jej ramionach się uspokajał i mógł z powrotem zasnąć. Zapamiętał też inną krew, tę na jego twarzy i ciele, gdy trzy lata po wojnie, przebywając z rodzicami na wsi, ze znalezionego w rowie granatu wyrwał zawleczkę. Gustawowi nic się nie stało, bo ukrył się za starym dębem, natomiast dla niego skończyło się to tragicznie, gdyż granat, który cisnął przed siebie, jak to robili na wojnie żołnierze, wybuchł tak blisko, że go poranił i unieszczęśliwił na całe życie, pozbawiając wzroku. O tym wydarzeniu Gustaw zaledwie napomknął, jako że nie chciał do niego wracać, również on. Za to długo i z entuzjazmem wspominali ojca Gustawa, którego podziwiali za hart ducha, bo mimo głębokiej rany pod prawym obojczykiem i późniejszego kalectwa, promieniował energią i radością życia i był szanowany przez swoich kolegów, jak i wszystkich, którzy mieli z nim do czynienia. Ponadto wspominali ich wspólnego dziadka, którego bardzo lubili i chętnie słuchali jego opowieści o wędrówkach po kraju i różnych profesjach, jakich się imał w młodości, aby w dojrzałym wieku prowadzić prace przy budowie kolejki wąskotorowej, a potem osiąść w niewielkim miasteczku i założyć w nim skład apteczny.

Gustaw, który odwiedzał Mariana przynajmniej raz w miesiącu, przywiózł mu weki z grzybkami w occie, a także słoiki z bigosem, śliwkami i gruszkami w octowej zalewie. Marian się z nich ucieszył, bo czekało go spotkanie z przyjaciółmi przy przepalance i nie musiał dużo kupować, mieli czym przekąsić. Poczęstował Gustawa wcześniej otrzymaną od niego nalewką i poszli posiedzieć na ławce przed domem. odprowadzając zostawił go na ławce przed domem, gdzie siedział Franciszek, który się z Gustawem przyjaźnił i z uwagi na jego częste wizyty w ich domu, traktował jak sąsiada.

12

Leopold udał się na pocztę po emeryturę. Kobieta, która mu ją przekazała, zlustrowała go wzrokiem i uśmiechnęła się. Myślał, że do niego, ale okazało się, że tym, dla którego był przeznaczony ów wyraźnie kokieteryjny uśmiech i wysunięty do przodu pokaźnych rozmiarów biust, nieskrępowany żadnym biustonoszem, był stojący za nim napakowany czterdziestolatek. Smutno mu się zrobiło, bo uświadomił sobie, zresztą nie po raz pierwszy, swój starczy wiek. Dawniej, nie jakiś tam mięśniak, lecz on był obiektem zainteresowania kobiet, on zbierał wyrażone ich spojrzeniami hołdy, ku niemu kierowały się ich wypięte piersi, dla niego kołysały się biodra na osłoniętych spódnicą lub gołych poza kolana nogach. Działo się tak, gdy Marysia, jego żona, jeszcze żyła, jak i przez jakiś czas po jej śmierci. Myślał, że go przeżyje, ale stało się inaczej – ona zmarła wcześniej. Chora na raka, strasznie cierpiała i z każdym dniem stawała się coraz chudsza, tracąc przy tym siły – ona, która przez czterdzieści lat ich wspólnego życia była okazem zdrowia. Pływała lepiej niż on, a w górach, w które co roku się wybierali, pierwsza wspinała się na szczyt. Ale dopadł ją złośliwy nowotwór i najpierw zaatakował tarczycę, potem płuca i nerki. Strasznie boleśnie przeżył jej chorobę i śmierć, boleśniej niż utratę Bogini, jak nazywał Adę, śliczną, szczuplutką Żydóweczkę, córkę Rosenberga, właściciela kilku kamienic i kilku sklepów kolonialnych. Ją pierwszą pokochał, drugą jego miłością była Marysia, którą poznał jako sanitariuszkę podczas Powstania Warszawskiego, gdy mszcząc się za zabraną do Treblinki Adę zastrzelił trzech Niemców, a czwarty go trafił i zranił w pierś. Ma na niej ślad po jego kuli, pokryty włoskiem i mało widoczny, ale wciąż jest. Marysia go dobrze znała i często całowała, w każdą rocznicę Powstania. Dostał za nie medal, ale bez dodatku do emerytury. W przeciwieństwie do kolegów z jego domu, emeryturę odbiera na poczcie, gdyż słyszał o napadach na listonoszy i boi się, że i tego, który dostarcza emerytury kolegom, ktoś okradnie. A nie ma nic w zapasie i musiałby przez miesiąc głodować, albo pożyczyć od Franciszka, który ma konto w banku, małe, ale je ma. On nigdy nie miał konta, bo zarabiał niewiele, a to, co teraz otrzymuje, wystarczy zaledwie na opłacenie czynszu, światła i skromniutkie obiadki. Jak mieszkał u niego wnuk, robił je dla dwóch osób, i to tak, żeby na ten przykład krupnik na kościach lub kapuśniaczek na boczku czy golonce wystarczył na dwa dni. A jak kupi kurczaka, to najpierw robł rosół, potem pomidorówkę na dwa kolejne obiady. Teraz wnukowi gotuje teściowa, ale od czasu do czasu przychodzi do niego i chwali jego kuchnię. Dzisiaj ugotuje krupnik na kurzych skrzydełkach. Potem je podsmaży i jak przyjdzie Czesiek, poda go z młodymi ziemniaczkami, a potem usmaży naleśniki z dżemem. Czesiek przepada za nimi. Bronek, wnuk Franciszka rzadko jada w domu, Jeździ po szpitalach, więc w nich się posila, albo u jakiejś kobiety, lekarki lub pielęgniarki, bo ma u nich duże wzięcie. Jest rozwodnikiem, więc może z nimi romansować, a jego wnuk ma żonę i jej nie zdradza, choć też jest przystojny. Chyba dziś przyjdzie, jak zawsze, o szesnastej, zaraz po pracy. Musi przetrzeć podłogę. Potem zajrzy do Mariana. Nie, wieczorem do niego pójdzie, na składkową przepalankę, którą popijają raz w miesiącu, po otrzymaniu emerytury. Jest niewielka, tysiąc dwieście złotych na rękę, ale na przykład Redzynia dostaje prawie dwa razy mniej i żyje w ubóstwie. Ci, co nie mają pracy, żyją w nędzy. A dużo jest teraz bezrobotnych, coraz więcej. Nie o taką Polskę walczył. Myślał, że ludziom będzie się żyło lepiej. I żyje się lepiej, ale tylko niektórym, biznesmenom oraz znanym sportowcom i aktorom z seriali, a także posłom, co mają obowiązek zadbać o innych, a dbają tylko o siebie. Źle się dzieje w naszym kraju, bardzo źle. Wnuk jest tego samego zdania, ale co on może? Nic nie może. Krajem rządzą ci, co mają kasę i chcą ją powiększyć. Dużo na ten temat gadają z Franciszkiem, i dzisiaj, przy przepalance pewnie też będą o tym gadać. O Polsce i tym naszym kapitalizmie, w którym tylko bogaczom i wszelkiej maści szujom dobrze się żyje. Doktorkom też się nieźle wiedzie, Taki na przykład Rogala ma pensję kilka razy większą od jego emerytury, a ponadto otrzymuje od pacjentów koniaczki i koperty, tak że jego żonka może jeździć po świecie, modnie się ubierać i kupować francuskie perfumy.

D2

Jasnowłosy Adonis wciąż na nią popatruje, lecz gdy na niego spogląda, opuszcza głowę i udaje, że czyta. Czym go tak onieśmiela? Zachowuje się jak cnotliwa panienka, co chce, ale się boi. Niech się podniesie z trawy, podejdzie i postąpi jak inni chłopcy, którzy ją podrywali, obcesowo lub elegancko, wszystko jedno jak, byle zdecydowanie. A może nie ona go interesuje, nie na nią patrzy, tylko na nastolatkę, która leży kilka kroków za nią. Jest w wieku Agnieszki, nie, trochę starsza, Smarkula chodzi do gimnazjum, a martwi się, że wciąż jest dziewicą. Jej siostra też się martwi, ale czym innym. Jest w drugim miesiącu ciąży i ma wątpliwości, czy zaszła w nią z narzeczonym, czy też z kim innym. Mówiąc o tym nie patrzyła jej w oczy, miała opuszczoną głowę, jakby tym kimś innym nie był kolega przyjaciółki, lecz Kazik. A może rzeczywiście tak było? W kwietniu Kazik miał sporo nocnych dyżurów, więc mogła go odwiedzić i...nie, to niemożliwe, Kaik mógł ją zdradzić, i pewnie zdradził, lecz z którąś z zieleniarek, nigdy z Bożeną. Gdyby do tego doszło, poinformowałaby ją o tym znajoma pielęgniarka, żona kolegi ze studiów.

Uspokoiwszy swoje obawy Krystyna przyjrzała się nastolatce. Dziewczyna była ładna, tylko strasznie chuda i płaska jak deska. Jednak pupę miała jędrną, w dodatku w stringach, włosy długie i puszyste, usta drobne, ładnie wykrojone. Tak, chyba ta smarkula go interesuje. Ona jest dla niego za stara i pewnie nie w jego typie. Trudno, a może i dobrze, bo co by z tym chłopczykiem robiła, o czym rozmawiała?

Starając się nie zwracać uwagi na jasnowłosego chłopaka, Krystyna przypomniawszy sobie o czekającym ją za tydzień egzaminie, pochyla się nad książką, gdy oto słyszy:

– Czy byłaby pani tak uprzejma i zwróciła uwagę na moje rzeczy?

To on. Stoi nad nią i patrzy tymi swoimi zielonymi oczami.

– Chętnie – odpowiada.

– Są tu różne typki, także złodziejaszki, mogą mi coś podwędzić.

– Niech się pan nie boi, niczego nie ukradną, przypilnuję. Chociaż najlepiej by było, gdyby pan wszystko co ma, położył bliżej mnie, wtedy na pewno nic nie zginie.

– Naprawdę mogę?

– Oczywiście.

Chłopak idzie po swoje rzeczy i kładzie je w pobliżu jej kocyka.

– Pójdę popływać – mówi. – Po to tu przyszedłem.

Po tych słowach pobiegł w stronę wody. Zobaczyła lśniące w słońcu bryzgi, a potem jego ręce, mocnymi uderzeniami tnące spokojną powierzchnię Zalewu. Ale już wskoczyła do wody nastolatka i popłynęła za nim. Pewnie chce go dogonić, lecz nie dogoni, bo płynie żabką, a on crawlem. Żeby tylko nie popłynął za daleko i się nie utopił – pomyślała Krystyna i zerkając to na złożone w kostkę dżinsy, zielony podkoszulek i adidasy, to na Zalew, z radością odnotowała fakt, że nastolatka nie mogąc dogonić Adonisa, zawróciła, wyszła z wody i z powrotem położyła się na rozpostartym na trawie ręczniku kąpielowym. Nie dla ciebie, mała, ten chłopak. Nie dogoniłaś go – i już nie dogonisz.

D1

Chirurg Rogala zacisnął przewiązki na tętnicy oraz żyle, wyciął śledzionę i po chwili przystąpił do zszywania brzucha. Anestezjolog prosił go, żeby się spieszył, bo chce zdążyć na mecz piłkarski. On też kiedyś kibicował piłce nożnej, a jak był chłopcem, to w nią grał, lecz po ślubie rozstał się ze swoją pasją tym chętniej, że dowiedział się o nieprawidłowościach korupcji, w jakiej ta się pogrążyła.

D2

Zajęta jakiś czas obserwowaniem nastolatki, Krystyna zgubiła z oczu Adonisa, więc gdy spojrzała na wodę i nie dostrzegła na niej jasnowłosej głowy, tak się tym zaniepokoiła, że wpadła w panikę i zaczęła się rozglądać za ratownikiem. Ale chłopak nieoczekiwanie wyszedł z wody, obojętnie minął nastolatkę i podszedł do niej.

– Bardzo pani dziękuję.

Wysoki i szczupły, lecz harmonijnie zbudowany, stał pod słońce, ociekając wodą i blaskiem złocistych promieni.

– Nie ma za co – szepnęła i pragnąc ukryć zachwyt, w jaki ją wprawił jego widok, sięgnęła do torebki po papierosy i zapałki.

– Pani pozwoli.

Widząc, że nie może sobie poradzić z ogniem, Adonis wyjął z jej dłoni zapałki i pochyliwszy się nad nią, podsunął osłonięty dłońmi płomyk. – O, dziękuję – powiedziała z uśmiechem. – Jest pan bardzo uprzejmy – stwierdziła i wyciągnęła w jego stronę paczkę z papierosami. – Zapali pan?

– Palę sporadycznie, jak to się mówi, dla towarzystwa – powiedział chłopak i zapaliwszy papierosa, zakrztusił się i zakasłał.

– Mocne, prawda?

– Bardzo.

– Dla mnie już nie – powiedziała i zrobiła miejsce na kocyku. – Proszę, niech pan usiądzie.

Zanim chłopak usiadł, przedstawił się:

– Mam na imię Andrzej.

– Krystyna.

Oboje się rozluźnili, uśmiechnęli do siebie i podjęli rozmowę.

D1

Doktor Rogala wychodzi z sali operacyjnej. Jest zadowolony. Operacja przebiegła bez żadnych komplikacji, wyciął chorą śledzionę, zszył brzuch i Józef został odtransportowany do sali pooperacyjnej. Asystujący przy operacji Florek złożył mu gratulacje, stażysta spojrzał na niego z podziwem, instrumentalistka obrzuciła go pełnym uznania wzrokiem. Anestezjologowi przestało się spieszyć na mecz, patrzy na niego, jak dotąd patrzył tylko na ordynatora, z szacunkiem. Jeszcze trochę posiedzi, dokona wpisu do książki operacyjnej i zajrzy do sali, gdzie już leży ten z zoperowaną przepukliną i gdzie wkrótce znajdzie się na swym łóżku Józef. Gdyby miał wóz, pojechałby do ciotki, a dopiero potem do poradni. Ale wóz wzięła Krystyna i teraz pewnie się opala nad Wisłą lub nad Zalewem. Chyba za mało poświęca jej czasu, musi to naprawić. Sobotę i niedzielę ma wolną, więc pojadą na dwa dni do matki, w lipcu wybiorą się na Mazury, i to na całe dwa tygodnie, może nawet na dłużej, a w przyszłorocznej umowie z poradnią zmniejszy o połowę ilość godzin. Ponadto muszą z Krystyną pomyśleć o dziecku. Bez niego małżeństwo nie przetrwa długo. Za niecały rok Krystyna przystąpi do egzaminu magisterskiego, więc poczną dziecko pod koniec roku, pięcio- czy sześciomiesięczna ciąża nie przeszkodzi jej w ukończeniu studiów. Na razie nie pójdzie do pracy, zajmie się wychowaniem dziecka, on zapracuje na dom. Jeśli nawet zmniejszy ilość godzin w poradni, to i tak zarobi nie mniej niż teraz, bo mają mu podwyższyć pensję w szpitalu. Krystyna jeszcze o tym nie wie, więc jak jej powie, na pewno się ucieszy. I ucieszy się na myśl o dziecku, od dawna go na nie namawiała. Jak się urodzi, to i on się nim zajmie. Będzie się doktoryzował, ale nie powinno mu to przeszkodzić w wychowaniu dziecka. A mając doktorat, o którym od dawna myśli, polepszy swoją pozycję zarówno w szpitalu, jak i w poradni, co zaprocentuje wyższym wynagrodzeniem i odciąży Krysię od prac domowych, bo stać ich będzie na gosposię.

A

Jakub Smuga zjadł w barze obiad i wrócił do domu. Na klatce schodowej natknął się na Franciszka. Zamienił z nimi kilka słów, windą wjechał w górę i skierował się w stronę swoich drzwi. Otwierając je usłyszał dźwięk telefonu. Nim zdążył go odebrać, w słuchawce rozbrzmiał krótki sygnał. Od dłuższego czasu komunikowano się z nim za pośrednictwem komórki, więc wiedział, kto telefonował. Teraz zatelefonowano na aparat stacjonarny, który był stary i nie rejestrował numerów dzwoniących do niego osób. Czyżby to była Irena? Przyjaciele z Łodzi donieśli mu, że wypytywała o niego. Dlatego postanowił się z nią spotkać. Ale nie tylko w tym celu pojechał do Łodzi. Wybrał się do rodzinnego miasta także w nadziei, że zapłodni go pomysłem na książkę. Tak się jednak nie stało. Prawdopodobnie dlatego, że większość czasu poświęcił próbom skontaktowania się z Ireną oraz rozmowom o niej i jej przyjaciółce. Oczywiście, jak to sobie zaplanował, przespacerował się Piotrkowską, potem Nowomiejską, podczas okupacji przebiegającą przez łódzkie getto, był też w mauzoleum na Radogoszczu, gdzie hitlerowcy więzili blisko czterdzieści tysięcy osób, z których połowa zginęła. Na koniec pojechał do zaprzyjaźnionej z nim pary plastyków. W ich rozległej pracowni odbywały się dawniej spotkania towarzyskie, codziennie gromadząc przynajmniej kilka, jeśli nie kilkanaście osób: filmowców, malarzy, dziennikarzy i poetów, przy kielonku gorzałki rozprawiających o sztuce i cenzurze politycznej, z którą radzono sobie posługując się językiem ezopowym. Teraz też jest cenzura – ukryta, ale jest – wyznaczana przez rządzące partie i przez opozycję, no i zagraniczny kapitał, w którego rękach znalazła się prawie cała prasa, a także duża liczba ośrodków telewizyjnych. Nastawione na masowego czytelnika i telewidza, podają one papkę złożoną z miłostek, seksu i sensacji i zaledwie napomykają o ambitnej twórczości, penetrującej rzeczywistość i jej podskórne konflikty. A że mają ogromną siłę oddziaływania, przekonał się o tym podczas podróży do Łodzi.

W pociągu było niewielu pasażerów, w przedziale tylko on i młoda, bardzo ładna dziewczyna. Pierwsza się do niego odezwała i przez cały czas podróży patrzyła na niego chętnym, zgoła kokieteryjnym wzrokiem, więc zaczął robić sobie nadzieje – on, siedemdziesięciolatek – ale okazało się, że dziewczyna zainteresowała się nim dlatego, bo myślała, iż ma przed sobą znanego z telewizji i kolorowych gazet aktora, do którego był bardzo podobny. Odkrywszy to zaśmiał się w duchu – naiwny staruszek, gdzie mu do romansu z dwudziestolatką. Może gdyby był owym znanym aktorem, mieszkał w podwarszawskiej willi z basenem i miał pokaźne konto w banku, mógłby liczyć na względy dziewczyny, ale jako literat, którego książki wydawane były w małym nakładzie, nie miał u niej żadnych szans. Kiedyś, za tak zwanej komuny, inaczej by to wyglądało. Rządzący zabiegali o artystów i pisma kulturalno-społeczne szeroko omawiały ich twórczy dorobek, lansując zwłaszcza tych, co byli wierni, choć mierni. Wtedy, gdy literaci cieszyli się szacunkiem zarówno władz, jak i społeczeństwa, mógłby liczyć na to i owo, ale nie teraz, w nowej rzeczywistości, w której rządzi pieniądz i przypadek wynoszący na piedestał popularności skandalizujące mierności oraz skąpo ubrane aktorki i piosenkarki.

Pośmiali się z przyjaciółmi z jego naiwności, potem podjęli poważniejszy temat. Porównywali dawne, gierkowskie czasy z obecnymi – głównie w aspekcie wysokiej kultury, która za czasów Gierka była ceniona, a teraz jest nie tylko ignorowana, ale i poniżana, czego dowodem są niskie, no i często przez samych pisarzy opłacane nakłady książek, a także coraz rzadsze wystawy obrazów i również rzadkie ich zakupy. Byli w swych opiniach zgodni, więc po dwóch kielonkach przeszli do wspomnień o przyjaciołach. Wtedy zapytał o Irenę.

– Nie wiesz, dlaczego chce się ze mną zobaczyć? – zwrócił się do Adama.

– Ma do ciebie ważną sprawę.

– Powiedziała, jaką?

– Nie.

– Mogłeś jej dać mój telefon.

– Dałem, ale wydaje mi się, że zależało jej na bezpośrednim spotkaniu z tobą.

Irena mieszkała na Chojnach, przy Pryncypalnej. Pojechał do niej tramwajem. Nie zastawszy jej w domu, odbył długi spacer po dawnej dzielnicy łódzkiej biedoty, w której spędził dziecięce lata. W drewnianym domku, zlokalizowanym przy ulicy z rynsztokami, do których wylewano pomyje, po deszczach rozpływające się w szerokie i z wolna biegnące ku kratkom ściekowym kałuże, po których biegały dzieci i pływały wykonane przez nich łódki z kory lub papieru.

Niewiele się na Chojnach zmieniło. W latach siedemdziesiątych ubiegłego wieku przymierzano się do ich przebudowy, opracowano jej plany, ale ich nie zrealizowano. Na przeszkodzie stanęły wydarzenia sierpniowe i stan wojenny, a potem dokonane po roku 1989 zmiany w kraju, które nie tylko pozbawiły pracy dziesiątki tysięcy ludzi zatrudnionych w nierentownych zakładach włókienniczych, ale i skazały na zapomnienie karłowate domkii połatane komórki, stojące przy ulicach, którymi dalej płyną rynsztokami pomyje, choć na dachach domków powyrastały anteny telewizyjne, a niejedna z komórek służy za garaż dla samochodów przywiezionych z Niemiec bądź zakupionych na giełdzie, starych gruchotów, ale na chodzie. Spacerował po tych uliczkach i wspominał swoje dzieciństwo w tym zaniedbanym mieście, które za czasów okupacji Niemcy wciągnęli do Rzeszy i w przeciwieństwie do Warszawy, zostawili w stanie nienaruszonym przez bomby, miny i miotacze ognia.

Po upływie półtorej godziny, ponownie zaszedł do domu Ireny, ale i tym razem jej nie zastał.

– Dzwoniła do mnie i powiedziała, że wróci wieczorem – wyjaśniła jej córka – bo musi odwiedzić przyjaciółkę.

– Poinformowała ją pani o mojej wizycie?

– Tak, ale przyjaciółka mamy jest śmiertelnie chora, więc mama musiała się z nią zobaczyć. Prosiła, żeby pan zostawił numer swojego telefonu. Miała go, ale zgubiła, a w informacji nie chcą jej podać, bo jest zastrzeżony.

Skoro przyjaciółka Ireny jest śmiertelnie chora, pomyślał, to zapewne potrzebuje opieki i Irena wróci bardzo późno, może dopiero w nocy, a pociąg do Warszawy odjeżdża za godzinę. Podał córce Ireny numer telefonu stacjonarnego i pojechał na dworzec kolejowy. Powinien podać także numer komórki, czego teraz żałował. Wczoraj prawie przez cały dzień nie było go w domu, a komórkę miał przy sobie i Irena mogłaby się jeszcze wczoraj z nim skontaktować. I to na pewno ona niedawno dzwoniła, bo znajomi dzwonią na komórkę. Ma do niego jakąś ważną sprawę, więc ponownie zadzwoni. Jeśli nie, on do niej zadzwoni. Zgubił kartkę z numerem jej telefonu, ale to nic, uzyska go w informacji. Zrobi to jutro, żeby nie wybijać się z pracy nad książką. Tylko na nią przeznaczył dzisiejszy dzień, na nic więcej. A dobrze zna siebie i wie, że niekiedy drobna sprawa jest w stanie zakłócić jego twórczą myśl, i to nie na chwilę, lecz na cały dzień czy jeszcze dłużej, Utnie sobie poobiednią drzemkę, a potem weźmie prysznic i powróci do książki. Kilka fragmentów drugiej części już naszkicował, resztą zajmie się później. Wieczorem, po rozmowie z Franciszkiem, na którą się umówili, pomyśli nad trzecią częścią, no i skoryguje czy też uzupełni te fragmenty z drugiej i pierwszej części, których bohaterowie coś w swym życiu zmienili lub postanowili zmienić. A teraz się położy, bo czuje się zmęczony i musi się zdrzemnąć.

Z drzemki wyrwał go telefon, którego i tym razem nie zdążył odebrać. Przekonany, że dzwoniła Irena, zastanawiał się, dlaczego chciała się z nim skontaktować. Zastanawiał się nad tym w pociągu i w domu, po powrocie z Łodzi. Myślał również o innych znajomych kobietach z rodzinnego miasta, między innymi o Matyldzie, jak się niedawno dowiedział, przyjaciółce Ireny. Teraz też powrócił do niej wspomnieniami. Stał chwilę przy telefonie z nadzieją, że ten zaraz się odezwie, po czym podszedł do okna. Pobyt w Łodzi nie pobudził jego wyobraźni i nie natchnął do twórczej pracy. Uczynił to dopiero wczorajszy film i poprzedzający go długi, prawie całodzienny spacer po mieście, no i nocny krzyk, który oderwał go od komputera i gorączkowej pracy nad pomysłem, do którego już nie powrócił, gdyż przyszedł mu do głowy inny, oryginalny i zarazem prosty, bliski życiu i sprawom znanych mu ludzi. Wyjrzał przez okno i zapominając o Irenie wziął zimny prysznic, zaparzył kolejną kawę, popatrzył na komputer, potem na leżące na ławie dwa stosiki kartek z zapiskami. Jeden wziął z regału, drugi dopiero dzisiaj zaczął tworzyć, odnotowując historie kilkanaściorga sąsiadów – pospiesznie, na brudno, z licznymi przekreśleniami i odsyłaczami, niektóre z pustymi miejscami, przeznaczonymi na informacje, które zamierza uzyskać. Usiadł w fotelu, zapalił fajkę, sięgnął po czystą kartkę i kontynuując swoje zapiski szkicował dalsze losy bohaterów książki, nad którymi jeszcze popracuje, uszczegółowi je i w mniejszym lub większym zakresie dostosuje do rzeczywistości, gdy ją nazajutrz i w ciągu następnych dni pozna. Na razie bowiem tylko ją sobie wyobrażał. Znał życie, dużo wiedział o ludziach, z którymi mieszkał w jednym domu, więc mógł przewidzieć ich zachowanie, zwłaszcza w tak gorącym, zgoła upalnym dniu jak dzisiejszy. Dlatego jego wyobraźnia stała na mocnych nogach, w każdym razie w zakresie opisu większości sąsiadów. W wypadku innych, mniej mu znanych osób, musi się zdać na wyczucie. Później skonfrontuje je z relacjami swych bohaterów lub ludzi z nimi zaprzyjaźnionych, dzięki czemu jego książka wypełni się rzeczywistą, a nie wymyśloną treścią.

11

Powróciwszy z pobliskiego sklepu, w którym zaopatrzył się w piwo dla Bronka i sok grejpfrutowy dla siebie, Franciszek wdepnął w przedpokoju w kałużę wody. Zapomniał zakręcić kurek z zimną wodą, a ta zalała łazienkę, przedpokój oraz podłogę w pokoju. Chwycił szmatę oraz wiadro i zaczął ją zbierać, najpierw w łazience, potem w przedpokoju, a na koniec w pokoju, gdzie niedawno wymienił deski. Wycierając je odniósł wrażenie, iż jest jedną z nich i wraz z innymi ma żal do świata, że tak podle się z nimi obszedł, każąc im cierpieć pod ludzkimi stopami, choć kiedyś były wysokim drzewem, dumnie wznoszącym się ku słońcu.

Kilka minut późni ej zaszedł do mieszkającej pod nim Danuty D., aby sprawdzić, czy zalał jej mieszkanie.

W łazience sufit był suchy, natomiast w pokoju na znacznej powierzchni wilgotny, i to akurat nad komódką, Matką Boską i krawatem z trójkątnym supłem. Na jego widok Franciszek uśmiechnął się domyślnie, co spowodowało, że Danuta się zarumieniła.

– To krawat kuzyna – powiedziała. – Zostawił go, gdy ostatnio mnie odwiedził – dodała szybko, chcąc pokryć słowami zmieszanie. – Było mu gorąco, więc marynarkę powiesił na krześle, a krawat na gwoździu z Panną Świętą. Muszę go powiesić w innym miejscu, bo w tym nie wypada, prawda?

– Chyba tak – przyznał Franciszek z niewyraźnym uśmieszkiem – A jeśli idzie o tę plamę – powiedział – to jak PZU ją obejrzy, natychmiast usunę.

Zerknął jeszcze raz na obrazek z Matką Boską i wiszący na tym samym gwoździu krawat, spojrzał na Danutę D. i wciąż się lekko uśmiechając pożegnał ją i wyszedł. Wiedział od Cecylii, której Danuta się zwierzyła, że ów krawat wisiał tam od ponad pół roku – jako świadectwo, jako niezaprzeczalny dowód pobytu tego, którego wcześniej Danuta nie widziała na oczy i mimo że spędził u niej całą noc, nie znała jego imienia.

Zjawił się nieoczekiwanie, z walizką w ręku, cały przemoknięty od deszczu, który tego wieczoru lał jak z cebra.

– Dobry wieczór – powiedział. – Zastałem Jurka?

– Jurka? – zdziwiła się. – Tutaj nie mieszka żaden Jurek. A może ma pan na myśli syna poprzedniej właścicielki mieszkania?

– To się stąd wyprowadzili?

– Rok temu.

– A wie pani gdzie?

– Niestety, tego nie wiem.

– Hm – rzucił z rozczarowaniem w głosie. – Co za pech! Zaprzyjaźniliśmy się w wojsku i jak wyjechałem do Anglii, dzwoniliśmy do siebie, dopóki nie zgubiłem komórki z jego numerem. Nie wiedziałem, że zmienił adres, więc prosto z lotniska przyjechałem tutaj, żeby mu powiedzieć, że znalazłem dla niego dobrze płatną pracę, a tu się dowiaduję, że się przeprowadził. A niech to diabli! – zaklął i spojrzawszy na nią tak, jak by to ona była wszystkiemu winna, podniósł z podłogi walizkę. – To ja już pójdę.

– W taką pogodę?! – zareagowała. – Jest pan przemoknięty, a deszcz wciąż pada. Do hotelu niedaleko, ale mimo wszystko... Proszę, niech pan wejdzie do pokoju, zdejmie kurtkę i osuszy się, a ja zaparzę herbatę – zaproponowała. – Wyschnie pan i się ogrzeje, i dopiero wtedy pan pójdzie.

– Nie chciałbym sprawiać pani kłopotu – powiedział zaskoczony jej gościnnością.

156

– Jaki tam kłopot! – zaprotestowała. – Za pół godziny sama pana wyrzucę – dodała z uśmiechem.

Więc wszedł do pokoju, zdjął kurtkę i wypił herbatę, a potem... Był tak sympatyczny, tak rozbrajający, że nie mogła, nie miała sumienia wygnać go z domu w deszcz, który wciąż padał. Zresztą zadzwoniwszy do pobliskiego hotelu, dowiedziała się, że nie ma w nim wolnych miejsc, a do innych hoteli było bardzo daleko.

Rano poszła do pracy, a jej gość został w domu. Kiedy wróciła, jego już nie było. Tylko ten krawat, który rano podniosła z podłogi i powiesiła nad komódką, wciąż tam wisiał. Jedyny namacalny ślad jego obecności. Gdyby nie on, zwątpiłaby w realność jego nieoczekiwanej wizyty i tej nocy, którą z nim spędziła. A tak wie, bez cienia wątpliwości, że był u niej i trzymał ją w ramionach, że potem szybko zasnął i że śpiąc zrzucił z siebie kołdrę. I dlatego nie zdejmie krawata, mimo że wisi w nieodpowiednim miejscu, razem z Panną Świętą. Bo gdy któregoś dnia przyjdzie – a przyjdzie na pewno, obiecał jej to – to go zobaczy i ucieszy się na jego widok.

L

Przesiedziawszy na ławeczce pod klonem więcej niż godzinę, rozmawiając to z Leopoldem, to z Franciszkiem, który z uwagi na jego częste wizyty i pomoc udzielaną Marianowi traktował go jak bliskiego sąsiada, Gustaw Łukasiewicz pożegnał się z kuzynem i podążył w stronę Starego Miasta, gdzie pracowała część pracowników jego firmy, Potem pojedzie na Pragę, Wolę i Żoliborz. W wielu miejscach pracowali jego ludzie, dzisiaj dłużej niż zwykle, bo jutro święto, a i w piątek niektórzy nie będą pracować, biorą sobie długi weekend i jadą na wieś, do rodziny, Dużo jego ludzi mieszka na wsi, albo w małych, podwarszawskich miasteczkach, gdyż trudno tam o pracę, a u niego ją mają, no i dobrze zarabiają, więcej niż na dużych budowach. On też kiedyś taką prowadził, a teraz specjalizuje się w remontach. Zyskiem dzieli się z pracownikami, pół na pól, uczciwie. Nie goni za kasą, nie musi i nie chce. Wykształcił córkę, kupił jej piękne mieszkanie i wyposażył je we wszystkie urządzenia, a że jej mąż, za którego niedawno wyszła, robi doktorat, będzie im pomagał tak długo, aż nie staną na własnych nogach. Marianowi też będzie pomagał, bo jest kaleką i ma niską rentę, On sam dużo nie potrzebuje, żona też nie, więc to, co im zostaje, lokują w banku – na wypadek ciężkiej choroby lub innego nieszczęścia. Na razie czuje się dobrze i podobno wygląda na pięćdziesięciolatka, w przeciwieństwie do sąsiada Mariana, Walczaka, także budowlańca, który ma mniej niż trzydziestkę, a wygląd czterdziestolatka.

13

Marian wsypał do szklanego pojemniczka karmę dla kanarków, postał przy nich chwil®, zaniósł do kuchni przyniesione przez Gustawa słoiki. Ma dobrego kuzyna, dba o niego jak o rodzonego brata. Stryjek też o niego dbał, po śmierci rodziców często go odwiedzał i opiekował się nim jak ojciec. Widział go tylko dwa czy trzy razy, więc jego postać zatarła mu się w pamięci. Za ro dobrze pamięta jego troskliwe dotknięcia i słowa rozpaczy, gdy on utracił wzrok. Pamięta też dziadka Romana. To on opowiedział mu historię rodziny, on i babcia.

Prapradziadek miał majątek na Mazowszu, ale gdy do jego żony zaczął się zalecać młodszy brat, przeniósł się na Wołyń. Tam zastały go rozbiory Polski, w wyniku których stał się podwładnym cara. A że w przeciwieństwie do innych właścicieli majątków, nie chciał podporządkować się nowemu prawu i przejść na prawosławie, z pobliskiego miasteczka przyjechał na koniu setnik z grupą carskich żołnierzy, kazał chłopom wykopać dół głębokości wzrostu hardego pana, umieścić go w nim i zasypać ziemią. Tak też chłopi zrobili, lecz zaledwie setnik odjechał, odkopali swojego pana i go uratowali. Wtedy prapradziadek pojechał z rodziną na Sybir, gdzie urządził się na rozdawanej osiedleńcom ziemi. Tam doczekał się wnuków. Ale do niepodległej Polski wrócili dopiero prawnuki, odzyskali rodzinny majątek i w nim zamieszkali. Czterech ich było. Z wyjątkiem jednego, dziadka Mateusza, który przeniósł się na Mazowsze, wszystkich w roku 1943 zamordowali chłopi. Zamordowali ich okrutnie, ucinając im głowy, żonom rozpruli brzuchy, a dzieci zatłukli sztachetami i wrzucili do płonącej stodoły.

Marian ponownie podszedł do kanarków i wsłuchany w ich piękny śpiew wystawił twarz na słońce

L

Przechodząc przez Plac Krasińskich Gustaw Ł zatrzymał się przy Pomniku Powstania Warszawskiego. Srała tam grupa zagranicznych turystów. Z niedowierzaniem słuchają opowieści przewodnika o tych, którzy przeciwstawili się uzbrojonemu po zęby okupantowi, wyposażeni w kilkanaście tysięcy karabinów i butelki z benzyną. Wycieczkowicze są pełni podziwu dla odwagi i męstwa powstańców, ale i poruszeni poniesionymi stratami. 200 tysięcy poległych cywilów i około 18 tysięcy żołnierzy. Nie powinni Polacy przystąpić do nierównej walki. Oni by jej nie podjęli, gdyż cenią życie i nad heroizm przekładają rozwagę. A Polacy żywią się mrzonkami i co najlepiej potrafią, to zginąć na polu chwały.

Gustaw Ł., który dużo wiedział o Powstaniu z książek i opowieści Franciszka i Leopolda, postał chwilę przy wycieczce, potem się udał do mieszczącego się przy Długiej budynku, gdzie w jednym z mieszkań jego ludzie wymieniali instalację wodno-kanalizacyjną. Sprawdzi robotę i pojedzie na Żoliborz, potem na Wolę lub Pragę. Ma po ojcu Poloneza – stary wóz, z okresu PRL-u, a wciąż na chodzie, no i pamiątkowy – ale oddał go do naprawy i musi jeździć autobusami i tramwajami.

G

Henryk D. wykąpał się i zaczął spacerować wokół basenu, popatrując na kobiety z nadzieją, że zainteresuje je sobą. Ale ich spojrzenia go omijały lub się po nim prześlizgiwały, obojętne, niektóre drwiące. Nie tak to sobie wyobrażał. Przywykł do tego, że kobiety zawieszały na nim wzrok i go kokietowały, a przynajmniej sięgały po pomadkę lub błyszczyk, czy też poprawiały włosy, co oznaczało, że widzą w nim mężczyznę i chcą mu się spodobać. Jeszcze niedawno, zaledwie miesiąc temu barmanka podając mu piwo musnęła jego dłoń swoją i uśmiechnęła się zalotnie. Tylko że był wtedy w garniturze i dobrze dobranym krawacie, a teraz ma na sobie tylko kąpielówki, nad nimi wydatny brzuszek i wklęśniętą klatkę piersiową, więc nic dziwnego, że kobiety go ignorują. Wolą popatrzeć na dobrze umięśnionych chłopaków, na basenie starszy pan z brzuszkiem je nie interesuje. Poleży sobie na słońcu, potem jeszcze raz się wykąpie i pójdzie na obiad. Nienajlepiej się tu czuje, obco, bez znaczenia, jak wysłużony i odstawiony na bok przedmiot. Więcej tutaj nie przyjdzie, a jeśli już, to dopiero wtedy, gdy popracuje nad swą sylwetką. Niektóre kobiety lubią mężczyzn z brzuszkiem, ale w restauracji, a nie na basenie. Musi się zacząć gimnastykować i kupić sprężyny, hantle i wszystko co trzeba.

Powraca na leżak, wyciąga z torby zakupione po drodze *Życie Warszawy*, zerka na wiadomości sportowe, po czym zaczynając od pierwszej strony przebiega wzrokiem po tłustą czcionką wybitych tytułach:

Z Chrystusem na ulicach
W Boże Ciało wszystkie sklepy zamknięte
Centralny z zielonymi szaletami
Podkładał bomby, by niszczyć konkurencję
Z nożem na żonę
Oszustki atakują naiwne staruszki
Kłopoty małych gazet
Usługi
Biznes
Kredyty i pożyczki

Zamierzał wziąć kredyt, lecz skoro ma zamieszkać u stryja, nie będzie go brał. Ale samochód kupi, i to taki z bajerami, żeby mieć wzięcie u pięknych kobiet i żyć po pańsku, jak dziadek i stryjek, który wprawdzie nigdy nie miał samochodu, ale nie jeździł kolejką, korzystał z taksówek. Dzisiaj się posprzeczali Poszło o Tuska, Omawiali sytuację polityczną w kraju i stryjek, dotąd zwolennik Platformy, stwierdził, że źle się dzieje w państwie Tuskim. Tak się wyraził, na co on ostro zareagował, stając w obronie premiera i Platformy. W przeciwieństwie do dwuletnich rządów PiS– n, który posiał w kraju strach, a jego przywódca w okresie swego premierostwa poruszał się w polityce jak słoń w składzie porcelany, Platforma rządzi spokojnie i mądrze. Dlatego na nią głosował, w przyszłych wyborach do Sejmu też odda na nią głos. Większość jego sąsiadów głosowała tak jak on, a inżynier Walczak zapisał się do PO i zamierza starać się o mandat poselski. To doskonały fachowiec i odpowiedzialny człowiek, nie zawiedzie wyborców. A jeśli idzie o Tuska, to w przeciwieństwie do stryja, który widzi w nim uwodziciela, co zwodzi naród obietnicami, on uważa go za sprawnego polityka i jest przekonany, że będzie długo rządził, bo ma prezencję, liczy się na europejskich salonach i umie mówić do ludzi. Tylko faktycznie za dużo obiecuje. Gierek też dużo obiecywał i mobilizował ludzi do pracy, żeby Polska rosła w siłę, a ludziom żyło się dostatnio. I żyło się dostatnio, ale tylko nielicznym, co doprowadziło kraj do kryzysu i zwycięskiego strajku w Stoczni Gdańskiej.

...Henryk D, jeszcze chwilę zastanawiał się nad postawą szefa rządu, popatrzył na siedzące w pobliżu kobiety, potem na zamieszczone w gazecie ogłoszenia. zatrzymujć spojrzenie na ofertach towarzyskich:

!!! Trzy. młode 6/9, f/k
!!!! Duety 120/h
!!!!! Nimfomanka
!!!!!! Duet B6
!! Wysoka seksi
!!! Długonoga 2792 FK
!!!! Sama 2785 FB zarost
!!!! Seksi 3587 FB Praga
! Pati B4 FB Anal PrV
501 Seksi żywioł
! Długonoga blond
! Ekstra duet
! Rycząca
! 18 ka Olivia dla VIP
22 ka Anal, 40 ka
24 lata śliczna Oleńka
30 – ka Linda B4 blond
30 – latki super seksi
40– letnia mamuśka
45 Subtelna delikatna
50 ka Wwa 6/9
ANIA niedepilowana
Śliczna buzia
Bez kondoma
Chcąca dać rozkosz

Daria szczupła
Dla starszych panów
Dojrzała
Domek rozkoszy
Dominująca
Drapieżna
Ekskluzywna
Filigranowa
Gabi
Gotowa
Kusząca
Laleczki z Saskiej Kępy.

J

Przebywająca na basenie Jagoda bierze zimny prysznic. Czuje, że ktoś się jej przygląda. To ta szatynka, która obok niej leżała. Pewnie lesbijka. Źle trafiła, nie ma skłonności do kobiet, chociaż kiedyś zareagowała na dotyk koleżanki z klasy. Ale tylko raz, potem dotyk Cześka sprawiał jej przyjemność. Innych mężczyzn też, lecz rzadko i nie tak jak dotyk jej chłopaka. Dopiero wczorajszy gość okazał się od niego lepszy. Pieścił ją tak długo i cudownie, że zapomniała przy nim o Cześku. Oby go nie było na dzisiejszej kolacji, bo jeszcze się w nim zakocha i przestanie myśleć o swoim chłopaku. A przecież jego wybrała, z nim postanowiła związać swą przyszłość.

Jak się kąpała w basenie, ukłonił się jej mocno starszawy facet, w którym dopiero po chwili rozpoznała Henryka Dubiela, swojego nowego sąsiada. Śmieszny facet, stary, a zachowuje się jak młodziak. Wszystkie kobiety obmacywał spojrzeniem, a co młodsze i ładniejsze długo i wielokrotnie. Co on sobie wyobraża, czego się spodziewa! Żadnej nie poderwie, bo jest za stary. Gdyby przynajmniej miał kasę, wtedy jego szanse by wzrosły, choć nie na długo. Dziewczyna by go wykorzystała i po opróżnieniu kasy puściła kantem. Zresztą ma żonę, niech o nią zadba, a nie szuka przygody na basenie. A szuka jej, to było widać. Wciągał brzuszek, wypinał klatę, ale na żadnej nie zrobił wrażenia. Widziała, na żadnej.

Mieszka na Muranowie od dwóch miesięcy i zna swych nowych sąsiadów tylko z widzenia, i to nie wszystkich, a tego zapamiętała, bo patrzył na nią jak wygłodniałe zwierzę. Wszyscy pożerali ją wzrokiem, a tylko jeden, ten z windy spojrzał na nią inaczej. W pierwszej chwili zbladł na jej widok, potem gorzko się uśmiechnął i więcej na nią nie spojrzał, jakby stwierdził, że nie jest tą, za którą ją wziął, a która prawdopodobnie wyrządziła mu krzywdę. Gdy opuścił windę, od sąsiadek, z którymi razem jechali, usłyszała, że żyje samotnie, dużo podróżował i dużo w życiu przeżył, Ona też dużo przeżyła i chętnie by się z nim zaprzyjaźniła. Chyba nie jest gejem, a jeśli nawet, nie szkodzi, lubi gejów, gdyż są na ogół inteligentni i wrażliwi. I nie patrzą na kobiety jak pies na gnat. Koniecznie musi go poznać. Nie jest tak przystojny jak Czesiek, ale ma w sobie coś, co ją intryguje i przyciąga. Obcuje z różnymi mężczyznami, a wszyscy chcą tylko jednego, czemu służą ich lepkie słowa, obietnice, pożądliwe szepty i samcze pojękiwania – i na tym się kończy jej kontakt z nimi, A ona chciałaby z kimś porozmawiać – zwyczajnie, po ludzku, Chciałaby mieć przyjaciela, któremu mogłaby się zwierzyć i który by jej wysłuchał. Franciszek, z którym wymieniła kilka słów, wygląda na takiego, lecz jest stary i pewnie pleciuch. Poprosi go, żeby poznał ją z chłopakiem z windy.   Bo ci, z którymi nawiązała kontakt w Internecie, chcą, żeby przesłała im swoje zdjęcie. Nie piszą, że nagie, ale dobrze wie, że o takie im chodzi. I wie, że zależy im tylko na seks, na niczym więcej. Sąsiad z brzuszkiem znowu na nią spojrzał, tym razem z żalem w oczach, jak kundel, którego nikt nie chce.

G

Henryk D. złożył leżak i podążył do szatni. Pobyt na basenie nie wypadł tak, jak się tego spodziewał. Tylko dwie kobiety zwróciły na niego uwagę, pozostałe potraktowały go jak powietrze. A te dwie szybko się zainteresowały młodymi i opalonymi na brąz mięśniakami. Musi zacząć chodzić na siłownię, bo ma zwiotczałe ramiona, no i wydatny brzuszek. W domu też będzie ćwiczył, i to nie tylko hantlami. Chyba trochę się opalił, pewnie na czerwono. Jutro, a może i pojutrze, jeśli dopisze pogoda, też będzie się opalał. Przecież nie pojedzie na urlop z pierwszą, czerwoną opalenizną, misi zbrązowieć Wybrał Ustkę, bo będzie tam

Lucyna, zastępca księgowego. Niedawno pochowała męża i pewnie czuje się samotna. Chyba nie jest jej obojętny, bo ostatnio często na niego zerkała, przedwczoraj spytała, jak mu się układa z żoną, a wczoraj, gdy się dowiedziała, że wziął urlop i zamierza wyjechać nad morze, powiedziała, że ona też jedzie nad morze, a konkretnie do Ustki. Pewnie chciała mu dać do zrozumienia, że chętnie go tam zobaczy. Podoba mu się, jest młodsza od Felicji o piętnaście lat, seksownie się ubiera i działa na niego jak Felicja w pierwszych latach ich małżeństwa. Dużo wcześniej to odkrył, ale nie śmiał nawet z nią poflirtować, bo miała śmiertelnie chorego męża, potem była w żałobie, stroniła od kontaktów towarzyskich i w sporadycznych i krótkich z nim rozmowach nie wykraczała poza sprawy zawodowe.

Panował dokuczliwy upał. Orzeźwiający natrysk dobrze mu zrobił, dodał energii, ujął lat, wzmógł apetyt na życie. Pokrzepiony nadzieją na spędzenie urlopu w towarzystwie Lucyny, zdecydowanym krokiem skierował się ku wyjściu, zostawiając za sobą przykre odczucia i myśli. Za rok osiągnie wiek emerytalny. ale nic mu nie dolega, jest zdrowy i czuje się młodo, otwarty na świat i uroki życia.

B+F

Objeżdżając ze Zbigniewem Piątkiem miejsca, z których w pierwszej kolejności wywiózł śmieci, Antoni Sobiesiak przypomniał sobie o podróżnej torbie, którą Leszek opróżnił z niebieskiej, pękatej reklamówki, gdyż torba była całkiem nowa i nadawała się do wykorzystania.

– Co zrobiliście z tą torbą? – zainteresował się komisarz Piątek.

– Leszek odłożył ją na bok.

– Pamiętasz gdzie?

– Chyba tak.

Torba leżała obok puszki na śmieci, w pobliżu kilku sąsiadujących ze sobą bloków.

– Zbierzcie informacje o zamieszkałych w nich kobietach – polecił swemu podwładnemu komisarz Piątek.

– Wszystkich?

– Nie, tylko tych wolnych, panien, rozwódek i wdów. Dowiedźcie się, czy któraś była w ciąży?

– To nic nie da – zauważył Antoni S., gdy zostali ze Zbigniewem P. sami.

– Myślisz?

– Facet, bo zgodziliśmy się, nie była to kobieta, tylko mężczyzna, prawda?

Zbigniew P. skinął głową.

– Więc ten facet, pewnie domorosły medyk, który tę torbę tu zostawił, jeśli miał choć trochę oleju w głowie, przywiózł ją z innego rejonu Warszawy, może nawet zza Wisły czy też z Żoliborza, Mokotowa lub Śródmieścia.

– To prawda – przyznał Zbigniew P. i spojrzał z uznaniem na sąsiada.

– Mógłbyś zostać detektywem, dedukujesz jak sam Colombo. Niemniej sprawdzimy okoliczne kobiety, a ponadto weźmiemy do pomocy psa, może on wywęszy albo ją, albo tego drania. Gdzie cię podwieźć?

– Tu wysiądę – powiedział Antoni S., gdy na jego życzenie pojechali boczną drogą i przejeżdżali wzdłuż podmiejskich zabudowań, gdzie mieszkał Bolek, jego dłużnik.

F

Pies obwąchawszy wyciągniętą z folii torbę, pokręcił się przy śmietniku, potem zamiast do któregoś z pobliskich bloków, pobiegł w stronę szosy. Szukaj wiatru w polu, pomyślał komisarz Piątek. Antoni miał rację, ten, co tu podrzucił płód, przybył z innego rejonu Warszawy, i to samochodem. W tej sytuacji tylko przypadek może doprowadzić do kobiety, która pozbyła się dziecka, czy też tego, który jej w tym pomógł.

Wsiadł do suki i pojechał do komisariatu, gdzie czekało go mnóstwo papierkowej roboty.

B

Antoni S. skręcił w boczną uliczkę, przy której stały parterowe lub jednopiętrowe budynki, w większości stare, drewniane lub tylko częściowo murowane, ale zadbane i odświeżone, pomalowane farbą emulsyjną.

Na dachach pobłyskiwały w słońcu talerze anten telewizji satelitarnej, na podwórkach różnej marki i jakości samochody lub motocykle.

Pomiędzy niektórymi domkami barwiły się kolorowe kwiaty, inne rozdzielone były pasami bruku lub betonu, przeznaczonymi dla samochodów. Antoni S. otworzył metalową furtkę i wszedł na posesję, gdzie mieszkał Bolek, który był mu winny sto złotych.

Bolesław Z. wziął od sąsiadki królicę, chwycił ją za sierść i wpuścił do obszernej klatki. Siedzący w niej okazały samiec poruszył uszami i podniósł się leniwie,

Bolek zatarł ręce. Jego ulubieniec i żywiciel wciąż przejawia niezwykłą aktywność, dzięki czemu zdobył sobie taki rozgłos, że wszyscy okoliczni hodowcy królików przychodzą do niego z samiczkami, przysparzając mu nienajgorszy dochód.

– O, widzi pani – mówi do klientki – już!

Za część zwróconej mu przez Bolka kwoty Antoni S. kupił u ogrodnika różowego gerbera oraz dwadzieścia pięć czerwonych róż, wsiadł do autobusu i pojechał do żony, z którą przeżyli dwadzieścia pięć szczęśliwych lat. Róże wręczy Małgosi jutro, a dzisiaj imieninowego gerbera.

G

Słońce wciąż mocno grzało, a do oddalonego o kilkadziesiąt metrów przystanku zbliżał się autobus. Henrykowi nigdzie się nie spieszyło, lecz przypomniawszy sobie młode lata, pobiegł za autobusem i zdążył do niego wsiąść, choć się zasapał. Otarł chusteczką pot z czoła i stanął przy siedzącej i patrzącej przez okno młodej dziewczynie, na oko dwudziestoletniej, do złudzenia przypominającej Felicję sprzed wielu, bardzo wielu lat. Wpatrzony w dziewczynę, ubraną w dżinsy, których dawniej kobiety nie nosiły, powrócił pamięcią do tamtych czasów, gdy nieoczekiwanie usłyszał:

– Ustąp dziadkowi miejsca.

Powiedział to strojący obok dziewczyny chłopak, którego dopiero teraz spostrzegł. Dziewczyna spojrzała na Henryka i lekko się uśmiechnęła do niego, jak niegdyś Felicja, tyle że w innej sytuacji.

– No, ustąp dziadkowi miejsca – powtórzył chłopak. – Przecież widzisz, że ledwie trzyma się na nogach.

Dziewczyna podniosła się z siedziska.

– Proszę – powiedziała – niech pan spocznie.

Usłyszawszy słowo „dziadek" Henryk zerknął na lewo, potem na prawo, gdyż myślał, że kogoś innego miał na myśli chłopak, a że nikogo obok nie było, uświadomił sobie, że chodziło o niego Faktycznie był dziadkiem, lecz miał dopiero sześćdziesiąt cztery lata i mimo spowodowanego upałem i biegiem zasapania czuł się młodo. Zdaniem panienek z agencji, które dawały mu najwyżej pięćdziesiątkę, był w świetnej formie i sprawował się jak dwudziestolatek. Dotąd używane tylko przez najbliższych słowo, które pierwszy raz usłyszał publicznie, i to w obecności dziewczyny, która z wyglądu przypominała dawną Felicję, odświeżając w pamięci ich pierwsze lata, zabrzmiało w jego uszach obraźliwie. Spojrzał z oburzeniem na chłopaka, potem na dziewczynę.

– Dziękuję – powiedział – postoję.

– Ależ niech pan usiądzie – nalegał chłopak. – Mam dziadka w pańskim wieku i w autobusach wszyscy ustępują mu miejsca, nawet kobiety.

– Mnie nie muszą – odpowiedział Henryk. – Jeszcze nie jestem taki stary i dobrze się trzymam na nogach – dodał z wyrzutem w głosie i rozglądnął się wkoło, aby sprawdzić, czy nie stoi w pobliżu kobieta.

Chłopak się zaśmiał, dziewczyna również.

Czyżby śmiali się z niego? Na to wygląda. Ach ta dzisiejsza młodzież, w ogóle nie ma szacunku dla starszych. Bezczelny smarkacz! Nazwał go dziadkiem. Pewnie zrobił to z zazdrości, bo zaledwie wsiadł do autobusu, spojrzał na jasnowłosą dziewczynę, a ta, gdy go spostrzegła, nie tylko się do niego uśmiechnęła, ale i poprawia włosy, dając tym do zrozumienia, że zobaczyła w nim mężczyznę, któremu chciała się podobać. A ten jej chłopak z zazdrości i zemsty nazwał go dziadkiem. I teraz się śmieje. Patrzy na niego i się śmieje. Ale ona również. Zatem i ona zobaczyła w nim dziadka! O, weszła kobieta.

– Proszę, jest wolne miejsce, niech pani usiądzie – zwrócił się do trzydziestolatki, która właśnie co weszła do autobusu i stanęła obok niego.

– Pan ma pierwszeństwo – odpowiada kobieta.

– Ja?!

Młodzi znowu się śmieją, oczywiście z niego. Taki afront. Musi wysiąść, dłużej nie ścierpi ich szyderczego śmiechu.

– Smarkacz! – syknął przechodząc obok chłopaka.

– Ramol! – odparował chłopak.

D1

Spożywszy obiad w restauracji, Stefan Nowak zamówił herbatę i zaczął się zastanawiać nad sytuacją, jaka zaistniała w jego klasie. Dwaj uczniowie zgwałcili koleżankę, i to na oczach gromadki kolegów. Dziewczyna trzymała to w tajemnicy, nie powiadomiła o tym ani policji, ani rodziców, gdyż gwałciciele zagrozili jej zeszpeceniem. Sprawa się wydała dopiero dzisiaj, podczas lekcji, którą akurat miał w swojej klasie. Jedna z dziewczynek, która zwolniła się z zajęć, powróciła do szkoły z wiadomością, że w Internecie leci film z tego szokującego wydarzenia. Widział go i rozpoznał zarówno zhańbioną Agatkę, jak i gwałcących ją Leszka i Damiana, w szkole spokojnych i wydawało się, dobrze wychowanych piętnastolatków. Powiadomił o tym dyrektora, a ten nie posiadając się z oburzenia, natychmiast wezwał do szkoły rodziców rozbestwionych chłopaków. Będą za godzinę. Matka Agatki też przyjdzie, tylko trochę później, bo ma w firmie ważną naradę. Jeszcze o niczym nie wie, ale jak się dowie... Nie chciałby być na jej miejscu. Takie nieszczęście, taka hańba. Pewnie część winy przerzuci na szkołę, a przede wszystkim na niego, wychowawcę klasy. Często rodzice tak robią. Nie mając czasu na przypilnowanie dziecka, za jego postawę winią nauczycieli. Pal licho, co mu powie matka, dużo ważniejsza jest sytuacja jej córki. Żeby przypadkiem ze wstydu nie popełniła samobójstwa, jak to zrobiła inna gimnazjalistka, albo nie wpadła w depresję czy inną psychiczną chorobę. O nią teraz należy się martwić, a chłopaków umieścić w domu poprawczym, bo na więzienie są za młodzi. Ciężkie go czekają chwille. Umówił się z sąsiadką, ale chyba nie pójdzie na spotkanie, bo jak w tej sytuacji będzie mógł prowadzić towarzyską rozmowę. Gdyby znał numer telefonu do Ani, to by do niej zadzwonił i przełożył spotkanie na inny dzień. Ale musi na nie pójść, bo Ania z pewnością się do niego przygotuje i będzie mu miała za złe, gdy je odwoła po powrocie do domu.

G

Po opuszczeniu nieprzyjaznego mu autobusu Henryk D. wstąpił do baru na flaczki. Były gęste, a doprawione przez niego pieprzem i papryką, niezwykle mu smakowały. Zjadłszy je, poprosił o szarlotkę i kawę.

Nie ciągnęło go do domu, Upał osłabł, więc sobie pospaceruje. Wsiadł do autobusu, następnie przesiadł się na tramwaj i pojechał na Pragę..

– Panie, co jest! – zwrócił się do motorniczego pasażer ze szramą na twarzy, gdy tramwaj zatrzymał się między jednym a drugim przystankiem

– Jak to co! Nie widzi pan?

Na jezdnię, i to akurat między polśniewające w słońcu szyny wbiegła rasowa suczka, za nią kudłaty kundel, który widząc, że uciekająca przed nim foksterierka stanęła w miejscu, wystraszona sznurem rozpędzonych samochodów, wskoczył na nią i zaczął uprawiać psią miłość.

– Zadzwoń pan, to ich rozdzieli.

– Nie rozdzieli – zauważył Henryk.

– Ale ja jestem umówiony – denerwował się pasażer ze szramą – Ruszaj pan!

– Człowieku – powiedział motorniczy – serca pan nie masz?! Niech skończą.

– Długo to potrwa?

– Tyle, ile będzie trzeba.

– Dzwoń pan!

Motorniczy zadzwonił, gdyż zaczęli się tego domagać także inni pasażerowie, a ponadto ktoś zauważył, że blokują tor – wystraszone pieski rozłączyły się i rozstały. Kundel pomknął w stronę najbliższej bramy, natomiast foksterierka podbiegła do stojącej na chodniku starszawej pani, która oburzona zachowaniem swojej ulubienicy, wzięła ją na smycz, skarciła i poprowadziła wzdłuż ulicy.

Henryk D. przejechał tramwajem trzy przystanki i wysiadając uśmiechnął się przyjaźnie do motorniczego.

H

Bronisław L. już pracuje na drugiej zmianie. Nie miał czasu na obiad w stołówce, kupił dwa hamburgery i szarlotkę, które natychmiast zjadł, popijając je kawą z termosu wręczonego mu przez znajomą pielęgniarkę.

– Jedziemy na Wolę – poinformował go lekarz, gdy odtransportowali do szpitala kobietę, która omal nie urodziła dziecka w karetce. – Jakiś gość pokiereszował żonę.

169

Pewnie ćpun lub alkoholik. Wściekł się, bo żona nie chciała mu dać na działkę albo butelkę. Zajmie się nim policja, a oni opatrzą kobietę i najprawdopodobniej zawiozą do szpitala.

Na miejscu zastali policję. Barczysty mężczyzna, o mętnym spojrzeniu, miał skute ręce. Na podłodze leżała nieprzytomna kobieta, z raną na głowie. Opatrzywszy ją, ułożyli na noszach i ruszyli w stronę erki.

– Co za dzień! – odezwał się idący za nimi jeden z policjantów. – Najpierw ten płód...

– Płód? – zainteresował się.

– Płód – potwierdził policjant. – Znaleziono go w pojemniku na śmieci.

– Cóż, kobieta poroniła, więc co miała zrobić. Musiała martwy płód gdzieś wyrzucić.

– Nie ona go wyrzuciła.

– A kto?

– Ten, który jej pomógł w poronieniu.

– Jak to pomógł!

– To nie było naturalne poronienie, tylko sztuczne.

– Aborcja?

– Coś w tym rodzaju, tyle że dokonana w szóstym miesiącu.

– O, to poważna sprawa – zauważył lekarz – grozi kryminałem.

– Dlatego się nią zajęliśmy. Zastępca komendanta też.

– Jak rozumiem, szukacie osoby, która dokonała nielegalnego zabiegu, a właściwie morderstwa.

– Właśnie – potwierdził policjant.

– I myślicie, że ją znajdziecie?

– Mamy torbę, w której ktoś, prawdopodobnie mężczyzna umieścił płód. Jeśli są na niej odciski palców, wcześniej czy później dopadniemy drania.

– Życzę powodzenia.

Pożegnali policjanta, Nosze z kobietą wsunęli do erki i pojechali do szpitala, aby kwadrans później pojechać na Mokotów, gdzie starszawy przechodzień padł na chodnik i, jak doniesiono, nie oddychał.

A

Jakub Smuga, który przerwał na chwilę pisanie, wodzi wzrokiem po planie Warszawy. Mieszka w niej blisko dwadzieścia lat, lecz łatwiej się poruszał po Londynie, czy też Paryżu, którego topografia tak mu się wbiła w pamięć, że po niektórych dzielnicach mógłby chodzić z zawiązanymi oczami. Wstrząśnięty otrzymaną od Maryli wiadomością, pojechał do niego z nadzieją, że porozmawia z przebywającą u kuzynostwa żoną i odwiedzie ją od rozwodu, ale już jej we Francji nie zastał – razem z byłym mężem i ich córką pojechała do Stanów. To były czarne dni, najczarniejsze w całym jego życiu. Chodził po Paryżu jak błędny, wspominał Marylę i drążącą go rozpacz topił w winie. Najwięcej czasu spędził na Montmartrze, gdzie miał znajomych malarzy i miejsce do spania, no i w Dzielnicy Łacińskiej, gdzie pewnego dnia spotkał Matyldę. Gdyby nie tęsknił za Marylą i jej córką, którą też kochał, inaczej by wyglądała ich znajomość. Zresztą ona również potraktowała ją niezobowiązująco i powracając do kraju, nawet nie dała mu do zrozumienia, że liczy na ich ponowne spotkanie. On zachował się podobnie. Potem tego żałował, często zachodził do kawiarni, w której ją poznał, i wspominał spędzone z nią noce, jej miłosne westchnienia, gorące pocałunki i uściski. Dobrze mu było z Matyldą w łóżku, lepiej niż z Marylą, ale wciąż ją kochał i pieszcząc Matyldę, raz czy dwa razy zamiast jej imienia, wyszeptał imię żony.

G

Henryk spaceruje po praskich ulicach. Dawno nie był na Pradze, a że mieszka na niej Lucyna, chce się dowiedzieć, w jakim otoczeniu żyje osoba, z którą zamierza nawiązać bliższą znajomość.

Przed sklepem z piwem stoi grupa robotników z budowy. Twarze mają silnie opalone, na krępych torsach mokre od potu podkoszulki.

– Weź dwa browary!

Po jezdni sunie z łoskotem kolumna tirów z naczepami, na których połyskują w słońcu stalowe człony turbiny.

Stojąca na chodniku stara kobieta w czarnym kapeluszu, zgrzybiałymi palcami przesuwa koraliki różańca. Przerywa na chwilę zdrowaśki, patrzy na sznur samochodów i prosi Matkę Miłosierną, żeby wzięła ją pod swoją opiekę i przeprowadziła na drugą stronę.

W kościele podświetlone słońcem witraże barwią się fioletem, czerwienią i zielenią. W ich radosnym odblasku aniołki i święci z ołtarzy jakby się ożywiły i zaczęły głosić chwałę boga Słońca.

Sterczący na kominie blaszany kogucik czeka z utęsknieniem na najlżejszy powiew wiatru, który by go poruszył, zakręcił i ożywił.

Szeroką jezdnią maszeruje kolumna żołnierzy. Kilkadziesiąt par butów uderza o nagrzany asfalt, akompaniując piosence:

> Że ostra kula pierś mu przeszyła
> o wpół do drugiej godzi...

Z zawieszonych na hakach połci świeżego mięsa ścieka krew
Pod kopułą parasola przeciwsłonecznego kroczy para staruszków.
Ach, jak słoneczko pięknie grzeje!
Ach, ach, jaki piękny jest świat!
Ach, ach, ach!

Krocząca wzdłuż nagrzanej ściany budynku młoda kobieta z mocno zaawansowaną ciążą zatrzymuje się w najbliższej bramie, nabiera w usta powietrza, chusteczką ociera pot z czoła i kroczy dalej. Jeszcze kilkanaście metrów. Nie ma w domu męża, ale jest teściowa, ona się wszystkim zajmie.

Kiedy niewielki fiacik, niegdyś przedmiot marzeń Polaków, miał skręcić w boczna ulicę, wypadł z niej czarny mercedes i tak go mocno uderzył, że odbiwszy się o lśniące zderzaki, niczym piłka futbolowa o but rosłego obrońcy, stuknął w narożnik budynku i najpierw się zachwiał, zakolebał, a następnie przewrócił podwoziem do góry. Ze sponiewieranego malucha wydostał się mężczyzna, z żalem spojrzał na swój wóz, potem z oburzeniem na właściciela mercedesa, który sięga do kieszeni i mówi:

– Jak nic panu nie jest, sprawę załatwmy między sobą. Ma pan tu kasę, powinno wystarczyć na naprawę. Jeśli nie, dołożę. Tylko nie podawaj pan glinom mojego numeru. Powiedz, że nie zapamiętałeś.

Mężczyzna w bladoniebieskiej koszuli z krótkimi rękawami wybiega na ulice, zatrzymuje taksówkę.

– Szpital Praski! – wydaje dyspozycję kierowcy. – Prędzej, żona rodzi!

Przy praskim markecie orkiestra podwórkowa gra argentyńskie tango, a następnie warszawską piosenkę:

> Warszawa da się lubić
> Warszawa da się lubi

Tutaj serce można znaleźć
Tutaj serce można zgubić

Na rogu Al. Solidarności i Targowej, w pobliżu Dworca Wileńskiego i praskiego marketu, skręcająca w lewo trzynastka wpadła na nabierającą szybkości trójkę. Zaskoczone oczy motorniczych, zgrzyt hamulców, ale już za późno – tramwaje się zderzyły i panującą przez chwilę ciszę przeszyły krzyki, Kilka osób zginęło na miejscu, kilkanaście uległo poważnym obrażeniom, reszta jest w szoku, bo krew, bo okrzyki bólu, bo ten, który stał obok, już nie żyje.

H

Tak ciężkiego dnia dawno nie miał. Zaledwie odwieźli do szpitala kolejnego zawaowca, otrzymali wiadomość, że na Pradze zderzyły się dwa tramwaje. Są poważne ofiary, zabici i ranni, Jadąc na miejsce wypadku Bronisław L. po raz kolejny otarł chusteczką pot z czoła, marząc o kąpieli w morzu, czy choćby w Zalewie, po którym przedwczoraj żeglował jachtem, należącym do ojca Dominiki, młodej lekarki, z którą od miesiąca się kochał.

C2

Od dwóch godzin siedzieli na jej kocyku, drobnymi łykami popijali wodę mineralną, którą ona także zwilżała twarz, ramiona i kark, i przeskakując z tematu na temat prowadzili żywą rozmowę, ciekawi swoich poglądów, zainteresowań i spraw, które ich bulwersowały lub cieszyły, czy też miały korzenie w przeszłości i wpłynęły na ich życie.

– Jak miał na imię? – pyta Andrzej, gdy napomknęła o swoim pierwszym chłopcu.

– Tak jak pan, Andrzej.

– Kochała go pani?

– Bardzo. Ale była to miłość niewinna.

– Niewinna?

– Źle się wyraziłam. Chciałam powiedzieć, że kochaliśmy się bez seksu, platonicznie.

– Rozumiem. I nie próbował zbliżyć się do pani?

– Próbował, tylko ja nie chciałam.

– W takim razie szkoda, że mam takie samo imię.

– Dlaczego?

– Przepraszam, palnąłem głupstwo – powiedział zmieszany Andrzej.
– Bardzo panią przepraszam.

– Nie ma za co.

Krystyna patrzy na Andrzeja z rozczuleniem. Jaki on rozbrajający w tym swoim niezawinionym wstydzie. Rzeczywiście szkoda, że ma na imię Andrzej. A może nie, może tak powinno być.

– Nie gniewa się pani na mnie? – pyta Andrzej zaniepokojony jej milczeniem.

– Ależ nie – odpowiada Krystyna, poprawia włosy, po czym jej ręka opada na jego dłoń i lekko ją ściska.

– Długo jeszcze będzie się pani opalać? – pyta Andrzej.

– Do oporu – odpowiada Krystyna i spogląda na słońce, które skryło się za jedną z niewielkich chmurek, jakie pojawiły się na dotąd bezchmurnym niebie. – Dopóki będzie słońce. A dlaczego pan o to pyta? Chce pan już iść?

– Nie – odpowiada Andrzej. – Chcę tylko wiedzieć, jak długo będę miał przyjemność przebywać w pani towarzystwie – mówi z galanterią.

Zabrzmiało to staroświecko i trochę śmiesznie, jak w romansach dla gospodyń domowych, jednak Krystynie się spodobało. Wszystko w Andrzeju się jej podobało, zwłaszcza jego marzycielski wzrok i miłe dla uszu brzmienie głosu. Musi uważać, bo jeszcze się w nim zakocha, A przecież ma męża i jak na razie, dobrze się między nimi układa.

– Jest pan szalenie miły – mówi. – To nie znudziła się panu rozmowa ze mną? – pyta z kokieterią.

Andrzej, który wychował się w domu z przewagą kobiet – rządzonym przez babcię, żonę potomka znamienitego rodu, skoligaconego z arystokracją francuską, co babcia z dumą podkreślała i wykorzystywała do narzucania swojej woli nie tylko córce, wnuczce, kucharce Anieli, przed wojną jej osobistej służącej, ale i urodzonemu na wsi zięciowi – spogląda na Krystynę wzrokiem pełnym szacunku i poczucia winy.

– Pani wybaczy – mówi – ale to ja powinienem o to spytać.

– Ooo! – reaguje Krystyna. – A dlaczego?

– No bo jeśli komukolwiek z nas mogłaby się ta rozmowa znudzić, to tylko pani.

Usłyszawszy to, poczuła się jak bohaterka starego romansu, więc wyprostowała plecy, głowę lekko odchyliła do tyłu i siedząc w tej pozycji, godnej hrabianki lub panny z dobrego domu, mówi:

– Czy mam to potraktować jako odpowiedź na moje pytanie?

– Naturalnie – odpowiada Andrzej.

– Muszę przyznać, że jest pan bardzo uprzejmy.

– Staram się taki być. Czy pani widzi w tym coś złego?

– Bynajmniej – odpowiada Krystyna usłyszanym kiedyś słowem, które tak się jej spodobało, że zaczęła go używać, choć znajomi się z niego śmiali. – Lubię takich mężczyzn.

– Czasami uprzejmość jest parawanem, za którym ukrywają się złe intencje.

– To prawda, ale w pańskim wypadku tak nie jest, nieprawdaż?

– Przejęta po przodkach uczciwość każe mi powiedzieć, że może się pani mylić.

– Nie mylę się. Jest pan z natury szczery, a do tego wrażliwy i delikatny.

– A pani nie tylko piękna, ale i bardzo miła.

– Dziękuję.

– To ja dziękuję.

– Za co?

– Za to, że jest pani przy mnie. Że w ogóle pani jest.

Krystyna jest w siódmym niebie, szczęśliwa jak nigdy. Przechodzący obok mężczyzna ukłonił się jej. Kogoś jej przypomina. Prawdopodobnie jest to jeden z kolegów męża, którego widziała w szpitalu. Zmieszana, ponownie spogląda na niebo, na którym już się pojawiły większe chmurki i coraz częściej zaczęły przesłaniać słońce. Zerka na zegarek i sięga po papierosa.

– Nie odpowiedziała pani na moje pytanie.

– Przepraszam – mówi, wyrwana z zamyślenia – zapomniałam, o co pan pytał.

– Pytałem, czy nie znudziło się pani moje towarzystwo?

– Gdyby się znudziło, powiedziałabym to panu. Nie wprost, okrężnie, mówiąc, że czuję się nieszczególnie i potrzebuję samotności, albo...

– Albo?

– Że jest już późno, więc muszę wracać do domu.

– Ale pani tego nie powie, prawda?

– Powiem, lecz jeszcze nie teraz.

– A kiedy?

– W swoim czasie. Czy to panu wystarczy?

– Tak, oczywiście – stwierdza Andrzej innym już tonem, bez pobrzmiewającej w nim wcześniej sztuczności. – Przyznać trzeba, że prowadzimy nad wyraz kulturalną rozmowę.

– Nie tylko prowadzimy kulturalną rozmowę, ale i zachowujemy się kulturalnie.

– Bo jesteśmy kulturalni.

– To prawda.

Krystyna spogląda z rozbawieniem na Andrzeja, wybucha śmiechem, do którego on się przyłącza. Potem zaraz milknie i z niepokojem spogląda na nią, która zerka na słońce, następnie ponownie na zegarek i rozrzucone na kocyku części ubrania.

– Przyjechał pan samochodem? – pyta.

– Nie mam samochodu.

– To jak chce pan wrócić do Warszawy?

– Autobusem lub autostopem.

Powiedziawszy to, kątem oka obserwuje Krystynę, a ta jeszcze raz rzuca okiem na zegarek i mówi:

– Jest już późno, niedługo będę musiała wracać do domu. Też pojadę autobusem, ale tylko dwa przystanki, do warsztatu samochodowego, gdzie zostawiłam samochód do naprawy

G

Długi spacer i upał dały się Henrykowi we znaki. Był zmęczony, z trudem łapał powietrze, bolały go nogi, a ponadto wciąż przeżywał wypadek uliczny, którego niedawno był świadkiem. Zderzyły się dwa zatłoczone tramwaje, trzynastka i trójką. Zginęło kilka osób, kilkanaście odniosło poważne rany. Nie patrzył długo, niemniej zobaczył zmasakrowanego mężczyznę, kobietę z odciętą ręką i kilkuletniego chłopca, z którego główki ciekła krew. Wstrząśnięty tym widokiem, szybko opuścił miejsce wypadku. Gdyby wsiadł do trzynastki, a miał taki zamiar, też mogłoby mu się coś stać, może nawet by zginął. Ale na szczęście spóźnił się z dojściem do przystanku i tramwaj odjechał bez niego. Uszedł śmierci, jednak otarł się o nią i był pod wrażeniem jej krwawych harców o nikomu nieznanym rytmie i drodze. Obojętna na nasze zasługi i życiowe plany może nas dopaść w każdej chwili i w każdym miejscu. Pomyślawszy o tym, poczuł strach i dodatkowe krople potu na czole. Jego raźny krok, znacznie spowalniał, z głowy uszły śmiałe zamiary. Przeprawiwszy się taksówką przez Wisłę, jakiś czas spacerował po znacznie lepiej mu znanych ulicach śródmieścia, a gdy to nie przyniosło mu to ulgi, tylko zmęczenie, poszedł Senatorską, skręcił w Wierzbową i skierował się do Ogrodu Saskiego, aby w nim odpocząć i nabrać sił i ochoty do życia – pośród kwiatów i dających ochłodę drzew.

C1

Z przywiezionych do szpitala ofiar wypadku drogowego, jedną trzeba zoperować. Anestezjolog nie może wcześniej opuścić oddziału, musi zostać. To samo dotyczy stażysty i dwóch chirurgów. Jeden z nich, doktor Florek, który niedawno asystował Kazimierzowi Rogali, podejmuje się operacji. Stan pacjenta jest bardzo poważny. Doktor Florek obawia się, że umrze na stole, jak miesiąc temu inny operowany przez niego pacjent. Tymczasem Józef został przewieziony na salę i ułożony na łóżku. Jeszcze jest pod narkozą., Kazimierz Rogala był u niego, poprawił przykrywającą go kołdrę. Kiedy się obudzi z narkozy, przypomni mu o przepalance.

G

Po krótkim pobycie w Ogrodzie Saskim Henryk podążył do domu. Spacer po parku go nie uspokoił. Za dużo było w nim ludzi, staruszek i mam z hałaśliwymi dzieciakami. Wszystkie ławki zajęte, a mijając je czuł na sobie liczne spojrzenia, słyszał śmiechy. Chyba nie z niego się śmiano, bo dlaczego mieliby się śmiać? Że postanowił rozpocząć nowe życie? W każdym wieku można je rozpocząć. I w każdym wieku można pokochać i być kochanym. To dla wszystkich oczywiste, więc nie z niego siedzący na ławkach się śmieli, niemniej tak to odczuł. Dlatego postanowił wrócić do domu. Pieszo, bo tramwajem się bał, a autobusem nie chciał. Przeszedł spory kawałek drogi i poczuł się zmęczony, bardziej niż przed spacerem po Ogrodzie Saskim. Ponadto był wewnętrznie rozbity i dręczyły go złe myśli. To przez ten wypadek, którym bardzo się przejął, no i przez incydent w autobusie. Chłopak nazwał go ramolem. Jaki z niego ramol?! Liczy sobie zaledwie sześćdziesiąt cztery lata i jest sprawny zarówno umysłowo, jak i fizycznie. W autobusie był zasapany, bo kilkadziesiąt lat nie biegał, a biegł bardzo szybko, jak stumetrowiec, co musiało się odbić na oddechu. Teraz też ciężko oddycha. Za długo spacerował. Jak się godzinami wysiaduje przy biurku, a potem przed telewizorem, tak długi spacer każdemu da się we znaki. Jutro też sobie pospaceruje, ale krócej i nie po mieście, bo w panującej w nim duchocie trudno oddychać. Pojedzie nad Wisłę, gdzie jest przewiew i łatwiej znieść upał, Trochę go piecze skóra, ale przestanie piec, gdy posmaruje się olejkiem. Będzie ją oszczędnie wystawiał na słońce, inaczej zacznie się łuszczyć, a chce na plaży w Ustce zaprezentować się jak najlepiej. Oby Lucyna była sama. Jeśli przyjedzie z innym mężczyzną, poderwie jakąś młódkę, żeby pokazać Lucynie, że go na to stać. Tak mu poradził stryjek, który ma w tych sprawach duże doświadczenie i dobrze wie, jak zagrać na uczuciach kobiety, żeby ją zdobyć. Po powrocie z Ustki zamieszka u niego, bo stryj jest w bardzo ciężkim stanie i może go potrzebować. Za dnia ma gosposię i pielęgniarkę, w nocy nikogo, a on jest jego jedynym w kraju krewnym, nie może go zostawić samego. Z Anina do centrum Warszawy można dojechać kolejką lub autobusem. Ale lepiej będzie, jak sprawi sobie samochód, i to nowy, ze wszystkimi bajerami. Wóz i willa w Aninie, a ponadto dyskretna elegancja w ubiorze, markowa woda kolońska, jakiej używał stryjek, no i sportowa sylwetka, którą przywróci ćwiczeniami na siłowni i w domu, wszystko to sprawi, że będą leciały na niego kobiety – czterdziestki i trzydziestki, a może i dwudziestki. Ale najpierw zakręci się koło Lucyny. To pociągająca niewiasta, zadbana i seksowna. Ma dwoje dzieci, kilkuletnią córeczkę i kilkunastoletniego synka, podobno dobrze wychowanych, a jest w takim wieku, że jeszcze może mieć trzecie dziecko. Poprosi ją o zdjęcie i pokaże je stryjkowi, niech ją oceni. Ale najważniejsze, że jemu się podoba, Jeśli on jej też, to po rozwodzie z Felicją, z nią się ożeni, Chyba że jej serce zajmie inny mężczyzna. Strasznie się zmęczył i osłabł. To przez to upalne słońce i zbyt długi spacer. Do domu niedaleko, trzysta metrów, ale ma bardzo słabe nogi i z trudem oddycha, musi gdzieś usiąść. Obok kina jest ławka, na niej odpocznie. Tylko czy do niej dojdzie? Kręci mu się w głowie, jeszcze kilka metrów, nogi się uginają, ale chyba doprowadzą go do ławki, muszą.

C2

Krystyna znowu spogląda na niebo. Jest na nim coraz więcej chmur, z trudem przebija się przez nie słońce, którego promienie już nie świecą tak intensywnie jak w południe i nie mają większego znaczenia dla opalenizny. Chyba już pojedzie do domu. Miło spędza się czas z Andrzejem, ale ta znajomość nie ma sensu. Jest od niego starsza o osiem lat, no i zamężna.

– Pora wracać do Warszawy – oznajmia.

– Już? – dziwi się Andrzej, choć spodziewał się, że to usłyszy.

– Tak.

– Szkoda.

– Słońce słabo grzeje i nie ma sensu tu leżeć.

Andrzej, który chciałby być dłużej z Krystyną, choć niekoniecznie na słońcu, chwilę się waha, po czym rzuca:

– Mam myśl.

– Jaką?

– Dzisiaj zdałem ostatni egzamin.

– Jak panu poszło?

– Znakomicie. Zdałem go na piątkę.

– W takim razie gratuluję.

– Dziękuję – mówi Andrzej, spogląda z wahaniem na Krystynę i szybko ciągnie dalej: –W ten sposób zaliczyłem sesję letnią i jutro mogę pojechać na wakacje.

– Dokąd pan jedzie?

– Na Mazury, a konkretnie do Giżycka.

– Tak?! Ja też tam będę, ale dopiero w drugiej połowie lipca, gdy mąż będzie miał urlop.

– A gdzie pracuje mąż, można wiedzieć?

– Jest lekarzem i pracuje w szpitalu. Specjalizował się w chirurgii, ale dopiero dzisiaj miał operować, bo dotąd tylko asystował przy operacjach.

Mam na myśli poważne operacje. gdyż te drobne, jak wycięcie wyrostka robaczkowego czy zlikwidowanie przepukliny, już przeprowadzał.

Krystyna zerka na zegarek.

– Chyba swoją operację zakończył. Bardzo mu na niej zależało, przez cały wczorajszy wieczór o niej mówił. Była trudna, więc nie wiadomo, jak przebiegła. Gdybym miała komórkę, to bym do niego zadzwoniła, ale zostawiłam ją w domu. A może pan swoją ma?

– Niestety, nie używam komórki.

– Szkoda.

– Proszę się nie martwić, na pewno operacja się udała.

– Oby, inaczej bardzo by to przeżył.

– Długo jesteście małżeństwem?

– Od trzech lat.

– Macie dzieci?

– Jeszcze nie.

Krystyna lekko zdenerwowana, lustruje wzrokiem plażę, po raz kolejny spogląda na niebo, potem na Andrzeja.

– Wspomniał pan o jakieś myśli. Czego ona dotyczyła?

– Chciałbym dzisiejszy egzamin uczcić, a nie mam z kim.

– Jak to nie ma pan z kim! Jest pan bardzo miły, przystojny i na pewno kręcą się koło pana dziewczyny.

– To prawda, kręcą się, ale żadna mi się nie podoba.

– Czeka pan na tę jedyną, tak?

– Właśnie – mówi Andrzej po krótkim namyśle, zerkając na Krystynę. – A powracając do mojej myśli, to z przyjemnością wypiłbym z panią lampkę wina.

– Tutaj, w pobliskim barze?

– Nie, bo nie ma w nim odpowiedniego klimatu.

– To wypijemy po drodze, w jakimś miłym lokaliku. Tylko że będę prowadziła samochód, więc w zasadzie nie mogę. Chociaż pół kieliszka wina, to za mało na mandat.

– Mam inną propozycję. Ale później ją pani zdradzę, jak będziemy w samochodzie i nie znajdziemy odpowiedniego lokaliku. A zresztą… Chodzi o moje mieszkanie.

– Pańskie mieszkanie?

– To znaczy nie moje, tylko wynajmowane. Jest bardzo ładne i słoneczne, na obrzeżach Warszawy, po drodze, w otoczonej drzewami willi.

Chce mnie zaprosić do siebie, czyli wziąć na chatę, pomyślała Krystyna z mieszanymi uczuciami.

– To bardzo ładne miejsce, pięć minut od szosy, blisko warsztatu, w którym ma pani samochód. Jest dzień, popołudnie, może się pani czuć bezpieczna. A w lodówce jest nie tylko białe wino, ale także szampan, ruski, bo ruski, ale szampan, Do tego dobra muzyka, jazz lub jakiś stary czy też najnowszy przebój, co pani będzie chciała. Proszę mi zaufać, nic się pani nie stanie. Posłuchamy muzyki, wypijemy po lampce wina, i to wszystko. Zgadza się pani?

– Jeszcze się zastanowię – oznajmia Krystyna, podnosi się z kocyka i zaczyna ubierać.

– Bardzo panią proszę – mówi Andrzej i też zaczyna się ubierać.

Krystyna się waha. Właściwie mogłaby do niego wpaść na chwilę, żeby mu nie robić przykrości. W okolicach, gdzie wynajmuje pokój, nikt ze znajomych nie mieszka, więc Kazik się nie dowie, że była w mieszkaniu poznanego na plaży chłopaka. Nic jej z jego strony nie grozi. Jest nieśmiały, dobrze wychowany i pełen szacunku dla niej. Na pewno zachowa się przyzwoicie, nie będzie jej molestował. A jeśli nawet, to się obroni, ćwiczyła karate i wie, jak się w takich sytuacjach zachować.

– Robię wspaniałą kawę – Andrzej spodziewając się odmowy, rzuca na szalę kolejny argument. – Takiej kawy jeszcze pani nie piła – przekonuje. – No, niech mi pani nie odmawia – błaga. – Proszę mi zaufać, zachowam się jak prawdziwy dżentelmen.

Krystyna już się zdecydowała.

– Biorę pana za słowo – mówi.

– Więc przyjmuje pani moje zaproszenie, tak?

– Tak.

Andrzej, który już ma na sobie spodnie, sięga po podkoszulek. Krystyna z przyjemnością patrzy na niego. Jest proporcjonalnie zbudowany i w słońcu wygląda jak grecki heros. Na piersiach puszyste włoski, na pewno miękkie i przyjemne w dotyku. Bardzo się jej podoba. Naprawdę musi uważać, żeby się z nim nie zapomnieć.

C1

Florek i dwaj pozostali lekarze wrócili z operacji i zadowoleni, że przebiegła pomyślnie, powtórnie szykowali się do wyjścia, gdy do gabinetu lekarskiego wpadła pielęgniarka i zwróciła się do Kazimierza Rogali:

– Panie doktorze, Józef stracił przytomność!

Kazimierz Rogala podrywa się z krzesła i szybkim krokiem, niemal biegiem zdąża w stronę sali, gdzie leży niedawno operowany przez niego pacjent.

– Myślałam, że wciąż jest pod narkozą – słyszy – więc byłam spokojna, ale w pewnej chwili coś mnie tknęło, mierzę mu ciśnienie, a ono stoi na trzydziestu i się nie podnosi.

Pacjenta natychmiast przetransportowano na stół operacyjny i ponownie otworzono mu brzuch. Stało się to, co rok temu zdarzyło się pacjentowi operowanemu przez kolegę Kazimierza Rogali: puściła podwiązka i krew dostała się do jamy brzusznej. Zrobiono wszystko, co w tej sytuacji trzeba i można było zrobić: zatamowano krwotok. Wtedy stanęło krążenie. Przystąpiono do uruchomienia akcji serca, używając do tego defibrylatora, ale nie przyniosło to pożądanego efektu i po trzech kwadransach zrezygnowano z przywrócenia pacjentowi życia.

Doktor Rogala opuścił salę operacyjną ostatni, i dopiero wtedy, gdy instrumentalistka współczującym dotknięciem ręki przypomniała mu, gdzie jest, i uświadomiła, że Józefowi, od którego nie mógł oderwać oczu, nic już nie pomoże. I że to, co jemu, początkującemu chirurgowi, się zdarzyło, może się zdarzyć każdemu, nawet najlepszemu lekarzowi.

D2

Po powrocie do domu, Anna K. przejrzała się w lustrze. Feliks z salonu powiedział, że w nowym uczesaniu zmieniła się nie do poznania. To samo stwierdziła pani Danusia, gdy zdjęła z jej twarzy maseczkę i wykonała makijaż, szczodrze obdarzając ją poradami w zakresie pielęgnacji urody. Każda z nas powinna o nią dbać, powiedziała, i to codziennie, bo nie wiadomo, kiedy i w jakich okolicznościach natrafi się na wybrańca swego serca. Ona chyba już na niego natrafiła, i to bez makijażu, w dawnym, jak zauważył Feliks, niewłaściwym uczesaniu. To jest zupełnie inne, modne, ale czy lepsze? Oceni to Katarzyna, która od pierwszego dnia ich znajomości namawiała ją nie tylko do zmiany ubioru, ale także uczesania i bardziej wyrazistego makijażu. Ten powinien się jej spodobać. Jeśli nie, to go poprawi. Zna się na nim znacznie lepiej niż ona i potrafi nadać oczom właściwy wyraz, a ustom, jak powiada, barwę zachęcającą do pocałunku. Nie chce takich ust. Przecież z panem Stefanem nie będzie się od razu całowała, pragnie najpierw poznać jego poglądy na świat i ludzi. Katarzynę nie obchodzą poglądy mężczyzn, czego innego u nich szuka – kasy i sprawności w łóżku. A że najczęściej nie da się tych rzeczy pogodzić, zmienia partnerów jak rękawiczki. Ostatnio ma dwóch – żonatego czterdziestolatka i studenta. Ponadto kocha się z przyjaciółką. Przekonała się o tym, gdy Katarzyna zobaczyła ją w skąpym stroju i podziwiając jej ciało, zaczęła ją dotykać i pieścić. Mało brakowało, a znalazłyby się w łóżku, mimo że nie była lesbijką i miłość z drugą kobietą uważała za grzeszną. W porę jednak się opanowała i delikatnie odsunęła Katarzynę od siebie. Po kilku dniach, podczas których sąsiadka dużo jej mówiła o miłości między kobietami, przenosząc ją nad miłość z brutalnymi bądź egoistycznymi mężczyznami, ponowiła próbę uwiedzenia jej, ale i tym razem bezskutecznie, co ochłodziło ich znajomość. Ocipliła ją dopiero jej historia w lesie. Katarzyna głęboko się nią przejęła i to jej troskliwa opieka, a nie wizyty u psychologa, wydobyły ją z mrocznej i zniechęcającej do życia gęstwiny wspomnień, wprowadzając na ścieżkę ku światłu, ku słońcu i życiu, na drogę, po której stąpała coraz śmielej i pewniej. Pomogło jej w tym duże zaangażowanie w studia, później w pracę, ale głównie towarzystwo sąsiadki. Przez blisko pół roku spędzały ze sobą prawie wszystkie popołudnia, nierzadko także wieczory. Potem też się często widywały, albo u niej, albo w mieszkaniu Katarzyny, ale na ogół na krótko, bo była zajęta przygotowaniami do końcowych egzaminów, potem nauką angielskiego, a Katarzyna chodziła na imprezy, po których uskarżała się na ból głowy i nie była usposobiona towarzysko. Miały różne podejście do życia i dużo na ten temat rozmawiały, i to zarówno w ciągu tamtego półrocza, jak i później, gdy tylko jej sąsiadka miała wolny wieczór i chciała porozmawiać o niej czy też o sobie, o swoim życiu i związanych z nim problemach. Była nieślubnym dzieckiem, ojca ostatnio widziała, gdy miała trzy lata. Pojechał do Australii, skąd nie wrócił, przesyłając jej matce pieniądze na wychowanie córki. Dzięki nim ukończyła studia ekonomiczne i kupiła własne mieszkanie. Ojciec myślał o niej, co roku przysyłał jej świąteczne prezenty, ale go nie widywała i w zasadzie nie znała. Pewnie dlatego miała inklinację do starszych mężczyzn. Jej pierwszy kochanek był od niej starszy o piętnaście lat. Długo się ze sobą spotykali, także wtedy, gdy się ożenił. Przestali się widywać, kiedy urodził mu się syn i scementował jego małżeństwo, a ona podjęła studia. Wtedy, nie od razu, lecz dopiero po roku, związała się z asystentem. Zerwali ze sobą, gdy zaczęła pracować w banku, gdzie poznała Zygmunta, dyrektora dobrze prosperującej firmy. Był żonaty, toteż rzadko się z nim spotykała, raz, dwa razy w tygodniu. Pozostałe dni przeznaczała na imprezy i leczenie kaca. Imprezowała w gronie kolegów z banku i ze studiów. Z kilkoma z nich się kochała, lecz okazjonalnie, jeden raz, gdyż miała stałego partnera, Zygmunta, z którym łączyło ją coś więcej niż łóżko. Na jednej z imprez poznała Ninkę, mężatkę z dzieckiem i pociągiem do kobiet. Dowiedziała się o tym, gdy odprowadziła ją do domu, w którym akurat nie było męża, gdyż pojechał z dzieckiem do swojej matki. Wyciągnęła z lodówki szampana i przygotowała kąpiel. Kąpały się razem, w jednej wannie, popijając szampana. W czasie kąpieli Ninka ją dotykała i podziwiała jej włosy, piersi i płaski brzuch, co sprawiało jej przyjemność. Lecz to, czego doznała, gdy położyły się na tapczanie i Ninka zaczęła ją pieścić, a potem ona ją, było wielekroć przyjemniejsze. Świat, w który wkroczyła z Niną, był znacznie bogatszy niż ten, w który wprowadzali ją mężczyźni. Od tej pory spotykały się przynajmniej dwa razy w miesiącu. Spotkań z Zygmuntem jednak nie zaprzestała, bo i z nim lubiła się kochać. I oto poznała Mirka, studenta medycyny, który odprowadził ją do domu, niemal siłą posiadł i kochał inaczej niż Ninka, ale też inaczej niż Zygmunt i jej wcześniejsi partnerzy. Długo, intensywnie i na różne sposoby, łącznie z tym, którego wcześniej nie praktykowała, nawet sobie nie wyobrażała, przekonana, że jest on przypisany gejom. Z początku ją bolało, ale potem już nie; gdy zasnęła, spała jak zabita, a rano czuła się znakomicie. I choć w kontaktach z Mirkiem czegoś jej brakowało, spotkała się z nim drugi raz, trzeci i kolejny. O Zygmuncie i Nince Anna wiedziała od dawna, ale o Mirku dowiedziała się trzy miesiące temu, mimo że Katarzyna sypiała z nim od pół roku.

– Zatem kochasz się z Ninką i dwoma facetami – zareagowała na wyznanie Katarzyny. – To nie w porządku, nie uważasz?

– Chyba masz rację.

– Więc wybierz któreś z nich.

– Szkopuł w tym, że nie wiem którego. Zygmunt jest czuły, dba o mnie i kupuje mi prezenty, a Mirek to wspaniały kochanek, niesamowity w łóżku.

– Wiedzą o sobie?

– Nina wie o Zygmuncie, a o Mirku nie. Zygmunt też nie. Mirek natomiast chyba domyśla się istnienia Zygmunta, bo dzwonił, kiedy ten u mnie był, a niedawno pukał do drzwi, tylko mu ich nie otworzyłam.

– Zygmunt słyszał?

– Słyszał, ale mu powiedziałam, że to natrętny sąsiad, którego nie chcę widzieć na oczy. Poradź, co mam zrobić?

– Mirek jest dla ciebie za młody.

– Miłość z nim to majowa burza, po której spada z nieba ożywczy deszcz. Z kolei Zygmunt to łagodny wietrzyk.

– Ale jest żonaty.

– Właśnie. Z drugiej strony to nawet dobrze, bo dużo zarabia i jak zrobi mi dziecko, zapewni mu przyszłość.

– Nie wolno ci tak myśleć. Na twoim miejscu zerwałabym i z jednym, i z drugim, a potem znalazła sobie innego mężczyznę, wolnego, który by się nadawał i do łóżka, i na ojca.

– Pomyślę o tym. Tobie też przydałby się dzidziuś, no i facet, z którym mogłabyś go mieć. Ale najpierw musisz zmienić uczesanie i wyeksponować swoje walory. Jak będziesz się ubierać jak zakonnica, nie poleci na ciebie żaden mężczyzna.

– A ty jak będziesz kręciła tyłkiem i kochała się na zmianę z żonatym facetem i studencikiem, nie znajdziesz kandydata na męża.

– Wcale go nie szukam.

– A ja chyba dojrzałam do tego, więc posłucham twojej rady i zacznę się inaczej nosić, nie tak jak dotąd.

Anna K. przeszła do pokoju, otworzyła szafę, zdjęła z wieszaka kupioną za radą przyjaciółki spódnicę, przymierzyła ją. Przylegała do bioder oraz ud i dopiero przed samymi kolanami się rozszerzała. W niej pójdzie do kawiarni, bo idealnie pasuje do bluzki, którą będzie musiała rozpiąć, żeby przynajmniej pokazać sprezentowany jej przez matkę naszyjnik z pereł. Bransolety nie założy, gdyż bluzka ma długie rękawy, nie będzie jej widać. Chyba wygląda wystarczająco atrakcyjnie. Pokaże się przyjaciółce, niech ona to oceni. Jak usłyszy, że umówiła się ze Stefanem, będzie zszokowana. W szkole była jego uczennicą i na pewno dużo o nim wie. Ciekawe, co?

B

Stąpając cicho na palcach Grzesiek, który po powrocie ze szkoły usunął ślady krwi po gąsiorze – a krew była wszędzie, na całym korytarzu, bo jak powiedziała sąsiadka, została rozdeptana – i dostał za to od matki jego skrzydełko, zdąża w stronę drzwi do łazienki, gdzie bierze prysznic kuzynka Hania, która strasznie mu się podoba i na jej widok często kręciło mu się w głowie. A oglądał ją najwyżej w majtkach i biustonoszu, nigdy nagą. W ogóle nie widział dotąd nagiej kobiety. Na obrazkach i w Internecie tak, ale w realu nie widział nawet nagiej matki. Rok temu miał okazję, bo matka po kąpieli zasnęła na tapczanie, owinięta ręcznikiem kąpielowym, więc wystarczyło go uchylić, żeby zobaczyć to, co go od dawna intrygowało, lecz gdy zbliżył się do tapczanu, potknął się o dywan i runął jak długi na podłogę. Ale matka to matka, żadna rewelacja. Co innego Hanka. Przyszła do nich, aby się wykąpać, bo w akademiku, gdzie mieszka, wyłączono ciepłą wodę. Wczoraj też u nich była i się kąpała, ale akurat wtedy, gdy w pokoju przebywali rodzice. Teraz są na balkonie, więc wreszcie zobaczy ją nagą i przekona się, czy faktycznie nie ma tam włosków. Bo niedawno to powiedziała, oczywiście nie jemu, tylko mamie, ale był w przedpokoju i usłyszał, że na podbrzuszu nie ma uwłosienia. Beata, siostra kolegi z klasy, też tam go nie ma, ale jest mała, a Hanka dorosła. Czyżby się goliła? Ojciec się goli, ale nie tam. Po co ona to zrobiła? I jak to u niej wygląda?

Grzesiek, który niedawno postanowił, że wejdzie w nocy na dach i z niego, a nie z okna Franciszka będzie oglądał lot Szulca, dotarłszy do drzwi łazienki, przykłada oko do dziurki od klucza i z wrażenia wstrzymuje oddech.

D1

Sprawa gwałtu na Agatce potoczyła się szybko i lepiej niż przypuszczał. Matka nieszczęsnej dziewczyny nie miała do niego żalu, a matki Dominika i Leszka przyznały, że ich synowie przekroczyli wyznaczone im granice i muszą zostać ukarani. Prosiły go, żeby się za nimi wstawił i dał im dobrą opinię, aby sąd ograniczył ich pobyt w zakładzie poprawczym do roku, najwyżej dwóch lat, co obiecał kobietom tym chętniej, że chłopcy przykładali się do nauki, na lekcjach zachowywali się nienagannie i żaden z nauczycieli nie skarżył się na nich. Prosiły też matkę Agatki o przebaczenie, obiecując jej wysokie odszkodowanie na pokrycie kosztów opieki ze strony wybitnego psychologa, specjalizującego się w podobnych sprawach. Oczywiście chłopakami zajęła się policja i osadziła ich w areszcie. A Agatką on się zaopiekuje i poprosi klasę, żeby okazała jej zrozumienie i pomoc.

Porozmawiał jeszcze chwilę z rodzicielkami trojga swoich uczniów, zamienił kilka słów z dyrektorem szkoły i opuściwszy ją, podążył do domu. Była godzina siedemnasta. O dziewiętnastej czekało go spotkanie z Anną.

C2

W niewielkim pokoju, pełnym blasku popołudniowego słońca, cicho rozbrzmiewa spokojny, refleksyjny jazz, rodem ze Skandynawii. Krystyna i Andrzej siedzą na wersalce, sącząc z kieliszków białe wino.

– Smakuje pani? – pyta Andrzej.

– Jest znakomite, chłodne i smaczne jak rzadko które.

– Bułgarska Sofia, tylko ją pijam, bo tania i dobra.

– Chyba i ja na nią przejdę, bo te, które kupuje lub dostaje mąż, nie są od niej lepsze, choć francuskie.

Miała spędzić u Andrzeja tylko pół godziny, nie dłużej. Tymczasem pół godziny już minęło, a ona wciąż u niego siedzi. Co więcej, wcale się jej nie chce wyjść, mimo że wypiła zaledwie pół lampki, za pomyślnie zakończoną przez Andrzeja sesję egzaminacyjną. Ale czy w tym coś złego? Absolutnie nie. Czuje się tu dobrze i bezpiecznie, więc niby dlaczego miałaby już iść. Bierze z wersalki kolorową poduszeczkę i podłożywszy ją pod plecy, wyciąga przed siebie nogi.

– Co teraz? – pyta Andrzej, gdy zakończył się ostatni utwór na płycie.

– A co pan ma?

– Klasykę jazzu i jazz nowoczesny.

– Ma pan Armstronga?

– Jasne, cały long.

– Naprawdę! – cieszy się Krystyna. – To niech go pan puści.

– Już się robi.

Louis Armstrong to jej ulubiony muzyk i piosenkarz, jeszcze z czasów, gdy chodziła do szkoły i była kilkanaście lat młodsza. Potem miała innych ulubionych piosenkarzy, ale ten zawsze był dla niej pierwszy. Mogła go słuchać codziennie i nigdy się nim nie znudziła. Nie umie powiedzieć dlaczego, ale przy Armstrongu czuła się wyzwolona i zupełnie inna. Słyszała, że młode dziewczyny podczas słuchania Beatlesów stawały się bardzo swobodne i łatwo oddawały się chłopcom. Podobnie było i jest z nią przy Armstrongu. Oczywiście nie pobudza ją do tego stopnia, żeby natychmiast miała stracić panowanie nad sobą i zapomnieć o wszystkim, niemniej ją wyzwala i czyni swobodniejszą.

Andrzej nastawił Armstronga, po czym napełnił swój kieliszek winem i spojrzał na nią tak, jakby chciał jej coś powiedzieć, tylko nie śmiał.

– O czym pan myśli?.

– O pani.

– Bardzo pan miły. A co pan o mnie myśli?

– To, że bardzo mi się pani podoba i że chciałbym wypić z panią bruderszaft.

Na to może sobie pozwolić. Ale tylko na to, na nic więcej.

– Nie mam nic przeciwko temu – mówi.

– Więc zgadza się pani!

– Oczywiście.

Andrzej bierze ze stołu kieliszki z winem i jeden, ten, z którego już piła, wręcza jej, drugi zatrzymuje w dłoni. Uśmiechając się do siebie, krzyżują ręce.

– Do dna! – mówi Andrzej.

– Do dna?

– Koniecznie.

Podnoszą kieliszki do ust i wychylają je do końca, po czym odstawiają na stół, Andrzej nieśmiało ją obejmuje i całuje w usta, które natychmiast oddają mu pocałunek i odrywają się od jego warg, a potem powracają do nich i łączą się z nimi w długim, bardzo długim pocałunku, po którym patrzą na siebie zdziwieni i oszołomieni.

– Kry-sty-na – wymawia wolno Andrzej, jakby się jej imienia uczył i chciał je zachować w pamięci.

– An-drzej – wymawia podobnie ona, bierze do rąk jego dłoń, przykłada ją do swojej policzka, potem piersi

Głowy ich wolno podążają ku sobie i usta łączą się w kolejnym pocałunku, a z głośnika rozbrzmiewa ochrypły głos Armstronga.

C1

Doktor Rogala siedzi nad książką operacyjną. Musi dokonać wpisu, ale jak na razie, niczego nie napisał. Jest zdruzgotany, nie udała mu się pierwsza trudna, najtrudniejsza w jego praktyce lekarskiej operacja. Józef, z którym nawiązał bliski, niemal przyjacielski kontakt, nie żyje. Gdy przechodził korytarzem, minął Wojtczaka, swojego pacjenta, którego łóżko sąsiadowało z łóżkiem Józefa. Wojtczak popatrzył na niego pytająco, a on opuścił głowę, gdyż nie śmiał spojrzeć mu w oczy. Na kolegów lekarzy też nie śmie. Ordynator go przy nich chwalił, mówiąc, że jest bardzo zdolny i ma wyjątkowo sprawne ręce, a on nie poradził sobie z tą przeklętą śledzioną, z którą taki na przykład Florek nie miałby żadnych problemów. Co z niego za chirurg! Żaden! Lepiej by było, gdyby specjalizował się w internie lub neurologii. Ma sprawne ręce, ale to nie wystarczy, żeby być dobrym chirurgiem. Potrzeba czegoś więcej, lecz czego, sam nie wie. W każdym razie jako chirurg poniósł porażkę i czuje się mniej więcej tak, jak dwanaście lat temu, gdy Barbara, w której od kilku miesięcy się kochał, spojrzała na niego z dezaprobatą i dała do zrozumienia, że powinien się ubrać i już sobie pójść, bo ją rozczarował. Mówił, że ją kocha jak żadną inną dziewczynę w swym życiu, więc mu uwierzyła i pozwoliła się dotykać i całować, a gdy ściągnął z niej wszystko co miała na sobie, pozwoliła mu także na to, czego podobno tak gorąco pragnął, a czego nie potrafił osiągnąć. Swymi gorączkowymi pieszczotami doprowadziwszy do miłosnego wrzenia, zawiódł ją i nie sprostał sytuacji, w jakiej przed nim inni, którzy tyle co on nie mówili o swej miłości, za to sprawdzali się jako mężczyźni, sprawiając jej rozkosz. Nie tak znów wielką, o jakiej z błyszczącymi oczami mówiły koleżanki, niemniej rozkosz, po której będąc z nimi w dłuższym lub krótszym locie, opadała miękko na ziemię i czuła się zaspokojona. Tymczasem on, z którym spodziewała się odbyć podniebną podróż, taką jak jej koleżanki, przygotowawszy ją do niej, zostawił samą, rozedrganą, z rozpostartymi skrzydłami, gotową do lotu, z którego przez niego musiała zrezygnować i wrócić do rzeczywistości tym przykrzejszej, że naznaczonej jego nieznośną obecnością, jego poczuciem porażki i winy.

Tak później, na wspomnienie o tym, tłumaczył zachowanie zawiedzonej Barbary. Patrzyła potem na niego z pogardą, a potem obojętnie lub lekceważąco, zwłaszcza przy kolegach. Nie była jego pierwszą dziewczyną, przed nią miał inne, dużo ich miał, z wieloma sypiał i wszystkie potrafił zaspokoić, tylko jej nie. A przecież bardzo ją kochał, do tamtego czasu ją pierwszą i jedyną. Teraz wie, że właśnie dlatego nie mógł, nie był w stanie sprostać jej pragnieniom, kompromitując się w jej oczach jako mężczyzna.

I właśnie to z Barbarą mu się teraz przypomniało, ta wstydliwa wpadka, która później długo go prześladowała. Dzisiejsza też go będzie prześladować. Niełatwo przyjdzie mu wymazać ją z pamięci. Będzie mu o niej przypominać ten zeszyt, a w najbliższym czasie Wojtczak i inni pacjenci z sali Józefa, a także łóżko, na którym ten leżał – to pod oknem, z lewej strony. Ordynator go ostrzegał przed tą operacją i radził, żeby wziął pod uwagę wiek pacjenta, bo ten jest stary i ma kruche naczynia, więc przewiązana nicią tętnica może pęknąć. I tak się stało. Pękła, zaczęła się sączyć krew i pacjent się wykrwawił do jamy brzusznej – przez niego, ponieważ zbyt mocno zacisnął podwiązkę. Nic mu za to nie grozi, nikt mu nie przypisze i nie udowodni winy, bo coś takiego jest wpisane w ryzyko zabiegu i zdarza się nawet najlepszemu chirurgowi, niemniej czuje się winny śmierci Józefa, bo nie wziął pod uwagę jego wieku i rad ordynatora. Śledzionę trzeba było usunąć, to oczywiste, gdyż nastąpił tak duży jej przerost, że groziło to pęknięciem śmiertelnym wykrwawieniem się pacjenta, który niezupełnie zdawał sobie sprawę z niebezpieczeństwa. Ale czasami lepiej żyć w nieświadomości albo liczyć na szczęście, niż zdać się na ryzyko związane z operacją. Józef się na nie zdał, zaufał mu, bo usłyszał od niego, że operacja z pewnością się uda, był przekonany, że po operacji będzie mógł coś jeszcze zrobić, coś z siebie dać. A on go zawiódł, pogrzebał jego nadzieje i plany. I siebie przy tym pogrzebał, swoje wielkie ambicje bycia dobrym, najlepszym w szpitalu chirurgiem – i to w pierwszej poważnej operacji, którą przeprowadził jako operator, a nie asystent.

C2

Leżą obok siebie nasyceni i szczęśliwi. Ręka Andrzeja, z początku nieśmiała, niezdarna i delikatna, w miarę upływu czasu nabierająca odwagi i coraz zręczniej poruszająca się po nieznanych mu dotąd rejonach ciała Krystyny, odkrywanych z jej cichym pojękiwaniem, spoczywa teraz na jej nabrzmiałym i lekko spoconym brzuchu, chcąc się nacieszyć jego uległością i swoim nad nim zwycięstwem.

To, co niedawno przeżył, przeżył pierwszy raz w życiu. Dotąd bowiem był prawiczkiem. Koledzy z roku o tym nie wiedzieli, dziewczyny chyba też. Jedne spoglądały na niego z kpiną w oczach i na jego widok coś z uśmiechem szeptały, inne mu się narzucały i koniecznie chciały się z nim umówić, i to nie w kawiarni, ale u u siebie w domu, napomykając, że mają wino i najnowsze nagrania tego czy innego idola rocka lub muzyki pop. Ale on zawsze znajdował pretekst, żeby im odmówić. Unikał także domowych imprez, a to przez Teresę, koleżankę z liceum, w której się kochał, chodził z nią na kawę i do kina, gdzie ją dotykał i całował, aż do dnia, gdy podczas imprezy w domu Zenka wyszła z nim z sypialni jego rodziców, wyszła z potarganymi włosami, rozpiętą bluzką i zmiętą spódniczką. Zdradziła go z przyjacielem, przyznała się do tego, ale i przyjaciel go zawiódł. Zerwał wtedy ich długoletnią przyjaźń, zerwał też z Teresą, choć potem, tłumacząc, że była pod wpływem alkoholu i trawki i nie wiedziała, co się dzieje, chciała dalej z nim chodzić. Od tej pory przestał bywać na imprezach, zwłaszcza tych z alkoholem i wspólnym ćpaniem. Zaczął też stronić od dziewcząt, za co babcia go pochwaliła, gdyż jej zdaniem współczesne dziewczyny były zepsute, nie warte takiego młodzieńca jak on. Matka też nie chciała, żeby się z dziewczynami spotykał, bo był na to za młody, no i miał przed sobą studia, w których mogły mu przeszkodzić. Również starsza siostra mu je odradzała. Chyba, że – mówiła – spotkasz tę jedyną, wybraną, którą od pierwszego wejrzenia pokochasz i po kilku latach, gdy się upewnisz w swojej miłości, poślubisz. Wszystkie trzy go uwielbiały i patrzyły na niego jak w obrazek. Babcia uczyła go dobrych manier i opowiadała o dawnych czasach, pięknych i szanujących się kobietach i szlachetnych, pełnych odwagi i godności mężczyznach. Matka bardzo długo układała go do snu, opowiadała bajki i całowała na dobranoc, a siostra często brała go na kolana, tuliła i pieściła. Ojciec był o niego zazdrosny, ale w domu nie miał nic do gadania, rządziły w nim kobiety, sprowadzając jego rolę do przynoszenia pieniędzy na ich utrzymanie. Kiedyś, tuż przed maturą, spytał go, czy spał z jakąś dziewczyną, a gdy się dowiedział, że nie, poradził, żeby skorzystał z usług jakiejś prostytutki, przekonał się, jak to jest i umiał się obchodzić z kobietami. Dał mu wtedy dwieście złotych.

Tyle to kosztuje – powiedział. – Poszedłbym z tobą, ale nie mogę, idź z kolegą. Poszedł z Karolem, który się na to zgodził tym chętniej, że znał taką, co za dwieście złotych obsłuży dwóch, i to po kolei, a nie za jednym razem. Tak też się stało, a właściwie miało się stać, bo gdy zobaczył, jak kolega to robi, ujrzał przed oczami Teresę oraz Zenka i nie czekając na swoją kolej, wyszedł. Ojcu jednak powiedział, że ma to już za sobą. Wtedy ojciec podał mu rękę i oznajmił, że jest już mężczyzną. Nie był jeszcze mężczyzną, czego się wstydził, ale choć chciał, nie próbował tego zmienić. Bał się kompromitacji, podobnej do tej, jaka spotkała innego kolegę, który na imprezie nie sprostał sytuacji i dziewczyna, z którą poszedł do drugiego pokoju, wyszła z niego pierwsza, oznajmiając ze śmiechem, że Benek jest do niczego, co naraziło go na kpiny i spowodowało, że zmienił szkołę i jak mu wiadomo, wciąż jest prawiczkiem.

A on już nim nie jest. Stało się to tak łatwo, że nie rozumie, dlaczego dotąd tego unikał. Pierwsze zbliżenie z kobietą, pierwsze spełnieni, tym wartościowsze, że się w nim sprawdził, udowadniając, i to nie tylko sobie, że jest prawdziwym mężczyzną, zdolnym sprawić kobiecie rozkosz i samemu jej doznać, we wspólnym, jednoczącym uścisku.

Leżąc z ręką na nabrzmiałym i wilgotnym brzuchu Krystyny, przeżywa swoje wielkie, długo wyczekiwane szczęście. Czuje się silny i pożądany. Ma wrażenie, że jest zdolny dokonać najtrudniejszych rzeczy. A to jego poczucie siły jest tak wielkie, że wypełnia go całego i aż prosi się, aby je wykrzyczeć na głos, albo wybiec z nim na ulice i obnieść po mieście.

Krystyna bierze jego dłoń i przyłożywszy do ust, z wdzięcznością obcałowuje. A ona znowu rusza w drogę, tym razem już sobie znaną, bez uprzedniej nieśmiałości, i wędrując po jej ciele obdarza je pieszczotami. Kiedy zaś dociera do ud, a następnie sromu, Krystyna nie tylko rękę, lecz jego całego przyciąga do siebie. A on czując, że znowu jest gotowy, chwyta w uścisk lgnące do niego ciało i wchodzi w jego głąb, witany radosnym westchnieniem.

C1

Doktor Rogala wciąż przebywa w szpitalu i wciąż nie może się otrząsnąć z poniesionej porażki. Załamany nią zadzwonił do poradni, informując, że się spóźni. Najchętniej odwołałby dzisiejsze przyjęcia, ale nie może, pacjenci są zapisani, musi ich przyjąć. Tylko jak on sobie z tym poradzi? Przejdzie się po parku, może w nim dojdzie do siebie. Zmarł operowany przez niego Józef. Jego żona jeszcze o tym nie wie, ale jak się dowie, będzie chciała z nim rozmawiać. Co on jej powie? Że zrobił to, co powinien, ale z niewiadomego powodu nastąpił krwotok i choć zastosowano wszystkie środki, nie udało się męża uratować. Jak jej to powie, ona mu przypomni ich ostatnią rozmowę, w której przekonywał ją do operacji, mówiąc, że na pewno się uda. Józefowi też to powiedział. A ordynatora, który z początku chciał, żeby Florek ją przeprowadził, zapewnił, że da sobie radę.

– Wolałbym, żeby kolega zajął się wyrostkiem, albo i przepukliną – rzekł ordynator – bo już je pan operował, a przy śledzionie tylko asystował, więc lepiej by było, gdyby wyciął ją Florek.

– Panie ordynatorze – powiedział – ze śledzioną też sobie poradzę. A Florek niech mi asystuje.

Dotąd on asystował Florkowi, i to wiele razy, więc chciał, żeby z kolei Florek mu asystował, i to nie przy wyrostku, tylko właśnie przy śledzionie.

– Zgoda – rzekł ordynator. – Ale proszę pamiętać, pacjent jest bardzo stary i ma kruche naczynia.

Zwrócił mu na to uwagę także dzisiaj, i to dwa razy.

– Już omawialiśmy tę operację – powiedział, zanim poszedł do sądu. – Mówiłem, żeby wziął pan pod uwagę wiek pacjenta. Pan Józef jest już bardzo stary i zmiażdżycowany. Proszę o tym pamiętać

Czy pamiętał? Anestezjologowi spieszyło się na mecz, patrzył mu na ręce, dając do zrozumienia, że od nich, od ich sprawności zależy jego obecność na nim. Patrzył mu na ręce także Florek, któremu kiedyś, w obecności innych lekarzy, udowodnił braki w wiedzy medycznej. Na sali operacyjnej w głęboko osadzonych, zimnych oczach Florka wyczuł wrogość. Pomyślał, że ten życzy mu niepowodzenia. Przemknęło mu to przez głowę w momencie, gdy wykonywał przewiązkę na tętnicy. I pewnie dlatego zbyt mocno ją zacisnął, zapominając o tym, co ordynator kazał mu mieć na uwadze. Zerknął na spozierające z nad maski wrogie oczy i zacisnął przewiązkę. Zacisnął ją tak mocno, że ta prawdopodobnie spowodowała jakieś mikrouszkodzenie, które stopniowo się powiększało. W końcu tętnica pękła w poprzek albo wzdłuż i doszło do krwotoku.

– Napije się pan kawy? – zwróciła się do niego pielęgniarka, zajrzawszy do gabinetu.

Nie zareagował. Dotarł do jego uszu czyjś głos, ale czyj, do kogo skierowany i co wyrażał, tego sobie nie uprzytomnił.

– Panie doktorze!

Jest doktorem, ale czy na pewno? I co ta kobieta od niego chce, czego żąda?

– Słucham – odezwał się.

– Pytałam, czy napije się pan kawy?

Tak, napiłby się, ale nie kawy, tylko czegoś mocnego, żeby nie myśleć, żeby zapomnieć.

– A nie ma nic innego? – pyta na pół przytomnie, zapomniawszy, że jest w szpitalu.

Pielęgniarka nie odpowiedziała.

– Proszę o szklankę zimnej wody – mówi, uświadomiwszy sobie, że ma przed sobą pielęgniarkę.

Pielęgniarka podaje szklankę z wodą mineralną, którą on natychmiast wychyla.

– Jeszcze? – pyta pielęgniarka.

Skinieniem głowy mówi „tak", więc pielęgniarka ponownie napełnia szklankę i patrzy na niego wyrozumiałym wzrokiem. To przez nią się to stało. Gdyby wcześniej zareagowała na stan Józefa, udało by się go uratować, w każdym razie byłyby na to większe szanse.

– Za późno pana doktora powiadomiłam. Myślałam, że Józef wciąż jest pod narkozą i śpi – powtarza to, co już mu raz czy dwa powiedziała. –Wyglądał jak mój dziadek, co lubił sobie długo pospać, więc pomyślałam, że i on lubi, no i po narkozie musi. Do głowy mi nie przyszło, że to co innego.

– To nie pani, tylko moja wina – mówi.

– Wcale nie. Pan doktor go zoperował, bo dokuczała mu ta okropna śledziona i chciał się jej pozbyć.

– Namówiłem go do tej operacji.

– I słusznie, innego wyjścia nie było. A co do namowy, to pan doktor mu tylko powiedział, że można to paskudztwo usunąć. On sam się na to zgodził, nikt go do tego nie zmuszał. Mówiłam mu, że z operacjami różnie bywa, a on na to, że każdą przetrzyma, bo ma silny organizm. I powiedział też, że wiele razy w życiu ryzykował, więc i z tą śledzioną zaryzykuje, bo lubi ryzyko, ma je we krwi i czułby się źle, gdyby się go przestraszył.

Pielęgniarka ogarnęła go serdecznym spojrzeniem, takim jak spojrzenie ciotki, dotknęła jego dłoni.

– Wiem, że pan doktor go lubił, wszyscy go lubili, ja też, ale był już bardzo stary, miał białaczkę i pożyłby co najwyżej rok, nie więcej.

– Każdy rok życia się liczy, każdy miesiąc, tydzień, a nawet dzień. Mamy tylko jedno życie, drugiego nikt nam nie da.

– Bóg może je dać, i daje, każdemu takie, na jakie zasłużył. A pan Józef pomagał innymi zasłużył na to drugie, piękne życie, najlepsze z możliwych.

Pielęgniarka jeszcze coś powiedziała i opuściła gabinet. Przeszedł się po nim, po czym nieco uspokojony, dokonał wpisu do książki operacyjnej. Odnotował tylko to, co w takich okolicznościach się odnotowuje, krótko i zwięźle, bez rozwodzenia się nad przyczynami śmierci pacjenta. Oczywiście nie napisał, że czuje się jej winny. Nikt tego nie pisze, a przecież niemal wszyscy mają na sumieniu podobną wpadkę. Romek też ją miał, mimo że jest lepszym od niego operatorem. Każdy musi przez to przejść, powiedział, każdemu ktoś po operacji lub jeszcze na stole umiera. Dobry z niego przyjaciel, niezawodny, wypróbowany. Studiowali na jednym roku i znają się jak łyse konie. W szpitalu na Pradze ma jeszcze jednego przyjaciela, Krzysztofa, na którego też może liczyć. Z nich trzech, Krzysztof ma najdłuższą praktykę i jak na razie jest najlepszy. Zdaje się, że dziś ma dyżur. On jutro także miał go mieć, ale jak Romek zobaczył, że się rozkleił, powiedział, że zastąpi go również przed południem. To dobrze, bo niezręcznie by się czuł podczas rannego obchodu i potem przez cały dzień i noc, zwłaszcza w sali, gdzie leżał Józef. Wciąż ma przed oczami jego twarz ze szramą na prawym policzku i słyszy jego słowa: „Jak wyjdę ze szpitala, zajmę się rodziną. Żona mi ciągle mówiła, że mam czas dla innych, a w domu jestem gościem. I miała rację, za mało czasu poświęcałem rodzinie, żonie, dzieciom, wnukom. Muszę to nadrobić. Dalej będę się opiekował chłopakami z rozbitych rodzin, ale będę więcej dbał o swoją własną. Mam na to niewiele czasu, kilka lat, muszę je dobrze wykorzystać. Muszę nadrobić zaniedbania wobec synów i ich dzieci. No i wobec żony, której zbyt mało czasu poświęcałem, stanowczo za mało". On też za mało czasu poświęcał swojej, zwłaszcza ostatnio, gdy ważniejsza dla niego była praca i kariera zawodowa. Chyba zrezygnuje z pracy w poradni, albo zmniejszy o połowę liczbę godzin, i będzie więcej czasu spędzał z Krystyną, no i zgodzi się na dziecko. Już dawno mogli i powinni je mieć po pierwszym roku małżeństwa Krystyna zaszła w ciążę, ale ją poroniła po wizycie u jego koleżanki, którą jej polecił. Nie chciał wtedy mieć dziecka, bo zaplanował sobie drogę do kariery zawodowej, w której ono mogłoby mu przeszkodzić. Krystyna też nie była na nie przygotowana, gdyż podjęła przerwane studia na socjologii, do czego gorąco ją namawiał. Za niecały rok je ukończy, więc wtedy pomyślą o dziecku, może nawet wcześniej. A póki co, ograniczy swą pracę w poradni i będzie więcej czasu spędzał z żoną, żeby na starość nie wyrzucać sobie zbyt małe zainteresowanie rodziną, jak Józef.

– Panie doktorze – ponownie usłyszał głos pielęgniarki – chce się z panem zobaczyć żona pana Józefa.

– To ona już tu jest! – rzucił przerażony perspektywą rozmowy z żoną zmarłego pacjenta. – Wie?

– Jeszcze nie.

Będzie jej musiał powiedzieć – już teraz, dwie godziny po śmierci Józefa, gdy wciąż ją przeżywa i nie może się otrząsnąć z poczucia winy.

C2

Ma dwadzieścia lat i jest piękny jak sam Apollo, a dotąd nie trzymał w ramionach kobiety, ona była pierwsza. Nie kochała się z takim chłopcem, wszyscy mieli za sobą ten pierwszy raz, niektórzy na koncie kilka czy nawet kilkanaście dziewczyn. A on był prawiczkiem. Gdyby jej tego nie powiedział, nie przyszłoby to jej go głowy, Fakt, był na początku trochę nieśmiały i niezręczny, ale później wspaniały. Nie sądziła, że tak z nim będzie. W ogóle nie sądziła, że będą się kochać. Myślała, że tylko sobie porozmawiają i kieliszkiem wina uczczą jego egzamin, i na tym zakończą znajomość, ewentualnie będą ją kontynuować na Mazurach, za wiedzą i w obecności Kazika. Tymczasem…

– Napijesz się? – dochodzi do jej uszu głos Andrzeja, który pali jej papierosa i spogląda na butelkę, w której jeszcze jest wino. Wypili mało, mniej niż pół butelki. Nie potrzebowali więcej, żeby czuć się dobrze.

– Chętnie – odpowiada Krystyna, choć wie, że nie wolno jej pić, bo prowadzi wóz i może spowodować wypadek.

Andrzej podnosi się z tapczanu i Krystyna widzi, jak sięga po butelkę, napełnia kieliszki winem i trzymając je w dłoniach zbliża się do niej i staje naprzeciw. Pięknie opalone piersi i uda, ale podbrzusze białe, pokryte kłębiącym się włoskiem, spomiędzy których wygląda zwierzątko z czerwonym łebkiem. To najmilsze na świecie stworzonko, ten członeczek skwapliwie obdarzający rozkoszą, ten malutki człowieczek, idealnie przystosowany do swej naturalnej funkcji, którego w myślach ochrzciła i nazwała Andruskiem.

– Proszę!

Odbiera od Andrzeja lampkę z winem i pije niewielki łyk, delektując się smakiem półsłodkiej Sofii.

– Zapalisz?

– Tak.

Z papierosami w ustach leżą obok siebie w milczeniu, każde kontemplując to, co było niedawno i to, co jest teraz.

– Jak się czujesz?

– Och, Andrzejku!

Obraca głowę i całuje Andrzeja w policzek. Jak inaczej może to wyrazić? Na to nie ma słów. Tego, co z nim doznała, nigdy dotąd nie przeżyła, nawet w pierwszym okresie małżeństwa. Nie sądziła. że tak może być, że tak można to przeżyć. To, czego doświadczyła i doświadcza, jest niewyrażalne. To po prostu jest tym, za czym podświadomie tęskniła, nie wyobrażając sobie, że można się w tym tak zatracić i jednocześnie wyrazić i zespolić z drugą osobą, znaleźć wspólny język, wspólne, jednoczące słowa i gesty. Za pierwszym razem przyszło to tak nieoczekiwanie, że nie była zdolna do żadnego ruchu, może nawet straciła przytomność, sama już nie wie. Pamięta tylko, że naraz przeszedł przez nią przejmujący dreszcz i przejęta nim cała i obezwładniona leżała nieruchomo i nie zdawała sobie sprawy, co się z nią dzieje. Tak było za pierwszym razem. Dopiero potem i jeszcze raz potem zaczęła to przyjmować z pełną świadomością. Ale i tak przy końcu gubiła się i traciła panowanie nad swoim ciałem, które już nie leżało w tym pierwszym obezwładnieniu, tylko się wiło i skręcało pod Andrzejem, i razem z nim wzlatywało w górę. Zdaje się, że jęczała i krzyczała. Ale przecież tak musiało być, nie była w stanie zachowywać się inaczej. Zresztą on zachowywał się podobnie. A ona go ściskała kurczowo, całowała chciwie i gryzła – jak przedtem żadnego mężczyznę. Kochała się z kilkoma mężczyznami, lecz z żadnym tak namiętnie, tak cudownie. Czy on o tym wie, czy zdaje sobie z tego sprawę? Jest mu szalenie wdzięczna – za to, co jej ofiarował i co w niej odkrył i wyzwolił. Za wszystko to go kocha, będzie kochać i nigdy nie zapomni, do końca życia. Bo czegoś takiego nie sposób zapomnieć. On to sprawił – jego usta, jego ręce. Te delikatne i czułe ręce, które z początku nieśmiałe i bezradne, w krótkim czasie oswoiły się z jej ciałem i poczynały sobie z nim jak do tej pory żadne inne ręce, obdarzając ją rozkoszą, jakiej wcześniej nie była w stanie nawet sobie wyobrazić. Te jego drobne dłonie, o długich palcach, z elektryzującymi opuszkami. Te drogie, kochane ręce. Kazik też ma sprawne dłonie, ale nie tak jak te, no i nie tak delikatne i czułe. Całą ją dotykał i całował, a przedtem podziwiał. Powiedział, że ma piękne ciało. Koleżanki też jej to mówiły, a Kazik nie. I nie chciał go oglądać. Wyznał jej kiedyś, że widział dziesiątki kobiet na stole sekcyjnym, dając do zrozumienia, że nie chce jej widzieć nagiej. Dlatego się kochali przy zgaszonym świetle, a kładąc się do łóżka, zawsze miała na sobie piżamę bądź nocną koszulę. Kiedy pewnego razu położyła się naga, Kazik się od niej odwrócił. A Andy chciał ją oglądać nagą, bo jej nagość go podniecała, czemu dawał wyraz czułymi słowami i dotknięciami swych cudownych dłoni.

Ujmuje w ręce dłonie Andrzeja i obdarowuje je pocałunkami wdzięczności. Potem dotyka jego włosów i twarzy i też je czule całuje.

Andrzej leży nieruchomo, po czym ją obejmuje.

– Nie, Andrzejku – mówi Krystyna. – Nie trzeba. Ty sobie tylko leż, ja będę cię pieścić.

Uwolniwszy się z uścisku Andrzeja, całuje go w usta, a następnie całuje jego opalony tors i podążając za rękoma zbliża się ustami do tej białości na jego ciele, pokrytej kępką skłębionych włosków, gdzie spoczywa Andrus, to jej cudowne stworzonko. Leży spokojnie i niewinnie – przedtem zuchwały i duży, a teraz malutki, wstydliwy. Nawet główkę schował. Pewnie jest zmęczony. Nic dziwnego, skoro wchodził w nią aż trzy razy i był tak pracowity, tak zręczny i skwapliwy w dawaniu. Drogie, cudowne zwierzątko. O, drgnęło, poruszyło się. Nie, nie trzeba. Leż sobie spokojnie. Musisz odpocząć. No, śpij, proszę, śpij. Nie bądź niegrzeczny. Jeśli mnie nie posłuchasz, to cię nie pocałuję. A może tylko po to się podniosłeś, co? Chcesz tego, prawda? Chcesz, żebym cię całowała i pieściła. Dobrze, zrobię to, lecz później musisz się położyć i zasnąć. A teraz stój spokojnie i bądź grzeczny. Będę cię kochać.

To z wdzięczności i miłości. Nie musisz się wstydzić. Ja się nie wstydzę, więc i ty się nie wstydź. W miłości, kochanie, nie ma na to miejsca.

– Nie, Andrzejku, już ci mówiłam, nie trzeba. Bardzo cię proszę, leż spokojnie i nie ruszaj się.

C1

Doktor Rogala jest już po rozmowie z żoną Józefa. Była to krótka, lecz trudna i ryzykowna rozmowa, jak przeprawa przez grząską, zabagnioną wodę, z ogromnym ciężarem na plecach. Powiedział, co się zwykle w podobnych okolicznościach mówi, że zrobili wszystko, co było w ich mocy, aby uratować jej męża, a ona spojrzała na niego z rozpaczą i tylko poruszyła wargami. W ogóle niewiele powiedziała, dwa czy trzy słowa. Dłużej rozmawiała z pielęgniarką. Żegnając się z nim, podała mu drżącą rękę, a on zamiast ją serdecznie uścisnąć i tym uściskiem pomóc, ukoić jej ból, przyjął ją chłodno, bez słowa pocieszenia. Stała przed nim, trzymając w jego dłoni swoją, potem się odwróciła i odeszła z opuszczoną głową, wystukując laseczką swój żal, swoje cierpienie, swoją bezradność, swoją samotność i swoją starość. Patrzył na jej lekko przygarbioną sylwetkę i wyrzucał sobie oschłość i brak odwagi, żeby powiedzieć jej, że przez niego, z jego winy operacja się nie udała, bo gdyby nie zapomniał o ostrzeżeniu ordynatora i nie tak mocno zacisnął przewiązkę, Józef by jeszcze jakiś czas żył i towarzysząc jej w pokonywaniu coraz trudniejszych progów starości, no i przelewał w nią i w ich dzieci oraz wnuków miłość, której im skąpił. A niech to wszyscy diabli! Czujemy się winni, a nie potrafimy tego wyznać. Gdyby wierzył w Boga, Jemu by to wyznał, bo ludziom nie potrafi. Może przyjaciołom to powie, Romanowi i Krzysztofowi, bo Krystynie nie będzie śmiał. Zresztą ona też czegoś więcej potrzebuje – jego większej troski, jego większej miłości, jego większego zainteresowania. Żaliła się, że za rzadko, a ostatnio wcale jej nie mówi, że ją kocha. A przecież kocha, tylko nie potrafi tego okazać, nie potrafi tego powiedzieć. Wrodził się w matkę, ona też była oschła, też nie umiała mu powiedzieć, że go kocha. I rzadko całowała na dobranoc, w ogóle rzadko go całowała. Ojciec nigdy. A przecież tak jest, że gdy otrzymamy mało miłości, niewiele jej możemy dać, bo z czego. Miłości trzeba się nauczyć, miłości trzeba doznać, i to możliwie jak najwięcej, żeby ją w sobie mieć i nie tylko chcieć, ale i umieć nią obdarzać innych. Tak, matka za mało mu jej dała. Więcej uczucia otrzymał od ciotki Anieli. Często brała go na kolana, całowała i pieściła. Gdy był mały, to się w niej kochał i mówił, że jak dorośnie, to się z nią ożeni. Śmiała się wtedy z niego, ale nie tak jak ojciec lub matka, nie kpiarsko, tylko wesoło i serdecznie. Była i wciąż jest bardzo ciepłą kobietą, choć tyle w życiu przeszła. Gdy przygotowywał się do matury i zastanawiał, jaki kierunek ma wybrać, rodzice mu radzili, żeby wybrał medycynę, a ciotka była zdania, że powinien studiować psychologię lub inny kierunek humanistyczny, bo na medycynę jest za wrażliwy. Rzeczywiście był wrażliwy, wszyscy mu to mówili, jedni z szacunkiem, inni z mniejszą lub większą ironią, zwłaszcza na początku Roman i Krzysztof, którzy naśmiewali się z niego, gdy będąc pierwszy raz w prosektorium dostał mdłości i w toalecie, do której na szczęście zdążył dobiec, zwymiotował. Ciotka, gdy się o tym dowiedziała, poradziła mu, żeby rzucił medycynę, a gdy tego nie zrobił, chciała, żeby specjalizował się w neurologii, a nie w chirurgii, jak sobie zaplanował, między innymi po to, żeby uodpornić się na niegodne mężczyzny, a cóż dopiero lekarza, reakcje na widok ludzkich narządów i zwłok. Ciekawe, co ciotka powie na jego reakcję na śmierć pierwszego pacjenta. Roman go zrozumiał, Krzysztof, do którego zajdzie, dobrze go znał, więc też odniesie się do niego ze zrozumieniem, choć nie bez kpiarskiej uwagi. Natomiast ciotka z pewnością wypomni mu, że jej nie posłuchał i zamiast na psychologię, poszedł na medycynę, niemniej wysłucha go z serdecznym zainteresowaniem i będzie chciała pocieszyć. Dobrze by było, gdyby Krystyna podobnie zareagowała, ale ostatnio stała się zgryźliwa i nie szczędzi mu krytycznych uwag. Zarzuca mu, że ją zaniedbuje i poświęca jej za mało czasu. Koniecznie musi to nadrobić. Jest gorąco i słonecznie, więc z pewnością wciąż się opala. Potem z przyjaciółką pójdzie do kawiarni lub na zakupy do jakiegoś marketu i wróci do domu nie wcześniej niż pod wieczór, bo wie, że on wróci jeszcze później. I tak będzie. Ma ochotę na wódkę, a pić samemu nie chce, nie potrafi. Do tego potrzebne jest towarzystwo innych ludzi, nawet obcych, byle byli obok i mógł na nich popatrzeć, komuś postawić kolejkę i wypić ją bez słowa, w jednoczącym zrozumieniu.

Koledzy z drugiej, popołudniowej zmiany już przyszli. Rysiek chyba się dowiedział o przeprowadzonej przez niego operacji, bo mu się uważnie przygląda. Nie chcąc, żeby go o nią wypytywał, Kazimierz podniósł się z krzesła i zszedł po schodach na parter. W drzwiach wejściowych spostrzegł ordynatora. Zaraz się dowie o śmierci Józefa, więc powinien z nim porozmawiać, ale nie teraz – jutro. Cóż, błąd w sztuce lekarskiej. Każdemu może się on zdarzyć. I jak mu wiadomo, zdarzył się również ordynatorowi. Kiedyś mu o tym opowiadał. Zostawił kleszczyki w brzuchu pacjenta. Dowiedział się o tym ze zdjęcia, gdy pacjent był jeszcze w szpitalu i skarżył się na ból. Wzięto go powtórnie na stół, kleszczyki wyjęto, a sprawę zatuszowano. On natomiast tylko za mocno zacisnął przewiązkę. A może nie, może nić była wadliwa, albo za cienka i przecięła tętnicę. Tak, z pewnością to spowodowało wylew krwi do jamy brzusznej. Potem zawiniła pielęgniarka i nie udało się uratować Józefa. A mógł jeszcze pożyć, miał na to szansę. Nie, nie będzie zrzucał winy na pielęgniarkę i nić, niemniej napomknie o nich ordynatorowi, a potem szczerze wyzna, że zapomniał o jego zaleceniu i zbyt mocno zacisnął przewiązkę. Ale powie mu to dopiero jutro, albo po weekendzie, gdy się oswoi ze śmiercią Józefa.

Nie będąc przygotowanym do rozmowy z ordynatorem, doktor Rogala cofnął się w głąb przylegającego do dyżurki korytarzyka i dopiero, gdy ordynator wszedł na schody, podążył w stronę wyjścia i ciężkim krokiem ruszył do ciotki, postanawiając zajść po drodze do szpitala, w którym pracował zaprzyjaźniony z nim Krzysztof. Chętnie strzeliłby sobie setkę, a przynajmniej pięćdziesiątkę, ale nie może, ma przyjęcia. Przesunął je z siedemnastej na osiemnastą, więc nie musi się spieszyć, weźmie taksówkę i wpadnie na chwilę do Krzysztofa, a potem do mieszkającej w pobliżu ciotki. Może nawet przespaceruje się po parku, to go uspokoi i przygotuje do rozmów z pacjentami.

J

Opuściwszy gabinet kosmetyczny, Jagoda wróciła do domu, zdjęła spódniczkę, bluzkę oraz spodnią bieliznę i stanęła przed lustrem. Jest pięknie opalona, a ponadto szczupła i tak zgrabna, że mogłaby konkurować z każdą modelką. I tak wszyscy na nią patrzą, jak na modelkę, dzięki czemu cieszy się u mężczyzn dużym powodzeniem i na jej widok niejeden się ślini. A mało brakowało, żeby skończyła na ulicy. Bo postawiła się swemu opiekunowi i jak się pojawiła w *Forum*, kelner potraktował ją jak uliczną kurwę i wyprosił z sali. Podobnie odnieśli się do niej inni kelnerzy, choć wcześniej obsługiwali ją jak damę, gdyż dobrze znała dwa obce języki, modnie się ubierała i potrafiła się zachować w każdym towarzystwie. Doszła do tego po dwóch latach pracy dla Zenka, który w *Forum* postawił jej drinka, wrzucił do niego procha i półprzytomną wziął do pokoju, gdzie ją zgwałcił i włączył do grona swych dziewczynek. Brała stówę od klienta, lecz gdy nauczyła się dwóch języków i zaczęła obsługiwać zagraniczniaków, zażądała dwóch stów za godzinę, na co Zenek się nie zgodził, pobił ją i wykluczywszy ze stajni, jak nazywał grono swoich podopiecznych, polecił kelnerom traktować ją jak uliczną szmatę. Wtedy zainteresował się nią Damian i włączył do grona panienek obsługujących zamknięte spotkania co bogatszych biznesmenów, a że współpracował z tajnymi służbami, suto wynagradzał ją za uzyskane od nich informacje, z perspektywą zaliczenia jej do niewielkiej grupy dziewcząt obracających się w towarzystwie zagranicznych dyplomatów. Stała się zatem ekskluzywną dziewczyną, hostessą, tłumaczką i damą do towarzystwa, co znacznie podwyższyło jej dochody, które po odliczeniu kwot wydawanych na manicurzystkę, fryzjera i gabinet odnowy, no i stroje, przekazywała na konto w banku. Miała już na nim trzysta tysięcy złotych, ale dwieście pięćdziesiąt zainwestowała w mieszkanie, które dwa miesiące temu kupiła na własność, wyremontowała i urządziła tak, żeby czuć się w nim dobrze. Poprzednie było lepiej zlokalizowane, blisko kilku hoteli i drogich restauracji, ale któryś z sąsiadów dowiedział się, z czego żyje i mężczyźni z kamienicy zaczęli ją nachodzić z propozycjami. A tu nikt nic o niej nie wie i będzie tak żyła, żeby się nie dowiedział. Jak uzbiera na koncie pół miliona, co osiągnie po trzech latach, może nawet wcześniej, powróci do rodzinnego miasteczka i wyjdzie za Cześka, a że i on zbiera kasę na służbie w zagranicznych misjach wojskowych, kupią upatrzony przy ryneczku dom i urządzą na dole knajpę, a na górze mieszkanie dla siebie i dzieci. Tak zaplanowała sobie przyszłość, bez trosk materialnych, z Cześkiem u boku i z kilkanaściorgiem dzieci. Dlatego nie wolno jej ulegać urokowi mężczyzn, nawet takich jak ten wczorajszy, hinduski biznesmen, niezwykle czuły i hojny. Jak będzie na dzisiejszej kolacji, okaże mu obojętność i zajmie się kimś innym.

Zerknąwszy jeszcze raz w lustro, z zadowoleniem skonstatowała, że naprawdę jest super, bardziej atrakcyjna niż wszystkie te artystki, które pokazują w kolorowych pismach. Przechodzi do pokoju i kładzie się na wersalce. Prześpi się godzinę lub dwie, a potem zacznie się przygotowywać do kolacji w Marriocie. Będą na niej trzej amerykańscy biznesmeni i dwóch krajowych. Damian mówił, że Amerykańcy mają na nią ochotę, co powinna wykorzystać. I wykorzysta, ale nie ze wszystkimi naraz, tylko z każdym osobno, w jego pokoju, po trzysta zielonych od jednego. Czeka ją pracowita noc, więc musi sobie jeszcze pospać. Dobrze by było, gdyby przyśnił się jej jakiś piękny sen. Dawno takiego nie miała. Rzadko coś się jej śniło, a jak już, to koszmarr.

L

W przeznaczonych do remontu pustostanach rozgościli się bezdomni, popijają tanie wino owocowe i rozmawiają o pudle lub swoich domach, z których zostali wyrzuceni bądź uciekli, żeby zaznać prawdziwej wolności. W jednym z pomieszczeń tuli się do siebie para, on patykowaty, ona przy kości, w spódniczce i bluzce z lumpeksu. Oczy mają rozpalone bardziej niż późne słońce, które zachowując dyskrecję skupiło uwagę na ścianie, dekonspirując pod zerwaną tapetą płachty gazet. Pożółkłe ze starości i nadgryzione pleśnią, tulą się do ściany, jakby odczuwały wstyd i chciały ukryć wybite na nich czcionką ślady historii:

...Sprawa gdańska postawiła nas na nogi, uzbroiła po zęby. Nie straciliśmy w tej wojnie nic z tych walo rów, przeciwnie zwiększyliśmy je parokrotnie. Otoczeni gęstymi drutami zasieków, okopani, ufortyfikowani czuwamy z bronią u nogi, wszyscy – jak jeden mąż – rozochoceni do wszelkiej przygody, jaką losowi podoba się nam zgotować...

Gustaw Łukasiewicz uśmiecha się ironicznie i wczytuje się w inne, dostępne jego oczom fragmenty nadżartych pleśnią tekstów.

Zasłony przeciwlotnicze do okien
Oraz wszelki sprzęt gaśniczy i ekwipunek strażacki
Produkuje, sprzedaje oraz udziela informacji
STRAŻACKIE BIURO TECHNICZNE
Cynicznemu napastnikowi odpowiemy żelaznym argumentem

Każdy zarost goli ostrze „GERLACH"
ZEZNANIE SZPIEGA
Ceny miejsc znacznie obniżone. Spieszcie obejrzeć
Cały naród jest gotowy oddać ofiarę z życia i krwi
W obronie honoru i granic
Miód tegoroczny, lipcowy, gwarantowany 100%
OBWIESZCZENIE
o poborze koni, wozów, pojazdów mechanicznych i rowerów
Zbliża się dzień porachunków za mordowanie Polaków w Gdańsku
Londyn i Paryż w pogotowiu
Dziś pocieszenie NMP
Jutro Stefana

Wschód słońca	4.46
Zachód słońca	18.09
Wschód księżyca	13.38
Zachód księżyca	22.07
Długość dnia	13.40
Ubyło dnia	2.53

Strzeżonego Pan Bóg strzeże
ODEZWA P. PREZYDENTA RZECZYPOSPOLITEJ
Obywatele Rzeczypospolitej!
Nocy dzisiejszej odwieczny wróg nasz rozpoczął działania zaczepne
wobec Państwa Polskiego, co stwierdzam wobec Boga i historii
Chora WĄTROBA rujnuje organizm
Stosuje się w tych niedomaganiach
SÓL MORSZCZEŃSKĄ lub WODĘ GORZKĄ MORSZYŃSKĄ
Moralne zwycięstwo Polski
Bohaterska załoga Westerplatte odpiera zacięte ataki wroga
Owacje na cześć Armii i Naczelnego Wodza
Anglia i Francja u boku Polski
Hitler zostanie pokonany
Przemawiam z mego gabinetu na Downing – Street. Dzisiaj rano
brytyjski ambasador w Londynie wręczył rządowi niemieckiemu
ostateczną notę z oświadczeniem, iż, jeżeli nie otrzyma do godziny
10 – ej
odpowiedzi, iż Niemcy wycofają swe wojska z państwa polskiego,
wybuchnie pomiędzy nami wojna. Muszę powiedzieć,

iż nie otrzymałem podobnego zapewnienia i wobec
tego Anglia znajduje się w wojnie z Niemcami.
Polska nie zawiodła się na sojusznikach
HEMOROIDY są przyczyną złego samopoczucia
Należy usunąć te dokuczliwe cierpienia!
Przy hemoroidach stosuje się
ANSUL6 czopków zł. 3-
HAINE ARTUR zgubił kartę zwolnienia kategorii D
Czy wiesz, co ci grozi?
Chroń się używając tylko najpewniejszych „OLLA" GUM
Flota Wielkiej Brytanii zbombardowała porty wojenne Niemiec
Francja rozpoczęła wojnę na lądzie, morzu i w powietrzu
Ludność instynktownie powinna sama czuwać nad swoim
Bezpieczeństwem i w razie nalotu chronić się do bram, rowów itp.
HERSZLIK MYŚLIHORSKI zgubił książeczkę wojskową.
PROSZKI od bólu głowy Kowalskina
Usuną Twoje dolegliwości i zapewnią dobre samopoczucie
Minister Rzeszy dr Frank rozpoczął urzędowanie
Polska z traktatu wersalskiego nie odrodzi się nigdy
Wzbronione jest również spacerowanie lub podróżowanie wzdłuż
Szlaków kolejowych, między torami
PODANIA do władz pisze się po niemiecku na maszynie
Żadna siła świata nie pokona nigdy więcej Niemiec
LAMPKI NA GROBY do nabycia
Uwaga, krwiodawcy
KTOKOLWIEK wie o ABRAHAMIE TEICERZE
Kto sprzeciwi się zarządzeniom władz, czeka go kara śmierci
Centralizacja uboju
Na cmentarzu wolno przebywać do godziny 17-ej
Kto wie coś o MOŃKU SZTANBERGU
Gdzie składać zameldowanie na dręczycieli zwierząt
W przeciągu 10 dni należy oddać aparaty radiowe
Lista rozstrzelanych

Z pomieszczenia, gdzie czterej mężczyźni suszą kolejną butelkę owo-
cówki, dobiega śpiew::

Siekiera motyka
Piłka alasz
Przegrał wojnę
Głupi malarz

Gustaw podchodzi do nich i stanowczym głosem oznajmia:
– To mieszkanie do generalnego remontu. Jutro musicie się stąd wynieść.
– W Boże Ciało! – protestuje stary mężczyzna, na oko co najmniej siedemdziesięcioletni.
– No nie, po.
– Piątek i sobotę niech pan też odpuści – radzi drugi z mężczyzn, równie stary, z długą, siwą brodą.
– Dobrze – zgadza się Gustaw – Ale w poniedziałku ma tu być pusto. Jasne?
– Jasne, szefie.
Schodząc na parter słyszy inną, też starą, ale i dobrze mu znaną piosenkę:

Małe mieszkanko na Mariensztacie,
To moje szczęście, to moje sny

D1

Znalazłszy się w domu, Stefan N. wychylił kieliszek koniaku, usiadł przed komputerem i otworzył plik z opracowywaną przez siebie monografią, poświęconą żyjącemu w dziewiętnastym wieku profesorowi W.B. Jastrzębowskiemu i jego idei Zjednoczonej Europy, wysuniętej w napisanym tuż po Powstaniu Listopadowym traktacie pt. „Wolne chwile żołnierza polskiego, czyli myśli o wiecznym przymierzu między narodami ucywilizowanym”. Drugą częścią tegoż traktatu była Konstytucja dla Europy, zawarta w wykładzie zatytułowanym „Niektóre myśli do prawa ustalającego wieczny pokój w Europie”. Prace te, które głosiły Europę narodów rządzonych przez światłych patriarchów, dbających o dobro swojego narodu, o jego rozwój kulturalny i tradycje, prof. Jastrzębowski napisał i złożył w Towarzystwie Naukowym Przyjaciół Nauk w kwietniu 1831 roku, a więc kilkanaście lat przed Karolem Marksem, który w swych młodzieńczych pracach postulował zniesienie granic i społeczność ludzi mobilnych, zmieniających miejsce zamieszkania i zawody, dzięki rozwojowi techniki znajdujących czas na zastanawianie się nad istotą rzeczy i poznawanie dorobku kulturalnego.

Mylił się podówczas dwudziestokilkuletni myśliciel. Rozwój techniki, zwłaszcza tej związanej z elektroniką, tylko pozornie przysparza ludziom więcej wolnego czasu, gdyż równocześnie oplata ich coraz większymi zależnościami od telefonów komórkowych, Internetu i różnych cudeniek. Ponadto chcąc zachować pracę lub więcej zarobić, by polepszyć swój byt i żyć jak bogatsi sąsiedzi, nie mówiąc już o aktorach, piłkarzach i innych wybrańcach losu, ludzie pracują po dziesięć i więcej godzin na dobę, a po pracy szukają rozrywki w telewizji, która wcale ich nie wzbogaca, a wyjaławia, wysysa i odmóżdża.

Tak realizuje się szczytną ideę Zjednoczonej Europy. Korzystają na niej co bogatsze kraje, a na biedniejsze, żyjące z rolnictwa, nakłada się wymyślone przez dobrze wynagradzanych urzędników liczne ograniczenia i normy, dotyczące między innymi wielkości pomidorów i ogórków.

Stefan N. uśmiechnął się ironicznie i choć chciał, nic nie napisał, ani jednego zdania. Wyłączył komputer, spojrzał na zegarek. Do spotkania z Anną było sporo czasu. Zerknąwszy na wiszącą na krześle marynarkę, w której ją poznał i zamierzał pójść na spotkanie, dostrzegł wystające z kieszeni kartki wręczone mu przez Kaźmierczaka. Wziął je do ręki i zaczął czytać – najpierw z zainteresowaniem, potem z coraz większym przerażeniem, które w miarę czytania, z uwagi na liczbę sposobów torturowania i mordowania, przerodziło się w drętwe osłupienie. Opis jednego czy kilku morderstw głęboko nas porusza, natomiast opis ponad stu morderstw powoduje odrętwienie i obojętność. Podobnie jest z ofiarami kataklizmów żywiołowych i wojen. Bolejemy nad śmiercią rodzica czy przyjaciela, natomiast śmierć setek, tysięcy czy milionów ludzi tylko nas szokuje i co najwyżej przytłacza swą liczbą. Zapamiętujemy ją, ale kryjące się pod nią cierpienia są nam dalekie jak gwiazdy na niebie. Tak też odebrał wypisane na wręczonych mu karetkach sposoby torturowania i mordowania. Położył kartki na biurku, Nie będzie dzisiaj zajmował się tymi okropnościami. Jutro to zrobi i z Internetu wyłowi informacje na ten temat. Włączył radio i posłuchał muzyki, potem aktualnych wiadomości.

I1

Franciszek po rozmowie z Gustawem odprowadził go do Ogrodu Krasińskich, pokazując mu trasę dawnych Nalewek – za dnia barwnych, pełnych atrakcyjnych widoków i smakowitych zapachów, a wieczorami niebezpiecznych, gdyż były położone w dzielnicy żydowskiej biedoty i grasowały na niej żydowskie bandy. Powróciwszy do domu, przygotował sobie i zjadł obiad, aby pół godziny później z powrotem usiąść na ławce pod klonem, gdzie umówił się z Jakubem Smugą, który postanowił napisać książkę o mieszkańcach ich domu i chciał na ich temat porozmawiać. Już mu dużo o nich powiedział, ale jeszcze nie wszystko, ma do przekazania więcej informacji z ich życia, tych dawnych i tych z ostatnich dni, także dzisiejszego. Czekając na Jakuba obserwował powracających do domu sąsiadów. Nikt do niego nie podszedł, jak to na ogół bywało. Zmęczeni upałem, wszyscy spieszyli do swych mieszkań. Michał, z którym dopiero dzisiaj zawarł znajomość, w przeciwieństwie do innych, wyszedł z domu. Cóż, chłopak był w Afryce i przywykł do upałów. Nie zareagował na jego przywołujący gest, nawet na niego nie spojrzał, był czymś pochłonięty, zmartwiony. Ciekawe czym? Jutro z nim porozmawia i się dowie, dzisiaj nie zdąży, bo nie wiadomo, kiedy chłopak wróci, a na niego czeka przepalanka, potem Szulc. Dawno go nie widział, trzy lata z rzędu. Czy dziś przyleci? I czy będzie sam czy też z Sabinką? Obejrzy go z Grzesiem. Jakub też chciał do niego przyjść, ale to niedowiarek. Tacy ludzie jak on niby wszystko wiedzą i widzą, a nie zobaczą tego, co jest dostępne tylko tym, których oczy i serca nie zostały skażone książkową wiedzą. Nie zaprosił go do swego okna, bo by się wymądrzał i udowadniał, że to nie Szulc, tylko chmurka w kształcie człowieka. Wciąż go nie ma, pójdzie do niego, bo może coś mu się stało i potrzebuje pomocy.

E

Michał był na spacerze, ale nie przebywał na nim długo. Gdy zaszedł do parku, poczuł niepokój, którego źródła nie potrafił określić. Wrócił do domu i wychylił kieliszek wódki, po czym w lepszym już nastroju włączył komputer i otworzył skrzynkę pocztową. Nie otrzymał wyczekiwanego maila. Ale niedługo otrzyma, był tego pewien. Czekając na niego, zaczął przeglądać płyty z filmami. Miał ich wiele, dużo więcej niż książek. Nie znosił telewizji, a że lubił oglądać filmy, u przyulicznych handlarzy, niczym u bukinistów skupywał krążki DVD.. Interesowały go głównie dzieła wybranych reżyserów: Bergmana, Feliniego, Antonioniego i kilku innych. Z polskich cenił: Wajdę, Kieślowskiego, Skolimowskiego, Polańskiego, Hassa i Leszczyńskiego. Ponadto zbierał też filmy, które w opinii krytyków i w jego oczach uchodziły za dzieła wybitne, jak choćby *Hiroszima moja miłość*.

Płyty z muzyką też go interesowały. Głównie klasyka – Mozart, Beethoven, Czajkowski, Bach i barok włoski, a z młodzieżowej muzyki przede wszystkim Pink Floyd. Nie potrzebował chodzić na koncerty, urządzał je sobie w domu, przy kawie i kieliszku wina lub wódki. Filmy jednak lubił oglądać nie tylko na monitorze odtwarzacza, lecz także w kinie. Na dużym ekranie, w prawie pustych salach, jak to teraz coraz częściej się zdarza, lepiej się je odbiera, z większym zaangażowaniem, szerzej i głębiej, jak muzykę organową w pustym lub słabo wypełnionym kościele, sprzyjającym rozmyślaniom nad barwami świata i celem istnienia.

Znowu ogarnął go niepokój. Alkohol uwolnił go od niego, ale tylko na chwilę, bo wrócił, i to większy niż przedtem. Zapalił skręta, ale tylko dwa razy się zaciągnął, gdyż poczuł lęk i odniósł wrażenie, że nie jest sam, że oprócz niego jeszcze ktoś w mieszkaniu jest, obserwuje go i na coś czeka. Dotknął ręką piersi, gdzie szybciej i wyraźniej niż dotąd biło serce, spojrzał na okno, potem na rękę, podszedł do komódki, wysunął szufladę, do której przełożył nóż.

Część trzecia

NADCHODZI ZMIERZCH

Niebo nad miastem wciąż jest bezchmurne, ale panujące na nim słońce nieco opadło z sił i zdążając ku horyzontowi już tak mocno nie grzeje. Dotąd sparaliżowane nim miasto odetchnęło z ulgą. Odetchnęli także mieszkańcy naszego domu, którzy w powszednim rytmie dnia z niego wyszli i wróciwszy, wzięli zimny prysznic lub obmyli twarz i kark, zmienili podkoszulek, wyprowadzili na spacer psa, pogłaskali kota, posilili się i wyjrzeli przez okno bądź z herbatką albo piwem zasiedli przed telewizorem, aby się dowiedzieć, co się na świecie wydarzyło, co powiedział Tusk, a co jeden lub drugi Kaczyński. Potem niektórzy wzięli do ręki *Fakt* lub *Super Express* i w oczekiwaniu na kolejny odcinek ulubionego serialu, przeczesali wzrokiem strony kolorowej gazety. Popatrzyli na zdjęcia nagich kobiet i półnagich aktorek – mężczyźni podnieceni ich kuszącym widokiem, kobiety zazdrosne o ich kształtne figury, piersi i ponętne pupy. Zasięgnąwszy informacji z życia celebrytów, ich szokujących zachowań oraz miłostek i porównując ich życie ze swoim, powrócili wspomnieniami do lat swej młodości, marzeń, pragnień, postanowień, nadziei i późniejszych rozczarowań.

A

Jakub Smuga odbył niedawno trzecią tego dnia rozmowę z Franciszkiem, tym razem nie na ławce przed domem, lecz u siebie w mieszkaniu, żeby mieć w zasięgu ucha i ręki telefon, gdy ten się znowu odezwie. A że tak się stanie, tego był pewny. Jak również tego, że to Irena dwa razy do niego dzwoniła i że zrobi to po raz trzeci. Nie wiedział tylko, co chce mu zakomunikować. I czy będzie to dotyczyło jej, czy też kogo innego. I kogo? Irenę znał z widzenia i jednej krótkiej rozmowy, którą odbyli przy kielonku w gościnnej pracowni Doroty i Adama. Gdy był w Łodzi, poznał jej córkę, no i dowiedział się, że przyjaciółka Ireny jest śmiertelnie chora. Ale kim była owa przyjaciółka, tego mu córka Ireny nie powiedziała, a on nie pytał. Szkoda, bo prawdopodobnie w jej sprawie Irena chce się z nim skontaktować, no bo w czyjej innej? Wkrótce się tego dowie, mówi mu to przeczucie, które również mówi, że jest to znana mu osoba i jakaś ważna sprawa.

Zerknąwszy na aparat telefoniczny, popatrzył na leżące przed nim czyste kartki. Zaraz je zapisze informacjami uzyskanymi od Franciszka i zarysuje plan trzeciej części powieści. Większość jej bohaterów jest już w domu, nie ma jeszcze doktorostwa, komisarza Panka, wnuka Franciszka i kilkoro innych osób. Michał natomiast niedawno opuścił dom i gdzieś poszedł. Ciekawe gdzie? To, czego się dotąd o nim dowiedział, to za mało, musi się dowiedzieć więcej, i to z bezpośredniej rozmowy, a nie z ust Franciszka. Osiemdziesięciolatek poszedł do niewidomego, aby pomóc mu w przygotowaniach do popijawy, jak nazywa comiesięczne kolacyjki urządzane z przyjaciółmi po otrzymaniu emerytury, podczas których popijają przepalankę, zawsze dziesiątego dnia każdego miesiąca. Teraz jest czerwiec, a tego dnia Franciszkowi zwiduje się Szulc, późnym wieczorem, po przepalance. Sprawa jasna, nie potrzebuje komentarza. Dał Franciszkowi do zrozumienia, co sądzi o jego zwidach, a ten się na to obruszył. Nie chciał, żeby mu towarzyszył w nocnym czuwaniu, choć na obecność Grzesia się zgodził. Dużo mu dzisiaj opowiedział o sąsiadach, co się zmieniło w ich życiu, jak niektórym przebiegł dzisiejszy dzień. O wczorajszym krzyku niewiele wie. Jest przekonany, że przedarł się przez czyjś sen. On też tak myśli. Podobnie Michał. Franciszek powiedział, że wychodząc z domu był zasmucony, czymś przejęty. Intryguje go ten chłopak. Koniecznie musi z nim nawiązać znajomość.

Jakub Smuga sięgnął po czystą kartkę i zanotował, co go interesuje, o kim i czego musi się jeszcze dowiedzieć. Na kolejnej kartce nakreślił plan i dramaturgię trzeciej części powieści i zaczął się ponownie zastanawiać nad jej konstrukcją i przesłaniem. Zerknąwszy na półki, gdzie stały jego książki, zwrócił uwagę i wziął do ręki leżący na nich brulion z wierszami. Pisał je przed laty, gdy nie znał Maryli, a także potem, w okresie ich małżeństwa, w tajemnicy przed żoną, gdyż bał się, że ta odniesie się krytycznie do jego prób literackich i wyśmieje go, jak się dowie, że pisze nie tylko opowiadania, ale również wiersze, On sam nie przywiązywał do nich większego znaczenia i zapisawszy je w brulionie, sięgnął po niego dopiero miesiąc temu. Wtedy też, gdy był w dołku i spotykając się z kolegami po piórze, patrzył krytycznie na sytuację kultury w kraju i położenie ludzi pióra, napisał nowy wiersz:

Niegdyś szanowani
i ludziom potrzebni
teraz zaledwie dostrzegani
w cieniu aktoreczek
i ulubieńców estrady
gołymi pupami i skandalami
przyciągających uwagę
zdezorientowanych muz
i manipulowanego społeczeństwa
odchodzą w ciszy
i osamotnieniu
żegnani przez nielicznych
witani przez roje larw
Panie Niebieski
przykryj ich swym płaszczem
i ocal od zapomnienia
przynajmniej ich imiona i barwy

Przeczytawszy swój ostatni wiersz, przypomniał sobie rozmowę z kolegami, która zainspirowała go do jego napisania.

– Zanika wysoka kultura – stwierdził niegdyś znany krytyk literacki, a teraz tylko autor kilkuzdaniowych recenzji, pisywanych do wychodzących w nakładzie co najwyżej tysiąca egzemplarzy pism, wydawanych w różnych wojewódzkich miastach, których władze z coraz większymi oporami subwencjonują je kwotami wystarczającymi tylko na pokrycie kosztów druku. O honorariach nie ma mowy, autorom wierszy, fragmentów prozy, reportaży i artykułów publicystycznych, a także recenzji powinna wystarczyć satysfakcja, że są w ogóle drukowani. Ambitne i naprawdę wartościowe książki, jeszcze niedawno stojące w księgarniach na honorowej półce, zostały przeniesione na tę najniższą albo powędrowały do magazynu, ustępując miejsca kryminałom, a także wspomnieniom aktorek i celebrytów o ambicjach literackich.

– Dobrze się sprzedają także bajki dla dzieci – zauważył starzejący się poeta.

– Co z tego, skoro jest ich zatrzęsienie i pisujący je niewiele z nich mają.

– Można zarobić na spotkaniach autorskich z dziećmi.

– I niektórzy zarabiają. Sto pięćdziesiąt złotych za spotkanko, czasami mniej, bo przedszkola nie mają funduszy. Taki nasz los. Marysia Zaręba pojechała niedawno na takie, spotkanko. wcześniej uzgodnione z kierowniczką domu kultury. Na miejscu pani kierowniczka wita ją z grobową miną i mówi, że nie będzie mogła wypłacić jej honorarium, bo kilka dni temu była w miasteczku Loda i opróżniła kasę, biorąc za swój występ kilkanaście czy też kilkadziesiąt tysięcy złotych.

– Do podziału z zespołem. co?

– Nie, do swojej torebki, czy też przelewem na konto w banku.

– W takim razie trzeba się nauczyć śpiewać, albo i nie, tylko wypiąć na scenie gołą dupę i potem jeździć po miasteczkach w chwale skandalisty.

– Komuna, jaka była, taka była, ale dbała o artystów.

– Tylko tych, którzy jej służyli.

– Niekoniecznie, drukowali na ogół wszystkie dobre wiersze i opowiadania.

– Była cenzura.

– A teraz jej nie ma?! Jest, stary, jest, i to jaka! Stanowi ją kasa. Gdy ją masz, możesz wydać co chcesz, oczywiście własnym sumptem. Jeśli jesteś goły, musisz mieszkać w innym mieście wojewódzkim czy powiatowym, tam cię wydrukują; za darmo, ale wydrukują, w Warszawie nie ma o tym mowy, jest nas za dużo, co najmniej tysiąc osób z dorobkiem literackim, czekających w kolejce do wydawnictw i różnych pisemek literackich o nakładzie liczonym w serkach egzemplarzy. A w prasie krajowej, tej wielkonakładowej, nie ma miejsca na wiersze i opowiadania, choćby były genialne. Za to jest miejsce na ploteczki z życia celebrytów, no i zdjęcia rozneglizowanych aktoreczek, tych z seriali telewizyjnych, bo teatralne nie są na topie. Lud ogląda telewizję i ciekawy jest prywatnego życia pań i panów z małego ekranu.

Jakub uśmiechnął się gorzko, odłożył brulion na półkę i pochylił się nad powieścią, która prawdopodobnie nie przyniesie mu rozgłosu i fortuny, ale przynajmniej pozwoli powiedzieć to, czego jeszcze nie powiedział.

E

Michał wziął zimny prysznic, wytarł się szorstkim ręcznikiem, wrócił do pokoju, roztarł w popielniczce niedopalonego skręta. Podczas swych podróży próbował różnych narkotyków, po powrocie do kraju ograniczył się do trawki. Rzadko ją palił, coraz rzadziej, tylko wtedy, gdy targał nim niepokój, Trawka go uspakajała, chociaż nie zawsze, niekiedy wywoływała lęk – przed światem, przed życiem, przed ludźmi, Kiedyś był on tak przejmujący, że sięgnął po przywieziony z podróży nóż o zakrzywionym ostrzu. Przywiózł też piękny sztylet z rękojeścią wyłożoną masą perłową, ale traktował go jako pamiątkę i nigdy nie użył. Za to kilka razy sięgnął po finkę. Dzisiaj też po nią sięgnął i ciął się nią po przedramieniu lewej ręki. Nie czuł bólu, a krew, która pojawiła się na cięciu, natychmiast zlizał i połknął, w swoisty sposób bratając się z samym sobą.

Już jest dobrze, pozbył się niepokoju i lęku. Nastawia płytę z muzyką włoskiego baroku, siada w fotelu i wsłuchuje się w dźwięki smyczkowej orkiestry.

C2

Krystyna całuje Andrzeja na pożegnanie i wsiada do samochodu. Niewiele wypiła wina, jedną lampkę i jeszcze trochę, więc w razie kontroli nic jej nie grozi. Zapuszcza motor i ruszywszy z miejsca, ogląda się. Andrzejek stoi na brzegu chodnika i macha jej ręką. Kochany chłopak. Wie, że jest mężatką, wspomniała mu o tym. I powiedziała, kim jest jej mąż, nic więcej, a on jej nie wypytywał. Jest bardzo nieśmiały, delikatny i dyskretny. Na pewno chciałby wiedzieć, czy kocha Kazika, widać to było w jego oczach, ale o to nie spytał, jakby to nie miało dla niego większego znaczenia. I tylko, gdy wspomniała o wyprawie na

Mazury, zapytał, jak długo tam będzie i czy przez cały czas z mężem? Planowała spędzić w Giżycku dwa tygodnie, jak Kazik, lecz w tej sytuacji... Gdyby jutro nie wyjeżdżał, to by się spotkali, i to właśnie jutro, w Boże Ciało, gdy Kazik będzie miał dyżur. W piątek i w sobotę ma wolne i chce pojechać z nią na wieś, do rodziców. Ale Andrzej jutro wyjeżdża, sama go do tego namawiała, zanim zaczęli się kochać, a potem jeszcze raz, gdy rozmawiali na temat wakacji. Obiecali sobie, że się spotkają, a godzinę i miejsce spotkania wyznaczy ona, informując go o tym za pośrednictwem komórki, którą postanowił kupić. Tak ustalili i nie wracali do tej sprawy, nie mieli na to czasu, bo albo słuchali jazzu, albo się kochali. Boże, jaki on był cudowny! Kazik też potrafi kochać, ale nie tak jak Andrzejek. Tę umiejętność się ma albo się jej nie ma, jak talent twórczy, na który składa się wrażliwość i to coś, co trudno określić i nazwać, a co jest od natury czy też Boga dane. Coś, co przenika całą osobę, serce i ciało, a w wypadku muzyka głównie palce, coś, co sprawia, że się go słucha z zapartym tchem, bo porusza nasze zmysły i duszę, bo dzieli się z nami bogactwem, które w nim jest i które nieoczekiwanie odkrywamy także w sobie, w swoich najgłębszych, a dotąd nam nieznanych lub skrywanych warstwach. Tak, Kazik zna mapę jej ciała, zna jego wszystkie klawisze i umie się nimi posługiwać, umie na nich grać, ale jest tylko grajkiem, rzemieślnikiem, a nie artystą jak Andrzej, który wkłada w swą grę nie tylko technikę, ale i serce, całą swą duszę. Daje, a nie tylko bierze, jak najczęściej robi to Kazik, w pośpiechu i gorączce pożądania, rutynowo i egoistycznie. Tylko na początku ich małżeństwa wkładał w to całe serce. Z czasem zaledwie jego drobną część, obojętny na jej odczucia i pragnienia. Niemniej przywykła do niego i dotąd czuła się z nim dobrze. A jak będzie teraz? Andrzej jutro wyjeżdża i zobaczą się dopiero za półtora miesiąca, nie, wcześniej, za miesiąc lub pół miesiąca. Powie Kazikowi, że w mieście nie sposób wytrzymać w tak upalne lato i pojedzie nad jeziora wcześniej od niego, sama. Żeby jak najdłużej być z Andrzejem, tyle że nie w Giżycku, tylko w innej, małej miejscowości, aby nie natknąć się na znajomych. Andrzej o tym nie wie, myśli, że zobaczy się z nią dopiero w sierpniu lub pod koniec lipca, więc będzie mile zaskoczony. Spędzą ze sobą dwa tygodnie, a może nawet miesiąc, jeśli Kazik nie będzie miał nic przeciwko jej wyjazdowi. To będzie cudowny czas. Byłoby jeszcze cudowniej, gdyby zawsze byli razem, przez wszystkie dni, do końca życia, ale to niemożliwe. Jest mężatką, a on bardzo młody i ma przed sobą studia. Nie może mu w nich przeszkadzać i wikłać jego życia. Zresztą po roku, może nawet wcześniej sam by od niej odszedł. Pewnego dnia ujrzałby w niej kobietę starszą o osiem lat i znalazłby sobie młodszą, w swoim wieku. Dziewczyny kręcą się koło niego, a jak wyczują, że nie jest już prawiczkiem, że ma za sobą ten pierwszy raz, co odbije się na jego zachowaniu, obdarzając go tym większą pewnością, że w łóżku spisał się znakomicie, nie opędzi się od nich, będą wchodzić do niego drzwiami i oknami. Tak, wcześniej czy później na pewno by od niej odszedł. A jeśli nawet nie, to czy byliby ze sobą szczęśliwi? Seks jest ważny, ale w pożyciu małżeńskim liczą się także inne sprawy, które niekiedy potrafią zmienić niebo w piekło. Tak było z małżeństwem jej przyjaciółki z Damianem, który coraz więcej pił, z byle powodu wszczynał kłótnie, bił Zosię i traktował ją gorzej niż psa. Zosia nie była bez winy i Damian miał prawo być o nią zazdrosny, ale tak przy nim wycierpiała, że teraz nie może patrzeć na mężczyzn i ani myśli drugi raz wyjść za mąż. Andrzej jest kulturalny i wrażliwy, więc na pewno by jej nie bił, ale czy ich pożycie miałoby szansę na dłuższą przyszłość? Chyba nie. Na pewno nie. I ona nie tylko powinna zdawać sobie z tego sprawę, ale i z tym się pogodzić. Nie powinna, nie może żądać od życia za dużo. To, czym ją dzisiaj obdarzyło i będzie obdarzać przez dwa lub trzy tygodnie, musi jej wystarczyć. Ma przecież męża i nie wolno się jej na dłużej angażować w historię z Andrzejem. Co prawda nie kocha Kazika tak jak na początku, jednak przeżyli ze sobą trzy lata i ich małżeństwo ma podstawy do tego, żeby przetrwać nie takie burze, bo zbudowane jest na mocnych fundamentach. Kazik zapewnia jej bezpieczeństwo, bo jest człowiekiem życiowo zaradnym i ma przed sobą wielką karierę. Jak na swój niedługi staż w zawodzie lekarza, zarabia dużo. Toteż ona nie musi pracować i swój wolny od domowych obowiązków czas może poświęcić studiom. A to dużo. Nie to, że nie potrzebuje pracować, ale że ma przy Kaziku zapewnioną przyszłość. On ją kocha i nie zgodziłby się na rozwód. Chyba że bardzo by tego chciała. Tymczasem dopiero się nad tym zastanawia. Andrzej jest bardzo młody, a ponadto trochę naiwny i wydaje się jej, nieodpowiedzialny. Nie może stawiać na niego. Po wspólnym miesiącu na Mazurach musi z nim zerwać, bo potem może to być trudne. W zasadzie powinna pojechać nad jezioro dopiero wtedy, gdy Kazik będzie miał urlop, razem z nim, a nie sama, jak to sobie zamyśliła, ale dopiero teraz, po pożegnaniu z Andrzejem. On jeszcze o tym nie wie, więc może się z tego zamysłu wycofać. Ale to potrwa tylko miesiąc, może nawet krócej. Zaszyją się w jakimś ustronnym miejscu i będą się kochać tak jak kochali się dzisiaj. Nie, z tego nie może zrezygnować, nie byłaby w stanie. Zdaje sobie sprawę, że to nierozsądne i niebezpieczne, ale nie może, nie będzie w stanie z tego zrezygnować. Andrzej napomknął, że w przyszłym roku akademickim zamierza przenieść się do Krakowa i tam kontynuować studia. Musi go w tym zamiarze podtrzymać. Powie mu, że tak będzie najlepiej dla nich obojga. Że nie narażając się na obmowy znajomych będzie go mogła odwiedzać. Tak mu powie, ale czy tak będzie, tego jeszcze nie wie. Raczej nie. Przecież nie może się do tego stopnia angażować w znajomość z Andrzejem, groziłoby to małżeńską katastrofą, a Kazik jako mąż jest bardzo dobry, wyrozumiały, z poczuciem humoru, czasami także czuły. Dziwnie się zachował, gdy usłyszał, że Bożena wkrótce wyjdzie za mąż, Powinien się ucieszyć, że jego dawna dziewczyna dobrze sobie radzi w życiu, a on jakby się tym zmartwił. Czyżby wciąż ją kochał? Dowie się tego, gdy mu powie, że córka jej krawcowej jest w ciąży. Wtedy też będzie wiedziała, czy zdradził ją z Bożeną. Raczej nie. Na pewno nie. Inaczej Bożena nie jej, lecz jemu by się zwierzył ze swej ciąży i związanego z nią dylematu. Ciekawe, czy już jest w domu? Jak ma mało pacjentów wraca z poradni wcześniej, przed osiemnastą. Ale w ubiegłym tygodniu i przedwczoraj miał dużo porad i przyszedł po dziewiętnastej, więc pewnie i dzisiaj tak będzie. A może nie. W każdym razie, jak tylko zajedzie do domu, zabierze się za kolację, oczywiście z winem. Nie potrwa to długo, wszystko ma przygotowane w lodówce, a wino jest w barku. To u Andrzeja było znakomite, choć bułgarskie. Francuskie powinno być lepsze, ale niekoniecznie. Jeśli Kazik jest już w domu, pewnie ją spyta, gdzie tak długo była. Zazwyczaj tego nie robił, lecz dzisiaj może. Powie mu, że po plaży poszła do kina. Przecież musiała się rozerwać. Przez całe dni nie ma go w domu, bo albo jest w szpitalu, albo w poradni, więc co ma robić bez niego. Przed południem się uczy, potem trochę też, resztę czasu spędza przed telewizorem albo na rozmowie z przyjaciółką, gdy ta ją odwiedzi, czy też na pogaduszce z tą lub inną sąsiadką. Wszystko to nie wystarcza, żeby pozbyć się uczucia samotności, jakie ją ostatnio dręczy. Dlatego poszła do kina. I będzie do niego chodzić częściej, przynajmniej dwa razy w tygodniu. Bo oglądanie filmu w telewizji to nie to samo, co oglądanie go

218

w kinie, gdzie są inni ludzie i ma się wrażenie, że razem z nimi przeżywa się dziejący się na ekranie dramat. To mu powie. I doda, że jeśli mu na niej zależy, niech wraca do domu wcześniej i od czasu do czasu zabierze ją do kina albo do teatru, a potem na kolację w restauracji. Stać ich na to. Kolacje w domu już się jej znudziły. I wyczekiwanie z nimi na niego też. Powie mu to i zażąda, żeby zrezygnował z pracy w poradni, a gdy jej tego nie obieca lub odsunie to na później, jak dotąd to robił, nie pójdzie z nim do łóżka, prześpi się sama. O wyjeździe na Mazury na razie nie wspomni. Zrobi to jutro lub pojutrze. Inaczej Kazik mógłby się czegoś domyśleć. Zdradziła go, ale pierwszy raz, wcześniej tego nie robiła, mimo że miała okazję. A za Andrzeja go przeprosi. Nie wie, kiedy i jak, ale przeprosi. Boże, Andrzej tak namiętnie ją całował, że mogły po tym pozostać jakieś ślady. Po powrocie do domu musi sprawdzić, czy nie ma na szyi malinki. Jezu, co ona najlepszego zrobiła! Jak mogła się tak zapomnieć. Kazik wszystkiego się domyśli. Nigdy nie był zazdrosny, nie miał do tego powodu, lecz jeśli pocałunki Andrzeja pozostawiły ślady, uzna je za dowód zdrady i zacznie ją kontrolować, a może nawet się z nią rozejdzie. Niedługo będzie przejeżdżać obok marketu, gdzie są kabiny z lustrami. Przejrzy się w nich i jak odkryje malinkę, będzie musiała coś z nią zrobić. Nie może dopuścić do tego, żeby Kazik domyślił się, że była z innym mężczyzną. To jej pierwsza i ostatnia zdrada, więcej się nie powtórzy. Zrobi wszystko, żeby ją wymazać z pamięci. Niech tylko pozwoli jej wyjechać nad jeziora, bo w mieście jest nie do wytrzymania. Musi gdzieś wyjechać. Gdy powróci, będzie mu wierna i nigdy już go nie zdradzi. Jest jej przy nim dobrze. To, co się stało, nie powinno się liczyć. Był taki niewinny, tak rozbrajająco nieśmiały. Czy mogła przewidzieć, że tak się to skończy? I czy przypuszczała, że obdarzy ją rozkoszą, w której się zatraci i przestanie panować nad sobą. To było nieoczekiwane i nie do powstrzymania. To było jak we śnie, który panując nad naszą świadomością robi z nami, co mu się podoba, dostarczając nam doznań, jakich na jawie nie jesteśmy w stanie doświadczyć. Tylko że tym razem to nie był sen, lecz realna rzeczywistość. Boże, czy zdoła o nim zapomnieć! Te jego cudowne ręce, ten jego przeszywający ciało dotyk. I ta jego wdzięczność za jej pieszczoty. Jeszcze nikogo tak nie pieściła. Nie czuła żadnego wstydu, żadnego skrępowania, robiła to, co jej nakazywało serce, to, czym chciała mu sprawić jak największą przyjemność. I sprawiła, a on potem też ją podobnie pieścił, całą, bez zahamowań. Kazik również to robił, ale krótko i nie tak jak ten słoneczny chłopak. To było...Nie, nie wolno jej o tym myśleć. Ma męża, który ją kocha i zrobi wszystko, żeby czuła się bezpieczna i szczęśliwa. A tamten chłopiec był ze snu. I w ogóle wszystko to było jednym cudownym snem, który ją porwał i poniósł w swoje najcudowniejsze rejony, ale już się skończył i z powrotem jest w świecie rzeczywistym. Zaraz będzie market i przejrzy się w lustrze. Jeśli znajdzie na szyi lub gdzie indziej ślad po pocałunkach Andrzeja i Kazik go zobaczy, rzeczywistość może się okazać koszmarem. Chyba że nie zastanie Kazika w domu i przy pomocy pudru lub plastra, przylepionego niby to po zjadliwym ukąszeniu osy, zdoła ją uczynić taką, jak by chciała, żeby była. Jezu...!

H

Kolejny wypadek. Co za dzień! Dwa śmiertelne zawały, śmierć w karetce, trzy kraksy. Ostatnią spowodowała kobieta. Jest pokiereszowana, ma zmiażdżone nogi, cała we krwi. Tylko tyle wie, więcej się dowie na miejscu.

Bronisław L. poprawił się na siedzeniu, z butelki pociągnął spory łyk wody mineralnej.

J

Jagodzie śni się, że jest na łące pełnej kolorowych kwiatów. Ubrana w różową sukienkę, z białym wianuszkiem na głowie kroczy pośród tych kwiatów w grupie roześmianych dziewcząt. I oto z przeciwka zdążają w ich stronę chłopcy, na czele wysoki i piękny młodzieniec w białej koszuli, haftowanej z przodu i na mankietach. Obydwie grupy zatrzymują się naprzeciw siebie. Młodzieniec w białej koszuli, od którego nie może oderwać oczu, uśmiecha się do niej i wyciąga w jej stronę ręce. Biegnie do niego i podaje mu swoje. I już razem idą przez łąkę, pośród radosnych śpiewów i muzyki, która im towarzyszy i brzmi tak pięknie, tak cudownie pięknie.

G

Henryk Dębicki, który już zaszedł do domu, czuje się lepiej, ale nie tak dobrze jak przed wędrówką po mieście. Zakończył ją na ławce przed kinem. Dalej nie mógł iść, miał nogi jak z waty, krótki oddech.

– Co panu jest? – spytała z troską młoda kobieta, podszedłszy do niego.

– Nic takiego – odparł – zaraz przejdzie.

– Gdzie pan mieszka?

– Niedaleko, za Anielewicza. Trafię.

– Pomogę panu.

– Nie trzeba, dam sobie radę.,

– Trzeba, trzeba.

Kobieta pomogła mu podnieść się z ławki i mimo jego sprzeciwu wspierając go ramieniem, podprowadziła do domu. Do windy dostał się o własnych siłach, ale dopiero po drzemce na wersalce w pokoju doszedł do siebie. Felicja jeszcze nie wróciła. Sięga po *Życie Warszawy*, spogląda na stronę poświęconą sportowi, potem na nekrologi, rzuca okiem na ogłoszenia, uśmiecha się na widok ofert towarzyskich, lecz zaraz ciężko wzdycha, wraca do nekrologów, słyszy zgrzyt klucza w zamku i do pokoju wchodzi Felicja. Wygląda nie do poznania, pięknie, jak za dawnych lat. Jest ubrana w liliową bluzkę i krótką spódnicę, przypominającą tę, którą nosiła w okresie ich narzeczeństwa, Jest też podobnie uczesana i ładnie pachnie.

B

Sobisiakowie zasiedli do stołu. Obchodzą wigilię dwudziestopięciolecia małżeństwa i imieniny Małgorzaty. Synowie z tej okazji podarowali im czerwone tulipany, Grzesiek jednego, a jego starszy brat dwa. On też zasiadł na krótko do stołu, wychylił kieliszek żubrówki i zaintonował *Sto lat*. Potem poszedł do komputera i zajął przy nim miejsce obok Grześka, który z wypiekami na twarzy oglądał nagie kobiety, porównując ich ciała z tym, które widział przez dziurkę od klucza.

Bluzka, którą Antoni sprezentował żonie, spodobała się Małgorzacie. Ale większą radość sprawił Małgorzacie kwiatami.

– Dwadzieścia pięć róż – krzyknęła z zachwytem, gdy po imieninowym gerberze ujrzała kwiaty rocznicowe. – Jakiś ty kochany! Ale to musiało cię dużo kosztować – zauważyła zaraz. – Skąd wziąłeś pieniądze?

– Odebrałem od Bolka pożyczkę.

– Tego Bolka, co ma znanego w całej dzielnicy królika?

– Tak.

Antoni chciał w tym momencie wyznać Małgorzacie swą dawną, pierwszą i ostatnią zdradę, żeby uspokoić dręczące go przez lata sumienie, ale ugryzł się w język i zamiast przyznać się do swego grzeszku, wzniósł toast za jej zdrowie, potem za ich udane, szczęśliwe życie, małżeńskie. Po trzecim czy czwartym kieliszku poinformował żonę o znalezionym na śmietniku płodzie, czym Małgorzata tak się przejęła, że dotąd tylko maczając usta w kieliszku, jednym haustem go opróżniła. Potem zaraz wychyliła drugi kieliszek i się upiła, toteż Antoni sam zaczął osuszać imieninową butelkę, wyrzucając sobie, że swą opowieścią zepsuł humor solenizantce.

K

Mirosław W. jest na kolegium, które mimo że późno rozpoczęte, trwa ponad trzy godziny; omawia się wiele spornych kwestii. Na koniec sprawę znalezionego na śmietniku płodu i jego zdjęcia, którego zamieszczeniu w gazecie – i to na pierwszej stronie, jak zaproponował jego kolega redakcyjny – stanowczo się sprzeciwił. I wokół tej sprawy rozgorzała teraz dyskusja, wokół tego, co wolno, a czego nie wolno im robić, wokół etyki zawodu dziennikarskiego, wokół przyzwoitości i jej granic, estetyki i brzydoty, no i wokół biznesu, jego praw i zasad.

– Jest odrażające – broni swych racji Mirosław W., zerknąwszy na zdjęcie. – Ludzie go nie przełkną.

– Przełkną, przełkną – mówi jeden z redaktorów, bardzo młody, w okularach. – Przełykali inne obrazki, więc i ten przełkną.

– Będą zszokowani.

– I o to chodzi, o szok! – stwierdza inny redaktor. – Teraz bez niego, nic do ludzi nie dotrze, nic ich nie poruszy. Żaden obraz tego pieskiego świata, żadna głęboka myśl, żadne zło i ostrzeżenie przed nim.

– Szok i skandal towarzyszyły każdej ambitnej sztuce – mówi redaktor w okularach – gdyż chcąc ukazać świat takim, jaki on jest, musiała wyjść poza sztampę i naruszyć jakieś tabu.

– Chyba nie powiesz, że i to obrzydliwe zdjęcie jest sztuką.

– Wszystko zależy od kontekstu – włącza się do rozmowy sekretarz redakcji – od miejsca ekspozycji, jego charakteru i otoczenia. Sedes w łazience to urządzenie spełniające wiadomą funkcję, natomiast postawiony pośrodku salonu, staje się nie tylko prowokacją, ale także przedmiotem o określonym kształcie i kolorze, a więc walorach estetycznych.

– Podobnie jest z gołymi babami – stwierdza kolega okularnika.

– U nas są one chlebem codziennym, a pokazane w innej gazecie, w otoczeniu tekstu nawołującego do życia według wskazówek Kościoła, z pewnością by zaszokowały.

– U nas też by zaszokowały – mówi redaktor w okularach – gdyby się okazało, że są znanymi aktorkami, robiącymi w serialach za nauczycielkę matematyki lub zakonnicę.

– Naszych czytelników nic nie zaszokuje, co najwyżej zaintryguje, a poważniejszemu tekstowi doda pikanterii – stwierdza z chichotem redaktor w okularach i zwraca się do niego: – Nie sądzisz, że to zdjęcie powinno się zamieścić pod twoim artykułem?

– Wykluczone! – protestuje.

– Gdy wejdziesz między wrony, musisz krakać jak i one – twierdzi sekretarz.

– Mówię swoim głosem.

– Wydaje mi się, że twój głos już się zmienił – mówi sekretarz redakcji – choć jeszcze nie tak, jak byśmy chcieli. Jeśli zaś idzie o to, co niedawno stwierdziłeś, masz rację, każdej rzeczy przysługuje właściwe jej miejsce. Dla sedesu na przykład jest ono w ubikacji, a nie w galerii.

– Czyżbyś chciał przez to powiedzieć, że nasza gazeta jest ubikacją? – rzuca z udawanym oburzeniem w głosie, zdając sobie sprawę, że nie o to sekretarzowi chodziło. – Bo na miano galerii z pewnością nie zasługuje.

Sekretarz spiorunował go wzrokiem.

– Źle mnie zrozumiałeś – mówi. – Chodziło mi o przynależne każdej rzeczy miejsce. Przyznaję, zdjęcie jest zbyt drastyczne, żeby się znaleźć na pierwszej stronie, toteż umieścimy je na tej samej stronie co twój artykuł, bo z nim koresponduje. Tekst Maćka również. Co o tym myślisz?

Sekretarz uśmiecha się złośliwie, co go dotknęło, ale zrezygnował z riposty, którą już miał na końcu języka. Spogląda na milczącego od dłuższej chwili redaktora naczelnego, który zawsze się liczył z jego zdaniem i niejeden raz go poparł. Tak też było teraz.

– To zdjęcie jest faktycznie zbyt drastyczne – słyszy – nie zamieścimy go w gazecie.

– A tekst? – pyta sekretarz.

– Do tekstu nie mam zastrzeżeń, co więcej, uważam, że powinien być zasygnalizowany na pierwszej stronie, oczywiście tłustymi czcionkami.

Na tym kolegium się zakończyło. Zadowolony z jego przebiegu Mirosław W. patrzy na kolegów redakcyjnych, młodych wilczków dziennikarstwa, drapieżnych i żądnych sukcesów, bez oporów przekraczających granicę przyzwoitości. Wygrał z nimi kolejną potyczkę. Uśmiecha się z satysfakcją i chce się pożegnać z Naczelnym, lecz ten, zajęty rozmową z sekretarzem, daje mu znak, żeby jeszcze nie wychodził.

– Odstajesz od nas – mówi, gdy zostali sami – ale to nawet dobrze, bo dzięki tobie poszerzyliśmy krąg czytelników, no i zwiększyli nakład. A to się liczy w biznesie, bo nie oszukujmy się, gazeta jest też biznesem. Musi nim być, jeśli chcemy w niej pracować i żyć na przyzwoitym poziomie. Słyszałem, że chcesz się przenieść do *Rzeczywistości*. Pomogę ci w tym, ale pod warunkiem, że nie zerwiesz z nami. Będziesz naszym komentatorem. Jeden artykuł na tydzień, zgoda?

– Zgoda.

– Warunki finansowe później omówimy, na pewno się dogadamy,

– Ja też tak myślę. Masz coś jeszcze?

– Nie, możesz iść. Podobno twoja żona jest w mocno zaawansowanej ciąży. Kiedy będzie rodzić?

– Na dniach.

– Nie wiedziałem, inaczej zwolniłbym cię z kolegium. Ale dobrze, że na nim byłeś, ustrzegłeś nas przed kłopotami. Gdyby nie ty, nie zwróciłbym uwagi na to zdjęcie i nieźle bym za nie oberwał. Dobrze jest mieć obok siebie człowieka z radarem w głowie. Cieszę się, że jesteś i będziesz z nami.

D1

Zanim poszedł do kawiarni, Stefan N. spojrzał jeszcze raz na wręczone mu przez od ucznia kartki. Przypomniał sobie zamieszkałe w ich dawnym domu dwie piękne, lecz nieszczęśliwe wołynianki, które on i inne dzieci z podwórka nazywali Wenusjankami, bo jak znana z ilustracji Wenus z Milo, nie miały rąk. Rodzice powiedzieli mu, że Wenusjanki straciły ręce podczas wojny, dopiero po latach dowiedział się, że obciął je zdziczały motłoch ukraiński, który odśpiewawszy pieśń Tarasa Szewczenki o kozakach poległych w XVII wieku w bitwie pod Beresteczkiem – na oczach podówczas dwunastoletnich dziewczynek przymocował ich rodziców do wrót stodoły i ją spalił. Dziewczynkami zaopiekowali się inni Ukraińcy, którzy wzięli je do swego domu i opatrzywszy kikuty, przez kilka lat żywili i wychowywali, biedni, lecz po ludzku życzliwi. Ta bezinteresowna pomoc udzielona dziewczynkom, sprawiła, że rozpogodziła mu się twarz. Niemniej jednak postanowił, że zajmie się wydarzeniami na Wołyniu, zgłębi jej historyczne podłoże i przeanalizuje okoliczności i przyczyny tak okrutnie przejawianej nienawiści. Bo nienawiść kierowała Ukraińcami, nienawiść głęboko zakorzeniona, wielowiekowa. Dużo o tym wie, ale jak na historyka, za mało. Musi zapoznać się z opracowaniami dotyczącymi tej sprawy. Wręczone mu kartki umieścił w tekturowej teczce, wsunął do kieszonki marynarki złożoną we czworo jedwabną chusteczkę, poprawił krawat, skropił się markową wodą kolońską i podążył na spotkanie ze znacznie młodszą od siebie sąsiadką.

Myślał, że po opuszczeniu domu uwolni myśli od spisanych przez Kaźmierczaka potworności, lecz te nie dawały mu spokoju, krążyły po głowie i przypominały się:

Przebijanie brzucha ciężarnej kobiecie bagnetem.

Rozcinanie brzucha kobiecie w zaawansowanej ciąży i w miejsce wyjętego płodu, wkładanie. żywego kota i zaszywanie brzucha.

Rozcinanie kobietom ciężarnym brzucha i wrzucanie do wnętrza potłuczonego szkła.

Przybijanie nożem do stołu języczka małego dziecka, które później wisiało na nim.

Krajanie dziecka nożem na kawałki i rozrzucanie ich wokół.
Rozpruwanie brzuszka dzieciom.
Przybijanie bagnetem małego dziecka do stołu.
Wieszanie dziecka płci męskiej za genitalia na klamce drzwi.
Łamanie stawów nóg dziecka.
Łamanie stawów rąk dziecka.
Zaduszanie dziecka przez narzucanie na niego róznych szmat.
Wrzucanie do głębinowych studni małych dzieci żywcem.
Wrzucanie dziecka w płomienie ognia palącego się budynku.
Rozbijanie główki niemowlęcia przez wzięcie go za nogi i uderzenie o ścianę lub piec.
Wbijanie dziecka na pal.
Przybijanie gwoździami małego dziecka do drzwi.
Zadźganie widłami, a potem pieczenie kawałków ciała na ognisku.
Wbijanie niemowlęcia na widły i wrzucanie go w płomienie ognia.
Przybijanie małych dzieci dookoła grubego rosnącego drzewa przydrożnego, tworząc w ten sposób tzw. Wianuszek.

A

Jakub podniósł się z fotela, przeszedł do kuchni, zaparzył herbatę. Rano i po obiedzie pijał kawę, a w południe i wczesnym popołudniem robił sobie herbatę, lekko ją podgotowując, jak Turcy. Popijając kawę lub herbatę palił fajeczkę i słuchał muzyki z radia lub płyty. Miał ich kilkaset, przeważnie z muzyką klasyczną. Ją najbardziej lubił, ale lubił też tradycyjny jazz oraz muzykę cygańską i żydowską, jak również rosyjską i ukraińską, gdy wykonywały ją chóry cerkiewne, z charakterystycznymi, jedynymi w swoim rodzaju basami. Polska muzyka ludowa go nie pociągała, wolał tę z Rumuni, Grecji i Turcji, w której pobrzmiewała tęsknota i wyczuwało się głębię. Głębią też tchnęło malarstwo Riepina, w przeciwieństwie do malarstwa Matejki, nie mówiąc już o Kossaku. A literaturę rosyjską uwielbiał, bo penetrowała nie tylko ludzkie umysły, ale i serca, w każdym, nawet tym najtwardszym odnajdując pokłady dobra. Coś z niej odnajdywał w literaturze amerykańskiej, polska – z wyjątkiem znakomitej poezji oraz dramaturgii, która wyszła spod pióra wybitnych poetów, no i kilku powieści – wydawała mu się płytka, bogoojczyźniana, okazjonalna. Dobrze rejestrowała obyczajowość, ale do głębi ludzkiej natury nie wkraczała, co najwyżej jej dotykała, ślizgała się po niej. Zręczni są Polacy, lecz powierzchowni. Ma prawo tak mówić, upoważniają go do tego przodkowie, co najmniej od dziewięciu wieków rdzenni Polacy. Nosił nazwisko matki, córki zubożałej szlachcianki i bogatego, rozczytanego w Biblii chłopa, gdyż ojciec zginął tragicznie kilka dni przed planowanym ślubem z matką. Inni jego przodkowie, ci od strony babci i niedoszłego męża matki, byli herbowi, szczycili się zasługami dla ojczyzny i dużymi majątkami, które niejeden przehulał lub rozdał chłopom, czy też utracił po Powstaniu Styczniowym, zesłany na Sybir. A może któryś z nich ożenił się z Żydówką? Dość często się nad tym zastanawiał, zafascynowany historią i kulturą Żydów, Franzem Kafką, Isaakiem Singerem i kilkoma innymi wybitnymi twórcami. Ale z drugiej strony Żydzi go mierzili, a to z uwagi na ich przywiązanie do pieniądza. Na wszystkim chcą zrobić interes, on jest dla nich najważniejszy. Niemniej są bardzo zdolni, no i inteligentni, tego im nie można odmówić. Ponadto w przeciwieństwie do Polaków, którzy nawzajem się podgryzają, oni sobie pomagają i jeśli wykryją u któregoś talent, to go wspierają, a nie omijają lub ściągają w dół, do swego poziomu, albo i niżej, żeby się potem nad nim użalać. Potrafią współczuć, ale też potrafią wyśmiać rodaka, gdy ten zdążając w górę, potknie się o coś i spadnie, albo w swym dziele popełni błąd, na przykład w niewłaściwym miejscu postawi przecinek bądź niewłaściwie odmieni jakieś słowo.. O, jaką mają uciechą ci wszyscy krytycy, recenzenci i redaktorzy, gdy w przekazanej im do oceny lub opracowania książce wykryją odstępstwo od zasad gramatyki i ortografii. Tak, oni dobrze wiedzą, jak należy pisać, ale sami nie potrafią wysmażyć najzwyklejszego opowiadanka. Chcieli, próbowali, lecz bezskutecznie. Cóż, twórczość nie opiera się na wiedzy, ale na przyrodzonym talencie, który w sobie wykrywszy, trzeba rozwinąć, wzbogacić przemyśleniami i nasycić doświadczeniem życiowym, na ogół przykrym i bolesnym, niestety. A powracając do krytyków – w kraju mamy ich dużo, i to w każdej dziedzinie sztuki, gotowych ułożyć pean na cześć każdego, nawet miernego dzieła, jeśli jego twórca lub ktoś inny dobrze zapłaci. Bo pieniądz teraz się liczy, od niego wszystko zależy. W świecie, w którym do niedawna rządziła komuna, powstała pustka, którą bardzo szybko wypełniła mamona. Ona teraz sprawuje władzę nad ludźmi, zaprząta ich umysły i wkrada się do ich serc. Wszystko inne zeszło na

dalszy plan. Jeśli pojawi się jakież ambitne dzieło, to albo je ignoru-
jemy, albo pochylamy się nad nim z lupą, szukając dziury w całym.
I znajdujemy ją, jako że każde, nawet najgenialniejsze dzieło ma słab-
sze miejsca, co sprawia nam szczególną satysfakcję i każe wychwalać
rzeczy gładkie, schlebiające niewybrednym gustom, pozbawione głębszych odniesień, głębszych refleksji, głębszej myśli. Taki też jest nasz
naród – płytki, powierzchowny, emocjonalny i często nietolerancyjny.
Za to buńczuczny i waleczny, solidarny w biedzie i buncie, no i w walce o wolność i niepodległość, a po zwycięstwie rozproszony i kłótli-
wy. Poza tym Polacy są w ogromnej większości megalomanami i lubią
ujadać, a obcy im jest namysł i rozwaga. Trochę przypominają małe
pieski, które poszczekują na każdego, czasami ugryzą w łydkę, dopiero warknięcie czuwającego w pobliżu brytana je ucisza, lecz tylko na
chwilę, bo poszczekiwanie leży w ich naturze, a brytan musi się liczyć
z istnieniem innych brytanów, traktujących je jak rozbrykane dzieci,
hałaśliwe, skore do bitek i złośliwych żartów, ale przecież dzieci, którym na wiele się pozwala.

Jakub jeszcze chwilę rozmyślał nad naturą rodaków, po czym sięgnął do lodówki po alkohol, gdyż ogarnął go smutek i poczucie samotności, jakie ostatnio często go nawiedzało i kazało wątpić w celowość
twórczej pracy i dalszego życia. Nie miał na świecie nikogo bliskiego,
żył sam, bez żadnych zobowiązań, co było wygodne, ale jałowe i mo-
mentami straszliwie bolesne, jak teraz. Kieliszek zimnej wódki, który
wychylił jednym haustem, dobrze mu zrobił, rozgrzał go i rozgonił
zbierające się nad nim chmury, poprawił jego psi nastrój. Dopił herba-
batę, wyciszył radio i spojrzawszy na leżące na ławie zapisane kartki
odłożył na bok tę, która dotyczyła inżyniera Walczaka, gdyż niedawno się dowiedział, że ten. którego chciał uczynić jednym z bohaterów
swej książki, wstąpił do Platformy tylko po to, żeby zostać członkiem
Rady Nadzorczej i otrzymywać z tego tytułu dodatkowe wynagrodze-
nie, znacznie przewyższające jego inżynierską, wysoką pensję. Zanim
ponownie usiadł i pochylił się nad czystymi kartkami, zamknął okno,
ponieważ do pokoju wdarł się chóralny śpiew, nad którym górował
silny sopran Cecylii Basiak, dumnej z tego, że porzucona przez doktora Rogalę Bożena, jej ukochane dziecko, zaręczyła się z synem pana
profesora i wkrótce wejdzie do jego rodziny, choć ukończyła tylko za-
wodówkę i jest córą krawcowej.

Bo grunt to rodzinka grunt to rodzinka
Bo kto rodzinkę fajną ma
Nie wie co bieda bo gdy potrzeba
To mu rodzinka zawsze ...

E

Nie mogąc się doczekać autobusu, Michał wziął z postoju taksówkę i pojechał na Powązki. Spieszył się, bo przypomniawszy sobie o rocznicy urodzin matki, postanowił pójść na jej grób, a potem odwiedzić jej dobrą znajomą, aby spytać ją o mężczyznę z fotografii. O wszystkich mężczyzn ze zdjęć matki już pytał, a o tego jeszcze nie. A to on mógł być tym, którego kiedyś szukał. Matka bowiem wyznała przed śmiercią, że ten, który go wychował i zginął na miejscu wypadku, nie był jego biologicznym ojcem, że poczęła go z kim innym. Nie podała jego nazwiska, ani nawet imienia. Nie zdążyła. Powiedziała tylko, że jest na zdjęciu. I kazała mu go odszukać. Był tym zszokowany, ale znacznie głębiej przeżył jej śmierć. Dopiero kilka dni po jej pogrzebie, zaczął się zastanawiać nad tym, co mu wyznała. Przypomniał sobie chwile z dzieciństwa, gdy w sąsiednim pokoju rodzice się sprzeczali i usłyszał słowa ojca: „To nie jest mój syn". Spytał matkę, co to miało znaczyć, a matka wyjaśniła, że powiedział to w gniewie, bo był niezadowolony z jego zachowania i pragnął, żeby postępował zgodnie z tym, co mu wpajał i co jemu w dzieciństwie wpoił jego ojciec. Wyjaśnienie matki mu wystarczyło. Przyjął je bez zastrzeżeń, a że kochał ojca i chciał, żeby on także go kochał, słuchał się go i postępował według jego wskazówek. Jednak po tym, co mu matka powiedziała przed śmiercią, słowa ojca nabrały innego znaczenia. Matka miała bardzo dużo zdjęć. Była na nich sama albo z ojcem, lecz na wielu w towarzystwie innych, nieznanych mu mężczyzn. Wypytywał o nich jej znajomych i sprawdzał, czy w dniach jego poczęcia kręcili się koło matki. Niestety żaden nie mógł być jego biologicznym ojcem, bo albo w dniach możliwego poczęcia przebywali w innym mieście, albo nie byli związani z matką tak blisko, żeby ją wziąć w ramiona. Rozczarowany niepowodzeniem pomyślał, że źle odebrał jej wyznanie, gdyż matka nie powiedziała wprost, że jego biologicznym ojcem jest kto inny, tylko dała mu to do zrozumienia mówiąc, żeby odszukał tego, który jest na zdjęciu, bo go kochała, bo... Dalsze jej słowa były niewyraźne i można je było różnie rozumieć. On je odczytał jako informację, że poczęła go z innym mężczyzną. A przecież mógł się mylić. I z pewnością się mylił, doszedł do wniosku po kilku miesiącach i przestał myśleć o tym, którego matka kazała mu odszukać, co przyszło mu tym łatwiej, że poznał i zakochał się w Amelii. Ona stała się obiektem jego myśli. Pozostawione przez matkę zdjęcia włożył do pudełka, obwiązał je tasiemką i umieścił w pawlaczu. Trzymał w nim również albumy z wykonanymi przez matkę szkicami do obrazów. Miesiąc temu je oglądał i nieoczekiwanie odkrył wśród nich kilka nieznanych mu zdjęć, które włożył do koperty i umieścił w komódce, postanawiając, że obejrzy je kiedy indziej. Natrafił na nie dziś rano, gdy przygotowywał się do wizyty u lekarza. Ale dopiero przed godziną się im przyjrzał. Przedstawiały Paryż, jego charakterystyczne budynki, uliczki i ludzi. Na jednym ze zdjęć została uwieczniona matka w towarzystwie mężczyzny. Stali przytuleni do siebie, co oznaczało, że się znają i są sobie bliscy. To dało mu wiele do myślenia. Wpatrywał się w towarzyszącego matce mężczyznę i zastanawiał się, czy to nie on jest jego rodzonym ojcem. Tylko że ów mężczyzna był grubawy i niższy od niej, a ona, co stwierdzili jej liczni znajomimi, takich nie lubiła, preferowała szczupłych i przewyższających ją wzrostem, jak ten, którego poślubiła. Ale on, jej syn, też był od niej niższy, a wyglądał na szczupłego, bo uprawiał jogę i unikał mięsa i tłustych potraw. Uświadomił to sobie dopiero dzisiaj, przed wyjściem z domu, gdy ponownie przyjrzał się w komputerze twarzy dziewczyny z Internetu i rozpoznał w niej znajome rysy. Wtedy też przeglądnął szkice i zdjęcia matki i przypomniawszy sobie o jej urodzinach, postanowił pójść na jej grób, a potem skontaktować się z jej znajomą, która musiała sporo o niej wiedzieć, gdyż w swojej galerii wystawiała i sprzedawała jej obrazy.

Wysiadłszy z taksówki skierował się w stronę bramy prowadzącej na cmentarz, gdzie spoczywała matka, a także jej rodzice.

12

Leopold wstrząsnął butelką z przepalanką. Wstawił ją do lodówki i przysłuchując się świergocącym w klatce kanarkom, razem z Marianem zajęli się zakąskami. Niedługo przyjdzie Franek i we trójkę siądą do stołu. Pomyślawszy o przyjacielu, przypomniał sobie, że ma on dzisiaj oglądać lot Szulca. Pewnie będzie mu towarzyszyła Sabina, a może także Ada, córka Rosenberga. Mieszkali w jednym domu, z tym, że ona we frontowej części budynku, na pierwszym piętrze, w czterech dużych i wysokich pokojach, w których stały stylowe piece kaflowe i sufity były ozdobione płaskorzeźbami, a on w oficynie, na niskim parterze, właściwie w suterenie, gdzie jego rodzina, złożona z rodziców i trojga dzieci, zajmowała tylko jeden pokój z kuchnią. Dlatego na Adę, nazywaną przez chłopców z podwórka Boginią, bo była równie piękna, co niedostępna, mógł tylko patrzeć, gdy szła z guwernantką do szkoły lub na niedzielny spacer do Ogrodu Saskiego czy Łazienek. I właśnie tam, w Łazienkach, zbliżył się do niej na tyle, żeby z nią wymienić kilka zdań. Towarzysząca jej guwernantka podjęła rozmowę z siedzącą na tej samej ławce starszą kobietą, więc gdy Bogini zaczęła zbierać leżące na ziemi kasztany, wręczył jej swoje i się przedstawił:

– Mam na imię Leopold, ale koledzy nazywają mnie Leo.

– A ja mam na imię Ada – powiedziała onieśmielona dziewczynka.

Zapanowało kłopotliwe milczenie.

– Mieszkamy w jednym domu – przerwał je, spostrzegłszy, że guwernantka Ady zerka w ich stronę.

– Wiem.

– Widziałaś mnie?

– Kilka razy.

– A ja ciebie codziennie, jak idziesz do szkoły.

– Śledzisz mnie?

– Nie, tylko patrzę, bo jesteś bardzo ładna.

Ada się zarumieniła, chciała coś powiedzieć, ale nie zdążyła, bo zawołała ją guwernantka. Po dwóch miesiącach, zimą, znowu spotkał Adę w Łazienkach. Szedł za nią i zobaczył jak się poślizgnęła i przewróciła na zalodzonej alei, więc natychmiast do niej podbiegł i uprzedzając guwernantkę, pomógł jej się podnieść.

– Dziękuję – powiedziała, a gdy guwerantka pociągnęła ją za rękę w stronę stawu, krzyknęła: – Przyjdź do mnie kiedyś!

Odwiedził ją w dzień poprzedzający Wigilię. Przyniósł jej w prezencie gwiazdę na choinkę, którą sam zrobił, bez niczyjej pomocy. W holu natknął się na jej ojca.

– Co przyniosłeś? – spytał Rosenberg sądząc, że ma przed sobą posłańca.

– Gwiazdę betlejemską – poinformował – dla Ady.

– Od kogo?

– Ode mnie – powiedział z dumą.

Rosenberg obrzucił go uważnym wzrokiem, niewyraźnie się uśmiechnął.

– Ada uczy się francuskiego. Daj mi tę gwiazdę, to jej wręczę.

– Niech pan jej powie, że to ode mnie.

– Powiem, powiem – przyrzekł Rosenberg, o którym mówiono, że zamierza się przechrzcić i zmienić nazwisko na polskie. – Poczekaj – dodał zaraz, poszedł do pokoju i wrócił z napoczętym pudełkiem marcepanów– To za tę gwiazdę.

Nie chciał żadnych marcepanów, tylko widoku Bogini, jej uśmiechu i uścisku ręki, ale co miał zrobić. Zjadł jednego, a pozostałe dał siostrom, które nigdy nie miały w ustach tak wspaniałych smakołyków i długo się po nich oblizywały. Zaraz po Sylwestrze kucharka wręczyła mu liścik od Ady, w którym Bogini podziękowała mu za gwiazdę i zaprosiła do siebie. Ponownie do niej się wybrał i ponownie natknął się w holu na Rosenberga. Widocznie ten się dowiedział, że jest synem zwykłego robotnika i wraz z resztą rodziny gnieździ się w suterenie, bo spojrzawszy na niego jak na natarczywego kundla, z niechęcią i pogardą w oczach, powiedział, że Ady nie ma w domu. Było to nieprawdą, jak się po chwili dowiedział od kucharki Rosenberga, którą ten zawołał i kazał go poczęstować ciastem, po czym odprowadzając lekceważącym spojrzeniem dał do zrozumienia, że nie życzy sobie widzieć go w swym domu.

– To dom nie dla takich jak ty! – powiedziała w kuchni kucharka – więcej tu nie przychodź, bo pan sobie tego nie życzy.

– Tacy jak on – wyjaśnił mu ojciec, gdy dowiedział się o jego wyprawie do Rosenberga – patrzą na nas, biedaków, jak na parszywe psy. Wybij sobie Adę z głowy. Nie dla psa kiełbasa.

Widywał potem Boginię idącą do szkoły, a także powracającą z niej, ale nie odważył się do niej podejść, zmrożony lekceważącym spojrzeniem jej guwernantki. A Rosenberga znienawidził za te jego spojrzenie w holu i choć nie powinien, ucieszył się, gdy w drugim roku okupacji zabrano go do getta i wraz z żoną oraz córką osadzono w nędznym pokoiku z kuchnią, takim samym, w jakim on mieszkał przez całe lata.

I o ile dotąd nie miał nic przeciwko Żydom, teraz poczuł do nich niechęć. Wprawdzie Franciszek, któremu opowiedział o Bogini i jej ojcu, powiedział, że podobnie zachowywali się przed wojną wszyscy bogacze, a nie tylko Żydzi, lecz nienawiść, jaka osiadła w nim po drugiej wizycie w domu Rosenberga, długo nim władała. I wciąż włada, choć w nim osłabła, gdyż próbuje ją zracjonalizować i zwalczyć.

Jeśli idzie o Boginię, to żal mu jej było, gdy się dowiedział, w jakich warunkach zamieszkała w getcie, ale pomyślał, że może teraz Rosenberg spojrzy na niego inaczej, a w przyszłości się zgodzi, by Ada została jego żoną. Wprawdzie słyszał, że Żydzi rzadko wydają swoje córki za gojów, a jeśli już, to za tych, co mają pieniądze i wysokie stanowisko, albo dobre nazwisko. Jednak Rosenberg nieoczekiwanie stał się biedakiem, takim jak jego ojciec, więc był przekonany, że jego szanse na poślubienie Ady znacznie wzrosły. Kupił więc na Bazarze Różyckiego tani, a piękny pierścionek z zielonym oczkiem i dzięki koledze, którego dom sąsiadował z gettem i miał prowadzący do niego tunel, przekradł się na jego teren i zaczął wypytywać o Adę. Lecz kiedy ją ujrzał i miał jej wręczyć pierścionek, dopadli go policjanci żydowscy i gdyby nie Ada, która wstawiła się za nim i nie mogąc przekonać ojca do sprezentowania policjantom złotego zegarka, z płaczem rzuciła się im do nóg i sprawiła, że zamiast przekazać go Niemcom, wypędzili z getta. Potem się dowiedział, że następnego dnia Adę i jej ojca zabrano do transportu i wywieziono. Kiedy więc getto płonęło, stał w oknie mieszkającego na poddaszu kolegi, z chłopięcą fascynacją wpatrywał się w strzelające w górę płomienie i cieszył, że umknęła im Bogini. Tymczasem jego ojciec, który nie lubił Żydów – bo ten, u którego pracował, traktował go z wyższością i lekceważeniem, a Rosenberg chciał wyrzucić z mieszkania za niepłacenie czynszu – z satysfakcją w głosie powiedział do matki: „Żydki się palą!", co matka miała mu za złe.

Wszystko to, a także wiele innych, osobistych lub zasłyszanych doświadczeń sprawiło, że wspominając z sentymentem Boginię, do reszty ich współplemieńców czuł nienawiść, a gdy ta w nim osłabła, zaczął do nich żywić mieszane uczucia. Podobnie jak Franciszek, cenił ich żywotność, zaradność i inteligencję, ale miał im za złe kult pieniądza i uniżoność wobec możnych, a arogancję wobec równych sobie czy też gorzej usytuowanych Polaków. Przeżyli przecież Holocaust i byli narodem wybranym. Inne nacje też dużo wycierpiały i się wykrwawiły, jak choćby bośniaccy muzułmanie czy plemię Tutsi, ale nie robili z siebie świętych męczenników. I złościło go w Żydach to, że nie pozwalali powiedzieć o sobie złego słowa, a tych, którzy to robili, nazywali antysemitami i – jak słyszał – eliminowali z gazet i telewizji, czy też innych ośrodków opiniotwórczych. A przecież każdemu narodowi można coś zarzucić. I każdemu przypisuje się jakąś negatywną cechę i ją wytyka. O Szkotach mówi się, że są skąpi, Francuzi rozwiąźli, a Polacy to bałaganiarze i pijacy. Tymczasem o nich nie można powiedzieć nic złego, trzeba ich traktować z szacunkiem i jak świętym krowom ustępować z drogi, no i nie przeszkadzać w interesach, bo podniosą rejwach i zaczną krzyczeć, że się ich prześladuje. I to głównie z tego powodu nie cieszą się sympatią u większości Polaków. Zresztą nie tylko u nich, w każdym kraju, gdzie zamieszkali i zaczęli robić interesy, patrzy się na nich z niechęcią. Ponadto słyszał, że jeden z Polaków miał w getcie czy też na granicy z nim przedsiębiorstwo, w którym zatrudniał Żydów. Kiedy getto zaczęło się wyludniać, wielu z tych Żydów przychodziło do niego ze złotem i prosiło o pomoc w ucieczce. Tylko im powinien ją umożliwić – mówili – krewni dadzą sobie radę. Polak by się tak nie zachował. Nie tylko siebie próbowałby uratować, ale przede wszystkim dzieci i żonę. Czy zatem Żydzi mają prawo się wywyższać?! Zarzucają Polakom zoologiczny antysemityzm, ale to Polacy pomagali im w ucieczce z getta i ich ukrywali, choć groziła za to śmierć. Owszem, niektórzy brali od nich złoto, niektórzy ich mordowali, jak miało to miejsce w Jedwabnem, ale w tym i innych, nielicznych mordach uczestniczyła niewielka grupa ludzi, margines, który występuje również w innych narodach, w żydowskim też. Przykładem była policja żydowska w getcie i ci Żydzi, którzy w obozach śmierci ustawiali swych rodaków w kolejce do komór gazowych. A oni każdy zawiniony przez Polaków fakt nagłaśniają i wyolbrzymiają, dodając do ich liczby jedno lub więcej zer. I to w nich najbardziej go irytowało, to bezczelne, przekraczające wszelkie miary oszustwo. Franciszek patrzył na Żydów znacznie łagodniejszym okiem, ale i jego raziła ich arogancja i bałwochwalcza miłość do pieniądza. Często o nich rozmawiali i się spierali. Mieszkali na gruzach getta, widywali Żydów przyjeżdżających z wycieczką pod Pomnik Bohaterów Getta, więc nie mogli o nich nie rozmawiać, a że różnie na nich patrzyli, dochodziło między nimi do sporów, na ogół przy comiesięcznej przepalance. Wtedy też wspominali swoje piękne Żydóweczki – Franciszek Sabinę, on Boginię. Jeden z uciekinierów z obozu zagłady w Treblince powiedział mu, że chuda jak patyczek Ada uratowała się od śmierci. Dlatego czekał na nią z kupionym na bazarze pierścionkiem, czekał dwa lata, aż się dowiedział o jej śmierci. Dopiero wtedy ożenił się z Marysią. Ją też często wspominał, ale przy przepalance, po sporze o Polskę i Żydów, wracali wspomnieniami do swych pięknych Żydówek i one ich spory przerywały i kończyły, Sabina i Ada.

E

Nieforemne pagórki porośnięte chwastem, ścięte ostrosłupy świeżo usypanej ziemi oraz płyty z marmuru i piaskowca – równymi rzędami... I pośmiertne hołdy, żale i błagania:

PO DŁUGIEJ I CIĘŻKIEJ CHOROBIE
PRZEZ ŚMIERĆ DO SZCZĘŚLIWOŚCI WIECZNEJ
ODDAŁ SWOJE MŁODE ŻYCIE ZA OJCZYZNĘ
MALUCZKO A UJRZYMY SIĘ
POLEGŁ ŚMIERCIĄ POLAKA
JA ŻYJĘ I WY ŻYĆ BĘDZIECIE
UOSOBIENIE ANIELSKIEJ DOBROCI MIŁOŚCI I OFIARNOSCI
AVE MARIA
WIĘZIEŃ OŚWIĘCIMIA
RUHE SAANT
ZASŁUŻONY I CENIONY PRZEZ MŁODZIEŻ
NIECH CI ZIEMIA LEKKĄ BĘDZIE
POLEGŁ NA POLU CHWAŁY
NON OMNIS MORIAR ICI REPOSE
PŁYŃCIE ŁZY ŻAŁOSNE
ŁZY MATCZYNE MOJE
SYNA JUŻ NIE UJRZĘ
SYNA NIE UKOJĘ
POWIĘKSZYŁ GRONO ANIOŁKÓW
AMEN

Odszukawszy miejsce pochówku matki i jej rodziców, Michał spędził w nim ponad godzinę, wspominając matkę i dziadków, pochowanych w jednym grobie. Jego ojczyma, czy też ojca, sam już nie wiedział, w nim nie było. Zabrała go siostra i pochowała w Pułtusku, w rodzinnym grobowcu, chcąc go uświetnić znanym w świecie naukowcem. Zachował o nim dobre wspomnienia. Często wyjeżdżał na zagraniczne konferencje i wykłady, a jak przebywał w kraju, długie godziny spędzał na uczelni, ale był troskliwy i jak przebywał w domu, zawsze znajdował dla niego czas. Dlatego nie mógł się pogodzić z tym, że nie on jest jego biologicznym ojcem, tylko kto inny. Myśląc o nim, zastanawiał się, jaki on jest i co spowodowało, że opuścił matkę i nie pokazał mu się na oczy. Czyżby nie wiedział, że się urodził? Tylko to mogłoby go usprawiedliwić, nic innego. Bo jeśli o nim wiedział, a z jakichś powodów go unikał, był draniem, więc nie chciał go znać. Przyniósł na grób kwiaty i trzy świeczki, jedną dla matki, dwie pozostałe dla jej rodziców. Byli dla niego dobrzy i opiekowali się nim, gdy matka i ojciec przebywali za granicą. Rodziców ojczyma rzadko widywał, choć przeżyli dziadków ze strony matki, których bardzo lubił, czasami bardziej niż rodziców. Dziadka w zasadzie nie pamiętał, gdyż zmarł, gdy on miał cztery lata. Dopiero jak zobaczył go w trumnie, przypomniał sobie, że rok wcześniej siedział na jego kolanach, a dziadek głaskał go po włosach i opowiadał o krajach, po których wędrował. Dużo więcej czasu spędził z babcią, która piekła dla niego ulubione ciasteczka i opowiadała bajki. Matka też je opowiadała, ale bardzo smutne i rzadko, bo zarówno rano, jak wieczorem stała przed sztalugami i malowała. Przygnębiające były jej obrazy. Jakby coś ją martwiło, jakby miała żal do siebie lub świata. Czasami przychodziła do jego pokoju i długo wpatrywała się w niego, a gdy pod wpływem jej wzroku otwierał oczy, nic nie mówiła, tylko całowała go w policzek lub czoło i zaraz wychodziła,

Zmówił modlitwę najpierw za matkę, potem za dziadków, a potem jeszcze raz za matkę. Przypomniawszy sobie o zabranym z domu zdjęciu, jeszcze raz mu się przyjrzał. Dopiero teraz zwrócił uwagę na jego drugi plan. Tworzyła go sylwetka Moulin Rouge. Matka często jeździła do Paryża, ale jak mu było wiadomo, razem z mężem, jego ojczymem, który miał kilkudniowe wykłady na Sorbonie. Wykładał też na uniwersytecie w Oxfordzie, blisko Londynu, którego matka nie lubiła, lecz częściej na Sorbonie lub na uniwersytetach w Niemczech, Belgii i Holandii. Ponadto matka lubiła fotografować mężczyzn, których potem przenosiła na płótno, w towarzystwie tej czy innej kobiety, albo grupki kobiet, jako diabła-kusiciela lub satyra. Znowu spojrzał na trzymane w ręku zdjęcie i stwierdził, że przedstawiony na nim mężczyzna nie miał w sobie nic z tych postaci. Wpatrując się w jego mądrą i sympatyczną twarz, uprzytomnił sobie, że już ją gdzieś widział, prawdopodobnie na obrazie matki. Tak, na jej obrazie, jednym z tych, które wystawiła na swojej ostatniej wystawie w Galerii *Zapiecek*. Musi się skontaktować z jej dyrektorką. Może ów obraz jeszcze ma, może go nie sprzedała, a jeśli tak, to dowie się komu. I dowie się też, kim był dla matki ów mężczyzna, którego nie ona, lecz kto inny sfotografował, bo razem z nim, na jednym zdjęciu. Sama natomiast uwieczniła go na płótnie. Jeśli ktoś je kupił, to on odkupi. A przede wszystkim dowie się kim był dla matki – przygodnym znajomym, z którym tylko została sfotografowana, czy kimś więcej, na co wskazuje zdjęcie. Ma mądrą twarz i smutne oczy. Wygląda na Francuza, więc go nie odnajdzie. Szkoda, bo to może on jest tym, którego szukał i wciąż szuka. Pewnie dowie się tego w *Zapiecku*, gdzie matka miała dwie czy trzy wystawy, więc dobrze znała jego dyrektorkę i przy kawie mogła jej coś o nim powiedzieć.

L

Po Placu Zamkowym spacerują zagraniczni turyści i zakochane pary. Przy Świętojańskiej siedzi w wózeczku beznogi i bezręki kaleka, ma spieczone wargi, na drążku harmonijkę, zachrypły głos:

Czy widzisz te gruzy na szczycie

Obok na chodniku wysłużona rogatywka z blaszanym orłem w koronie.

Mieszkający na Starym Mieście Gustaw Ł., który przyjechał z Żoliborza taksówką, zatrzymuje się przy kalece, gdyż jego widok przypomniał mu ojca, o którym przed kilkoma godzinami rozmawiał z Marianem. Ojciec też nie miał nóg, lecz tylko do kolan. Tymczasem kalectwo ulicznego grajka obejmowało całe nogi, a także ręce. Ponadto ojciec dzięki usilnym staraniom, pieniądzom i znajomościom był wyposażony w doskonałe protezy szwedzkie, Pozwalające mu sprawnie się poruszać, nawet bez kul. A to wgłębienie na piersiach po kilku latach się zagoiło, niemniej było widoczne i głębokie, dobrze je pamięta, bo gdy był mały dotykał go rączką i sprawdzał, ile paluszków się w nim zmieści. Dobrze też pamięta, co je spowodowało. Przebywali wtedy poza Warszawą, naj-pierw w rodzinnym miasteczku ojca, potem w sąsiednim miasteczku, gdyż to rodzinne, gdzie mieszkało cztery tysiące Żydów i tylko 300 Polaków, w tym wiele starych kobiet i dziewcząt, które w soboty przypalały Żydówkom świece, zostało przez Niemców przeznaczone na poligon artyleryjsko-lotniczy, w związku z czym wszyscy mieszkańcy miasteczka musieli je opuścić. Żydów przewieziono do obozu koncentracyjnego, a Polakom kazano poszukać sobie innego miejsca. Ojciec, który prowadził skład apteczny, otrzymał od Niemców pozwolenie na założenie takiegoż składu w pobliżu Radomia. I właśnie tam zmierzali, gdy padł strzał – w chwili, kiedy zbliżywszy się do rzeczki, weszli na drewniany mostek, aby przejść na drugą stronę, gdzie stał prowadzony przez znajomego ojca młyn. Nie wiedzieli, że pilnuje go wartownik, wcielony do niemieckiego wojska Ukrainiec. Podobno ich ostrzegł, ale jego głos musiała zagłuszyć spadająca z wysoka woda, służąca do napędzania młyna, bo ojciec go nie usłyszał. Strzału też nie usłyszał. A wystrzelony przez wartownika pocisk, prawdopodobnie typu dum-dum, trafił ojca w plecy, pozostawiając w nim niewielki otwór, przeszył ciało i rozszarpał piersi, z których trysnął strumień krwi, niczym z fontanny, jak później wspominała matka. Mimo to ojciec dobiegł do domu młynarza, w którym go opatrzono, a potem zawieziono furmanką do Radomia, gdzie zajął się nim bardzo zdolny lekarz, późniejsza sława polskiej chirurgii. Zanim rana się zagoiła, kilka lat ropiała, ale nie osłabiło to energii życiowej ojca, Powróciwszy po wojnie do Warszawy, założył firmę farmaceutyczną, a gdy w roku 1952 ją upaństwowiono, stał się współwłaścicielem firmy farbiarskiej. Tak było zawsze, nie załamywały go żadne przeszkody, zręcznie je pokonywał lub omijał i kontynuował swą życiową drogę, którą wyznaczyła mu cechująca go przedsiębiorczość i wola działania. Matka mówiła, że przed wojną, w roku 1935, w okresie kryzysu, gdy prowadzona przez niego drogeria splajtowała, też zmienił pole swej działalności, podejmując współpracą z firmą cukierniczą Fuksa. Kochał obojga rodziców, lecz ojca darzył szczególnym uczuciem, przesyconym podziwem i dzielonym z matką uwielbieniem. Ojciec imponował mu zarówno umiłowaniem pracy i umiejętnością pokonywania związanych z nią trudności, i to beż żadnych krętactw, zawsze w zgodzie z prawem i etyką zawodową, jak i szerokością życia, w którym było miejsce także na kino, teatr i spotkania towarzyskie. Lubił grać w karty, więc raz w tygodniu spotykał się z kolegami przy zielonym stoliku. Grywał z nimi w brydża, a tylko dwa razy zagrał w pokera, za drugim razem po to, żeby odzyskać przegraną wcześniej kwotę, co mu się udało z nawiązką. Straconą wcześniej sumkę odłożył na bok, a za resztę postawił kolegom kolację. Lubił im stawiać, lubił też brylować przy stole, zwłaszcza w obecności kobiet, żon lub kochanek kolegów, które niekiedy w tych kolacjach uczestniczyły. Matka na żadnej z nich nie była, nie chciała. Wolała kolacje we dwoje, na które ojciec zapraszał ją po teatrze, czasami także po kinie. Ponadto odwiedzała z nim jego kolegów, którzy chcąc mu się odwdzięczyć za przyjęcia w restauracji, zapraszali go do siebie tym chętniej, że wnosił do ich domu zgoła młodzieńczą energię i radość życia. Aż dopadła go choroba Buergera i amputowano mu najpierw jedną nogę, potem drugą. Sprzedał wówczas swój udział w firmie, a że chciał dalej żyć czynnie, podjął działalność społeczną, udzielając praktycznych rad tym, którzy, wychowani w systemie komunistycznym, szukali dla siebie miejsca w kapitalistycznej rzeczywistości. Ponadto więcej czasu poświęcił wnuczce i Marianowi, któremu po śmierci swego brata udzielał wydatnej pomocy materialnej, a po śmierci opiekujących się nim kobiet, matki i żony, zapewnił pomoc społeczną. Nie zaprzestał swych spotkań z kolegami przy zielonym stoliku, ani tych w restauracji, gdzie kelnerzy dalej kłaniali mu się w pas i gdzie dalej promieniował pogodą ducha i wolą życia. A ze swoimi protezami z plastyku tak się oswoił, że przestał korzystać z kul. I bez nich stawił się na komendzie milicji, gdy ktoś doniósł, że nie ma nóg, a prowadzi samochód. Wszedł wtedy na komendę prostym krokiem i funkcjonariusz, który go wezwał, przetarł oczy, nie mogąc uwierzyć, że ma przed sobą człowieka z obciętymi do kolan nogami. Nie odebrał mu pozwolenia na prowadzenie samochodu, tylko kazał zainstalować ręczny hamulec, toteż dalej jeździł swoim fiatem, po brydżu odwoził przyjaciół do domu, a potem jeździł do nich na niedzielne obiady lub imieniny, wszędzie będąc mile widzianym gościem, bo nie narzekał na swe kalectwo, zawsze miał uśmiechniętą twarz i sypał dowcipami jak z rękawa. Wpatrzona w niego jak w obraz matka miała go za króla życia, przed wszystkimi się nim chwaliła i ze śmiechem opowiadała o balu na wczasach w Krynicy. Na tymże balu, w którym uczestniczyła także jej matka, ogłoszono konkurs na miss balu – i matka ów konkurs wygrała, ona została misską, w wieku osiemdziesięciu lat! A stało się to dzięki mężowi, który chcąc sprawić przyjemność teściowej, ale głównie dla zabawy wykupił na nią dwadzieścia kuponów. Osiemdziesięcioletnia staruszka o tym nie wiedziała, toteż gdy usłyszała, że została królową balu, w pierwszej chwili nie uwierzyła, a potem szczęśliwa i dumna poszła po odbiór korony – ku zdumieniu uczestników balu i uciesze swego zięcia a jego ojca, któremu do końca życia trzymały się żarty. Ale na łożu śmierci nie żartował. Księdza nie chciał, żonie wyznał, ze ją zdradzał. Ale z tego, co przez długie lata skrzętnie skrywał i co tylko jemu wyznał, jej się nie zwierzył.

Gustaw Ł. postał chwilę przy kalece, wrzucił do rogatywki monetę pięciozłotową i ruszył w kierunku domu, lecz przypomniawszy sobie o zleconym mu zadaniu – mieszkaniu do pilnego remontu – zawrócił, schodami zszedł na przystanek tramwajowy i pojechał na Pragę.

E

Michał opuścił cmentarz tuż przed siódmą. Zasiedział się przy grobie i nie zdąży do galerii, bo ta jest otwarta do siódmej. To nic, jutro się zobaczy ze znajomą matki. Wsiadł do sto siedemdziesiątki i wysiadł z autobusu na Placu Bankowym. Z kina wychodzili widzowie. W ramach przeglądu dawnych wybitnych filmów grano *Hiroszimę moją miłość*. Już ten film widział, i to dwa razy, tyle że nie w kinie, jak wczoraj *Mondo cane*, lecz na monitorze komputera. Na nim też obejrzał *Kanał* Wajdy.

Film o Powstaniu Warszawskim wywołał w nim sprzeczne uczucia. Był pełen podziwu dla odwagi i bohaterstwa powstańców, często bardzo młodych, piętnastoletnich czy jeszcze młodszych chłopców, którzy zdobywszy broń, strzelali do okupantów, a jeśli nie mieli karabinu, przy pomocy butelek z benzyną rozprawiali się z czołgami lub wznosili barykady, ale już myśl o tych, którzy w owych chłopcach rozpalili ogień walki, przyprawiała go o wściekłość. Siedzieli sobie spokojnie nad Tamizą i popijali herbatkę, a warszawiacy ginęli jak muchy. Poległo dwieście tysięcy osób cywilnych i kilkanaście tysięcy żołnierzy powstania, w dużej części kilkunastoletnich, również dziewcząt, Ponadto legło w gruzach miasto, stolica Polski. Chwała bohaterstwu warszawiaków. Lecz ci, którzy wezwali ich do walki, powinni zostać potępieni. Naiwni i głupi, bo przecież nie cyniczni, myśleli, że skłonią Armię Czerwoną do przekroczenia

Wisły i udzielenia pomocy powstaniu, którego dowódcy przejmą władzę w mieście i uchronią kraj przed bolszewizacją. Taki mieli strategiczny plan. Swój plan miał także Stalin. I to jego myśl, jego strategia zwyciężyła. Za wiedzą i pokornym acz skrytym poparciem aliantów, Polska znalazła się w sferze wpływów sowieckiej Rosji i zaczęła leczyć poniesione rany. Dwieście dwadzieścia tysięcy poległych, wśród nich kwiaty polskiej inteligencji. Duża część zginęła w Katyniu, duża część w obozach koncentracyjnych, ale też duża część w Powstaniu Warszawskim – bohaterskim, heroicznym, lecz chybionym, bo nieprzemyślanym, z góry skazanym na klęskę, jak Termopile, jak powstanie w getcie. Żydzi przynajmniej okazali się praktyczni, przeliczając poniesione ofiary na dolary, a romantyczni Polacy nad dolary przełożyli dumę i honor, co się chwali, ale mały z tej chwały pożytek.

Myśli, które mu nasunął *Kanał* – a rozmawiał o nim z kilkoma osobami, które różnie oceniali sens Powstania i różne znajdywali przyczyny jego klęski, w większości winiąc za nią Stalina – pogłębiła *Hiroszima moja miłość*. Ciekawy reakcji innych zatrzymał się przed kinem, potem się przeszedł w jedną i drugą stronę, z twarzy i dochodzących jego uszu głosów, odczytując wrażenia widzów.

Było ich niewielu, kilkanaścioro emerytów, kilkoro osób w średnim wieku i kilkoro dwudziestolatków, prawdopodobnie studentów. Opuszczali kino pojedynczo lub parami, w ciszy, z pochylonymi głowami. W środku panowała duchota, ale na zewnątrz było równie duszno. Po twarzach widzów spływały strużki potu, którego ślady widać było także na koszulach, bluzkach i sukienkach. Ale oni nie zwracali na to uwagi, przejęci tym, co widzieli. Kilka dni wcześniej niektórzy oglądali *Kanał*, , a wczoraj *Mondo Cane*, pełen paradoksów życiowych obraz sprzed kilkudziesięciu lat. Obydwa filmy zrobiły na nich duże wrażenie, ale nie takie jak ten, który widzieli dzisiaj – o zagładzie miasta i jego mieszkańców. Wychodzili z kina wolnym krokiem, z przygarbionymi plecami, jakby obciążeni trudnym do udźwignięcia ciężarem. Wiedzieli dużo o wojnie, gdyż niektórzy w niej uczestniczyli, niektórzy też brali udział w Powstaniu Warszawskim, inni widzieli Warszawę w gruzach, a młodzi słyszeli o niej od ojców i dziadków. Jednak to, co zobaczyli na ekranie, mimo że miało miejsce sześćdziesiąt cztery lata temu, wywarło na nich tak duże wrażenie, że nie mogli się z niego otrząsnąć. Są już na ulicy, ale na nią nie patrzą i nie widzą, co się na niej dzieje, przed oczami mają obrazy

-potwory, obrazy ciał kalekich, owrzodzonych, spalonych. Obrazy miasta doszczętnie zniszczonego. Warszawa też została zniszczona, ale nie aż tak jak Hiroszima. Widzieli te zniszczenia, powstałą po nich pustkę, i w uszach jeszcze im brzmią słowa tego o skośnych oczach, oczach tak tragicznie doświadczonych:

Widziałem jak
Ale niedługo zapomną.
Niedługo wyrzucą z oczu obrazy-potwory.
I usuną z uszu te biczujące słowa
Widziałem jak
Usuną je i zastąpią innymi
Z innego czasu, innego miasta, innego życia
Tego, w którym uczestniczą codziennie
Wypełniając je prywatnymi i zawodowymi sprawami
I będą rozmawiać swobodnie
Będą się śmiać i chichotać beztrosko
Będą spożywać posiłki, tańczyć i cieszyć się
Całować i pieścić swoje ciała
Ciała zdrowe, nienaznaczine tamtym piętnem
Już niedługo.
Jak wrócą do domu
Do bliskich im osób i spraw
O których niektórzy wcześniej zaczną myśleć
Po kilkunastu czy nawet kilku krokach
Na razie jednak rozdzielają się na pary lub pojedynczo wkraczają na ulicę, włączając się w rytm jej życia – z tym, co ich przez półtorej godziny przygważdżało do kinowych krzeseł.

W gronie widzów Michał rozpoznał parę sąsiadów, wiekowych staruszków. Dostrzegł też kilka osób, które wczoraj oglądały *Mondo cane*. Jak pozostali, tak i oni byli głęboko przejęci *Hiroszimą*, choć wydawało się, że wczorajszy film powinien ich uodpornić na okrucieństwo świata. Mijając jednych i drugich wsłuchiwał się w ich głosy, z wyrazu twarzy odgadywał myśli.

Straszny film, Chyba w nocy nie zasnę.

– Nie mogłem na to patrzeć. To było tak, jak by mi przypiekali skórę rozpalonym żelazem i chłodzili ją wodą.

– Nie śmiej się. Po tym, co widzieliśmy, nie wypada się śmiać.

– Krysiu, po tym nawet żyć nie wypada

– A ty się śmiałeś.

– Kochanie, to był gorzki śmiech, jak to się mówi, śmiech przez łzy.

Jeśli jest Bóg, to jest to okrutny, bezlitosny Bóg, nieczuły jak kamień.

– Pocałuj mnie.

– Teraz, tutaj?!

– Tak. Pocałuj!

Warszawa też w czasie wojny została doszczętnie zniszczona. I w Powstaniu Warszawskim zginęło dwa razy więcej ludzi. Tyle, że w ciągu dwóch miesięcy, a nie minuty, jak w Hiroszimie, a potem w Nagasaki.

– Będziesz mnie kochał?

– Będę, Krysiu, aż do śmierci.

Ma gorące i silne ręce. Lubię trzymać w nich swoją. A jeszcze bardziej lubię, jak mnie nimi obejmuje.

– Pójdziesz do mnie?

– Nie dzisiaj, może jutro. Zadzwoń, to się umówimy.

– Ale ja bym chciał dzisiaj.

– Ja też bym chciała, ale nie mogę.

– Dlaczego?

– Nie jestem w nastroju.

– U mnie go poprawisz. Mam wino, takie jak lubisz, słodkie.

– To nic nie da.

– Da, jeśli wciąż mnie kochasz.

– Kocham cię, tylko… No dobrze, jak tak bardzo chcesz, to pójdę.

– Nie powinni tego zrobić.

– To z zemsty za Pearl Harbor.

– Zniszczyli osiemdziesiąt procent budynków, zabili blisko osiemdziesiąt tysięcy ludzi.

– W Powstaniu Warszawskim zginęło ponad dwieście tysięcy osób.

– W jednej krótkiej chwili, jedną bombą.

– Chcieli zmusić Japonię do kapitulacji i zakończyć wojnę.

– Inaczej powinni ją zakończyć, bez zabijania cywilów i niszczenia ich domów, ale postanowili wypróbować atomówkę i pokazać światu, jacy są silni. A że nie wystarczyło im jedno miasto, zniszczyli drugie.

– I dopiero wtedy Japończycy się poddali.

– To było masowe morderstwo, zbrodnia w biały dzień.

– Dwa dni, jeśli idzie o ścisłość.

– Tych, co kazali zrzucić bomby atomowe na Hiroszimę i Nagasaki, powinno się ukarać, tak samo mocodawców Al-Kaidy, której bojownicy zniszczyli nowojorskie wieże.

– I karze się ich.

– Ale nie wszystkich, nie tych najważniejszych.

– Są nieuchwytni.

– Uchwytni, tylko Amerykanom nie zależy na ich schwytaniu, bo nie mieliby pretekstu do prowadzenia wojny w Iraku i Afganistanie, gdzie bogate złoża ropy naftowej każą im trzymać na nich łapy. I kto wie, czy z tego powodu nie maczali palców w ataku na nowojorskie wieże.

– Co ty wygadujesz!

– Mieli sygnały, że jest przygotowywany, a nie zrobili nic, żeby mu zapobiec, gdyż był im na rękę.

– Bzdury pleciesz.

– Zauważ, amerykańskich Żydów nie było wtedy w pracy.

– Obchodzili swoje święto. Zresztą wojna wystarczająco dała się im we znaki. Holokaust pochłonął sześć milionów ofiar.

– Podobno mniej, a podali tyle, żeby wyciągnąć od Niemców wyższe odszkodowanie.

– Myślisz?

– To praktyczni i mocni w rachunkach ludzie. My myślimy o honorze, a oni liczą i na wszystkim potrafią zrobić dobry interes.

– Wygląda na to, że nie lubisz Żydów.

– Wszystkich, którym chodzi tylko o mamonę, nie lubię, bogatych Amerykanów też.

– Są naszymi sojusznikami.

– Tylko w rozgrywkach o naftę i panowanie nad światem. Daliśmy im Kościuszkę i Puaskiego, wysłaliśmy żołnierzy do Iraku, a oni zataili przed nami prawdę o Katyniu i przygotowaniach do stanu wojennego. Mam w nosie taki sojusz.

Dobrze, że nie zabrałem do kina Zosi. Ona by go nie zniosła.

– Zauważ, Hiroszimę nakręcono pięćdziesiąt lat temu, a wciąż robi wrażenie, Pieski świat też.
– Oglądałeś go?
– Dwa razy. Mocny, okrutny film, I mimo, że został oparty na faktach sprzed pięćdziesięciu i więcej lat, przedstawia świat prawdziwszy, bliższy rzeczywistości niż ten z późniejszych obrazów.
– Bo prawdziwy artysta go nakręcił, wkładając w swoje dzieło duszę, a nie tylko sprawność warsztatową i chęć zwrócenia na siebie uwagi, jak większość współczesnych filmowców.

Zdążając do baru, Michał spostrzegł znanych mu z windy sąsiadów, zmierzających w stronę Starego Miasta.

Szli odwiedzić córkę i najmłodszą wnuczkę. Byli głęboko poruszeni obejrzanym filmem. Przypomniał im on stolicę po wojnie i Powstanie Warszawskie, w którym brali udział. Ona jako młodziutka sanitariuszka, on również wtedy bardzo młody, rzucał na czołgi butelki z benzyną, a gdy zdobył karabin, strzelał do hitlerowców. Jednego zabił, a może dwóch, ale tego jednego na pewno. Widział jak padł na ulicę i już się z niej nie podniósł. Potem mu się śnił, trzymał w rękach miotacz ognia, skierowany na dom, w którym on się urodził i którego już nie ma. Okolicznych domów też nie ma, całej dzielnicy nie ma. Tam gdzie była, stoją teraz bloki, w których nie mieszka się tak jak dawniej, gdy wszystkich w okolicy się znało i na podwórkach grało w berka lub w piłkę nożną, szmaciankę, bo tylko taką mieli. A ten hitlerowiec, który mu się długo śnił, był podobny do jego wujka. Nie użył miotacza ognia, nie zdążył, padł na ziemię i leżał na niej z otwartymi ustami. Krysia, która służyła w tej samej jednostce i akurat stała obok, widziała tego hitlerowca i też go zapamiętała. Ją w snach nawiedzali dwaj koledzy, których chciała uratować, ale nie zdołała, bo jednego kula trafiła w głowę, a drugi dostał w brzuch i miał wnętrzności na wierzchu. Kochał się w niej i obiecał, że jak dorośnie, to się z nią ożeni. Ona również go kochała i gdyby nie zginął, na pewno by się pobrali, ale los chciał inaczej i zamiast za Benedykta, wyszła za Ryszarda. Przeżyli ze sobą pięćdziesiąt lat, za tydzień będą obchodzić złote gody, może doczekają się brylantowych. Dobrze by było, bo żyje się im zgodnie, serca mają zdrowe, a i z chodzeniem sobie radzą, nie potrzebują laski. Tylko żeby nie wybuchła kolejna wojna. Bo z pewnością użyto by w niej atomówek i w ciągu minuty zginęłoby bardzo dużo ludzi, więcej niż w Hiroszimie. O siebie się nie martwi. Boi się śmierci, ale dość się nażyła i może umrzeć, byle Ryszard jeszcze trochę pożył, bo jest naukowcem, całymi dniami pracuje nad wielkim dziełem i dobrze by było, gdyby go ukończył. Najbardziej martwi się jednak o dzieci i wnuków. Są jeszcze młodzi, niewiele szczęścia zaznali w życiu, więc nie mogą zginąć, w żadnym wypadku.

A

Telefon. Jakub Smuga poderwał się z fotela, podniósł słuchawkę.

– Halo! – rzucił do słuchawki, zadowolony, że nie słyszy w niej krótkiego sygnału.

– Jakub? – usłyszał.

– We własnej osobie – odparł, domyśliwszy się, że telefonuje Irena.

– Już dziś do ciebie dzwoniłam, i to dwa razy, wczoraj też, ale nie zastałam cię w domu.

– Wczoraj prawie cały dzień byłem na mieście, a dziś usłyszałem sygnał, tylko nie zdążyłem podnieść słuchawki.

– Chciałam zadzwonić wcześniej, lecz nie znałam numeru twojego telefonu. Dorota mi go podała, ale zgubiłam kartkę, na której zapisałam i twój telefon, i adres.

– Cieszę się, że cię słyszę, Co u ciebie? Dawno się nie widzieliśmy. Pięć lat, prawda? Nie wiedziałem, że znałaś Matyldę. Powinniśmy się spotkać i porozmawiać, w Warszawie lub w Łodzi, gdzie chcesz.

– Jeśli już, to w Łodzi, do Warszawy nie dojadę.

– Jak to nie dojedziesz! To z tobą aż tak źle?

– Bardzo źle, Jakub.

– Co ci jest?

– Dużo by o tym mówić, ale nie w tej sprawie dzwonię.

– Domyślam się. Dorota mówiła, że chcesz mi coś ważnego powiedzieć.

– Wszystko napisałam w liście. Wysłałam go na *poste restante*, bo jak ci powiedziałam, zgubiłam kartkę z twoim adresem. Dlatego list nadałam na główną pocztę, tę przy Świętokrzyskiej.

– Kiedy go wysłałaś?

– Trzy dni temu.

– W takim razie powinien już być. Zaraz tam pójdę.

– To ważny dla ciebie list, bardzo ważny.

– Co w nim jest?

– Najpierw go przeczytaj, potem porozmawiamy, jak będziesz miał jakieś wątpliwości lub chciał się dowiedzieć więcej,. A teraz muszę kończyć, bo źle się czuję. Pa!

– Pa!

Jakub zerknął na zegarek. Zbliżała się dwudziesta, ale poczta główna jest czynna całą dobę. Niemniej szybko się przebrał, bo list zawierał bardzo ważną wiadomość, i paląc się z ciekawości, jak najprędzej chciał ją poznać.

E

Nie dostrzegłszy w barze znajomej twarzy, Michał wychylił na stojąco wódkę i podążył w stronę Starego Miasta i lepiej mu znanego baru, odwiedzając po drodze pracującą w restauracji Lidkę i jej skośnookiego szefa, z którym wymienił kilka zdań o *Hiroszimie*.

Zbliżał się do *Zapiecka*, gdy spostrzegł zmierzającą do samochodu szefową galerii malarskiej, którą poznał za życia matki. Ona też go spostrzegła i zatrzymała się.

– To pan już wrócił do kraju! – rzuciła, gdy się z nim przywitała.

– Rok temu – powiedział.

– Nie wiedziałam. Szukałam pana, żeby się rozliczyć z obrazów pańskiej matki, które sprzedałam, ale się dowiedziałam, że wyjechał pan za granicę.

– Wyjechałem cztery lata po jej śmierci.

– Wtedy jej obrazy leżały w magazynie, dopiero potem zaczęły się sprzedawać. Zakupiono wszystkie, z wyjątkiem jednego, który Matylda postanowiła zachować. Proszę przyjść do mnie jutro, to przy kawie rozliczymy się.

– Nie wiedziałem, że obrazy matki zostały sprzedane. W ogóle o nich zapomniałem.

Szefowa galerii wyciągnęła rękę na pożegnanie, ale on zamiast jej podać swoją, sięgnął do kieszeni po intrygujące go zdjęcie.

– Przepraszam, że zatrzymuję panią – powiedział – ale chciałbym o coś zapytać. Mama mówiła, że się z panią przyjaźniła, więc pewnie zna pani jej sekrety.

– Tylko te, które miały związek z jej malarstwem, i to pewnie nie wszystkie.

– Chodzi mi o tego mężczyznę – powiedział podając znajomej matki zdjęcie. – Kto to jest?

– Kto, tego nie wiem – powiedziała dyrektorka galerii, zerknąwszy na fotografię. – Ale jest on przedstawiony na portrecie, który pańska matka pokazała na ostatniej wystawie, To bardzo piękny obraz, nosi tytuł *Mężczyzna z podróży*. Namalowany w zieleniach i brązach przedstawia owego mężczyznę na tle Moulin Rouge.

– Jak na tym zdjęciu, prawda?

– Właśnie. To by oznaczało, że Matylda namalowała go ze zdjęcia.

– Sprzedała pani ten obraz?

– Tego akurat nie, choć i na niego był kupiec i dawał dobrą cenę, ale Matylda tylko go wystawiła, nie chciała sprzedać. Jest w magazynie, więc może go pan zabrać.

– A ten niedoszły kupiec to kto?

– Mam jego wizytówkę, przyczepiłam ją do obrazu. To starszy mężczyzna, trochę podobny do tego z portretu, może nawet on sam.

Porozmawiali jeszcze chwilę, o matce i jej malarstwie, potem Michał odprowadził szefową galerii do samochodu i przejęty tym, co od niej usłyszał, skierował się w stronę ulubionego baru, gdzie postanowił się napić nie tylko piwa..

I

Usiedli przy stole, na którym stała kryształowa karafka z przepalanką, wokół niej pyszniły się na talerzach najprzeróżniejsze zakąski, kanapki z serem lub wędliną, pokrajane w plasterki pomidory z cebulką, małosolne ogórki, grzybki i gruszki w occie oraz dzwonki śledzia w oleju. Trzy niewielkie, a jakże, kryształowe kieliszki na razie były puste, tak samo trzy małe porcelanowe talerzyki, a towarzyszące im posrebrzane sztućce, czyste i gotowe do usług. Ze stojącej przy oknie klatki dochodził śpiew kanarków. Siedzący przy stole Marian i Franciszek wsłuchiwali się w niego, a tylko Leopold, który w zastępstwie niewidomego Mariana pełnił rolę gospodarza, zdawał się go nie słyszeć. Pomrukując pod nosem, co chwila podnosił się od stołu i coś na nim poprawiał. Wreszcie usiadł wygodnie na krześle i poprosił Franciszka, żeby napełnił kieliszki, po czym wzniósł toast za zdrowie Mariana.

– Do dna, panowie! – zwrócił się do przyjaciół – Do dna!

Po wychyleniu pierwszej kolejki, starzy mężczyźni siedzieli chwilę w milczeniu, potem podjęli coraz żywszą rozmowę o Polsce, o dawnych czasach i tych nowych, o kapitalizmie i komunie, której Leopold zaciekle bronił, no i o aktualnej sytuacji w kraju, coraz większym bogactwie nielicznych i coraz dokuczliwszej biedzie większości społeczeństwa.

G

Henryk D. jest po kolacji. Chciał sam ją sobie przyrządzić, ale Felicja go uprzedziła, podając mu pierożki z kapustą i grzybami. Wprawdzie na pierwszym miejscu stawiał flaczki, ale i pierożki bardzo lubił. Podrumienione wyglądały i smakowały znakomicie, toteż zjadł wszystkie, dziesięć sztuk, zapominając przy nich o rannej rozmowie z żoną, a także o dolegliwościach, jakie dały mu się we znaki na spacerze. Spojrzał z wdzięcznością na Felicję, przesiadł się na fotel i popijając piwo obejrzał dziennik telewizyjny, po czym podszedł do okna, bo zrobiło mu się duszno i poczuł lekki ból w okolicy serca. Co to miało oznaczać? Dotąd nie chorował, ani na serce, ani na nic innego, czyżby miał zacząć teraz, gdy postanowił wkroczyć na nową drogę życia? No bo skąd się wzięła ta duszność i to kłucie w klatce piersiowej? Tak, tak, przyszła do niego choroba. A jak przyszła i dała o sobie znać, będzie mu o sobie przypominać, i to bardziej dokuczliwie niż teraz. Może nawet będzie musiał położyć się do łóżka. Jeśli tak, kto się nim zaopiekuje? Felicja? Po tym, co jej powiedział, nie może na nią liczyć. Na córki też nie. Mają na głowie własne kłopoty i problemy. A gdy się dowiedzą, jak potraktował ich matkę, odwrócą się od niego. Co też on chciał zrobić! Odejść od żony, z którą żył trzydzieści pięć lat i przez ten czas nie miał z nią żadnych zatargów, żadnych poważniejszych kłótni. Jak mógł wpaść na tak idiotyczny pomysł! Stryjek go do tego namówił, i to we własnym interesie, bo jest po udarze, przykuty do łóżka, czuje się samotny i chciałby mieć obok siebie kogoś bliskiego. Dał do zrozumienia, że zapisze mu majątek. Willa w Aninie to cenna rzecz. Tylko że pierwotnie była własnością ojca stryjenki i z wyjaśnień stryja wynika, że w części należy do jej brata. Wprawdzie ten napisał, że nie jest zainteresowany domem, w którym mieszka mąż jego siostry, to jednak po śmierci stryja może wszcząć starania o wyegzekwowanie swoich praw. Nie będzie nad trumną stryja targował się o schedę po nim. Będzie go odwiedzał, lecz nie przeniesie się do niego. Ma gdzie mieszkać, a gdy obecność Felicji faktycznie zacznie mu doskwierać, zamieni ich trzypokojowe mieszkanie na dwa mniejsze, albo kupi kawalerkę. Felicja w nowym uczesaniu i w tej seledynowej bluzce wygląda całkiem, całkiem. Lucyna prezentuje się atrakcyjniej, no i jest znacznie młodsza, ale ma dzieci i o nie będzie więcej dbać. Utnie sobie z nią romansik, i to wszystko. Trwały związek nie jest mu potrzebny. Ale jakiś romansik dobrze mu zrobi. Stać go na niego, i to nie tylko z Lucyną, ale i z młodszą od niej kobietą. O, znowu go kłuje. Czyżby groził mu zawał? Chyba tak, wskazują na to te jeszcze słabe, ale odczuwalne bóle. I on w takim stanie, z wiszącym nad nim zawałem i z trudnościami w oddychaniu, chciał rozpocząć nowe życie. Koń by się uśmiał.

Henryk wolnym krokiem wraca na fotel, ale zaraz przesiada się na wersalkę, aby zaraz się na niej położyć. Czuje się nieszczególnie, jutro rano musi pójść do lekarza. Żeby tylko ten nie kazał mu leżeć w łóżku. Wszystko zniesie, tylko nie leżenie w łóżku. Bo jak wówczas sobie poradzi? Kto się nim zajmie? Poprawia się na wersalce, odszukuje wzrokiem Felicję. Była w kuchni, ale już wróciła i krzątając się po pokoju, kątem oka go obserwuje. Nic nie mówi, tylko go obserwuje. Może domyśla się jego dolegliwości i w duchu się śmieje. Z niego się śmieje, z jego porannych słów i zamiarów. Chciał rozpocząć nowe życie, ruszył w jego stronę, lecz przecenił swoje siły i rano pełen energii, jest teraz jak futbolówka, z której uszło powietrze. A Felicja wciąż na niego popatruje i milczy. Przez cały wieczór milczała, a patrzyła najpierw z ulgą na twarzy, potem ze złośliwą satysfakcją, a potem to z troską, to z wyrzutem w oczach. Postanowił od niej odejść, powiedział jej to. Nie zapomni mu jego słów, będzie mu je wypominać do końca życia, a jeśli nie, zmieni do niego stosunek i inaczej zacznie go traktować, bez zaufania i szacunku, jakim go przedtem darzyła. Zawiódł ją, ale także zawiódł samego siebie. Myślał, że stać go na nowe życie, a okazało się, że nie będzie w stanie mu sprostać, przynajmniej takiemu, jakie sobie wymarzył, Felicja znowu na niego spojrzała, tym razem z troską, przez którą przebija współczucie, a może litość, Nie chce, nie potrzebuje jej litości. Przecenił swoje możliwości, sam jest temu winien i sam sobie z tym poradzi, bez niczyjej pomocy, bez niczyjej litości.

– Co ci się stało? – dochodzi do jego uszu głos Felicji.

Henryk unosi głowę i w milczeniu spogląda na żonę. Wreszcie się odezwała, lecz litościwie, jak dziewczyna z ławki przed kinem,

– Henryku! – słyszy. – Co ci jest?

– Nic mi nie jest!– odpowiada szorstko i uważnie przygląda się Felicji.

– Wydaje mi się, że coś ci dolega.

– Może i dolega, ale to nic poważnego, przejdzie.

– Źle wyglądasz.

– Ty też nie zawszy wyglądasz najlepiej – mówi opryskliwie, lecz zaraz się reflektuje i innym już tonem stwierdza: – Dzisiaj, w tej bluzeczce prezentujesz się znakomicie, jak za dawnych lat.

– Tak? Miły jesteś, dziękuję. Ale nie powiedziałeś, co cię boli?

– Nic mnie nie boli!

– To dobrze, bo myślałam, że zachorowałeś.

– Nigdy w życiu nie chorowałem i nie będę chorował. Słyszysz, nie będę! – podnosi głos. – Nie będę i już!

– Nie krzycz, dobrze?

– Wcale nie krzyczę, tak ci się tylko wydaje.

– Masz rację, Henryku, chyba mi się tylko wydało. Dobrze by jednak było, gdybyś przed wyjazdem na urlop dokładnie się zbadał. A teraz zmierz sobie gorączkę.

– Ty ją sobie zmierz!

– Ja nie muszę, a ty tak, bo naprawdę wyglądasz na chorego.

– Przestań mi wmawiać chorobę. Byłem na bardzo długim spacerze i trochę się zmęczyłem, to wszystko.

Felicja obrzuca męża długim spojrzeniem i milczy.

L

Obejrzawszy przeznaczone do modernizacji lokal, Gustaw L. spisał z jego właścicielem wstępną umowę i ruszył na najbliższy przystanek tramwajowy, gdy ktoś go klepnął po ramieniu.

– Część! – usłyszał.

Stał przed nim mężczyzna w jego wieku, o nieco rozbieganych oczach i naznaczonej alkoholem twarzy.

– Nie poznaje mnie pan, co?

Dopiero teraz go rozpoznał. Miał przed sobą Karola, kolegę Arona, który w stanie wojennym kilka dni ukrywał się u niego, gdyż deptała mu po piętach esbecja. W ciągu tych dni osuszyli kilka półlitrówek i do późna w nocy gadali o komunie i kobietach, w których Aron się kochał, ostatnio w kruczowłosej Dorocie, tak nią zafascynowany, że nie reagował na wdzięki innych, nawet nadzwyczaj pociągającej Julity, koleżanki Teresy, z którą on w tajemnicy przed żoną się spotykał. Wrodził się bowiem w ojca i lubił kobiety, jak również spotkania z kolegami przy bogato zastawionym stole.

– Cześć!

Podał Karolowi rękę i zaprosił go do baru na piwo.

– Po co tracić na bar. Kup kilka browarów, u Romka je wypijemy.

– Masz na myśli znajomego Arona, który mu podnajmuje pracownię.

– Zgadza się.

– Co u niego?

– U Romka?

– Nie, u Arona. Dalej drukuje?

– Teraz nie, wyjechał.

– Gdzie?

– Romek ci powie.

Kupili w sklepie cztery browary i poszli do Romka, w którego pracowni zbierała się praska ferajna, aby trochę popracować i zarobić, wykonując różne prace – pochwy do starych szabli, rękojeści do nich, ozdobne kraty na okna, antyczny mebelek do zestawu i wszystko, czego nikt inny nie potrafił wykonać, albo żądał dużej, niekiedy kilka razy większej kasy – pogadać i się napić.

W pracowni Romka zastali pięciu kolesiów. Dwóch coś akurat robiło, pozostali żywo o czymś gadali. Na widok browarów zabłysły im oczy.

– Co u Arona? – spytał średniego wzrostu, krępego brodacza, gdy ten rozlał piwo do ośmiu szklanek.

– Chyba wiesz, że się ożenił?

– Nie wiedziałem. Z kim się ożenił?

– A z kim miał się ożenić! Z Dorotą.

– Z tą, w której się kochał trzydzieści lat?

– Właśnie. Więc się z nią ożenił i pojechali do dawnej republiki Sojuza, gdzie tropi komuchów i uczy ich demokracji.

Rozmowę ich przerwała czterdziestka o zamglonych oczach. Popatrzyła na niego, bez słowa sięgnęła po jego piwo, wypiła je, poprosiła o papierosa.

– To Tereska – przedstawił mu ją Romek. – Ma cycki jak Loda.

– Aż takie to nie – zaoponował Karol.

– Może i nie – zgodził się Roman – ale duże i twarde, a do tego naturalne, bez jakiegoś tam silikonu, który sobie wstrzykują różne aktoreczki i inne kobitki. Poproś ją, to za piątaka ci je pokaże.

Szczupła i zgrabna, a do tego schludnie wyglądająca kobieta uniosła sweterek, ukazując wydatne piersi w skąpym biustonoszu.

– Możesz ich dotknąć, nie ugryzą.

– Nie muszę, widzę, że są w sam raz.

– Dupcię też ma w sam raz, Jeśli chcesz ją zobaczyć, musisz dać jeszcze jednego piątaka.

Nie czekając, aż ją o to poprosi, czego zresztą nie zamierzał uczynić, Tereska rozpięła guzik u dżinsów i pokazała faktycznie kształtny tyłeczek.

– Jest jak orzeszek, mała i twarda.

– Sprawdzałeś? – spytał Karol

– A co ci do tego! – ofuknął go Roman i powiedział: – Majtki ma czyste.

– Skąd wiesz? – ponownie odezwał się Karol. – Oglądałeś?

Roman spiorunował go wzrokiem i chciał coś powiedzieć, ale uprzedziła go Tereska:

– Już nie noszę majtek. Mam stringi – pochwaliła się, niżej opuszczając spodnie.

Ferajna obserwowała ich z uśmieszkiem, lecz z większym zainteresowaniem praskie chłopaki spoglądali z żalem na puste szklanki. Dał dychę na cztery kolejne piwa, a drugą wręczył Teresce, która natychmiast ich opuściła.

– Poszła zanieść ją biedakom – poinformował go Roman – kalekom, bezrobotnym i innym nieszczęśnikom, którym pomaga.

– To lumpy, obszarpańcy, obszczymury – stwierdził z pogardą ktoś z ferajny.

Roman obrzucił go zimnym wzrokiem, po czym poinformował Gustawa, że Tereska jest trochę stuknięta, ale po wyższych studiach. I że pomaga ostatnim z ostatnich, bo tego potrzebują.

I

Trzej starzy mężczyźni, od długich lat przyjaciele, siedzą wygodnie przy stole i małymi kieliszeczkami popijają przepalankę, zakąszając ją to pomidorkiem, to ogóreczkiem, to grzybkiem w occie czy śledzikiem w oleju. Oczywiście nie zapominają o popitce i kanapkach z serem lub wędliną – salcesonem albo szynką, no i przyniesionych przez Gustawa marynowanych grzybkach i śledzikach w oleju. Słońce już znikło za horyzontem, ale pamięć o nim wyśpiewują kanarki, zagłuszane głosami Leopolda, z natury choleryka i flegmatycznego Franciszka. Posprzeczawszy się o komunę, której Franciszek był zagorzałym wrogiem, a Leopold obrońcą, podjęli rozmowę o Żydach, bo jak nie mieliby o nich nie mówić, skoro mieszkali na gruzach getta i w ich wczesnych wspomnieniach dużo miejsca zajmowali semici, których z osobistych powodów Leopold nie lubił.

– To pasożyty – powiedział – nie mają własnej ojczyzny...

– Już ją mają – zauważył Franciszek.

– Dopiero od niedawna, no i za małą dla nich, więc zapuszczają korzenie w innych krajach.

– Asymilują się.

– Wrastają w nie i wysysają z nich soki.

– To zdolny naród, wnoszą do kultury tych krajów duży wkład i wyjątkowe osiągnięcia w nauce i sztuce.

– Ale żywią się ich wcześniejszym dorobkiem.

– Tak, lecz go wzbogacają.

– I przy okazji wzbogacają siebie. Ponadto są aroganccy i pyszni, mają wysokie mniemanie o sobie i na innych patrzą z góry, często z pogardą, co im nie przeszkadza robić na nich kasę. Ona jest dla nich najważniejsza, ją uwielbiają i czczą, jak Boga.

– Ale kobitki mają piękne i ogniste.

– Fakt. Po wojnie miałem jedną, z oczu sypały się jej iskry, ale byłem golcem i nawet nie starałem się ją zatrzymać, gdy wyjeżdżała z rodzicami do Ameryki.

– A ta z kamienicy?

– O, to była cud dziewczyna! Piękna jak gwiaździsta noc, ale bardzo młoda, a ja dzieciak, więc tylko do niej wzdychałem. Bo o spotkaniu nie mogłem myśleć, nie pozwoliłby na nie jej ojciec, dla którego liczyły się głównie pieniądze. Dla wszystkich Żydów one się liczą, mają to we krwi.

– To prawda, ale musisz przyznać, że dużo wnieśli do polskiej nauki i kultury.

– Dzięki swej zaborczości i pieniądzom.

– Nie, Leo, dzięki pomocy ze strony współbraci. My utalentowane osoby ściągamy w dół, a oni pomagają im w karierze.

– Są wszędzie, wśród rządzących i w opozycji.

– Ale często w gronie najwybitniejszych. Bruno Schulz, Tuwim, Hoffman...

– Ten od Pana Wołodyjowskiego i Ogniem i mieczem?

– Ten sam.

– Nie wiedziałem, że i on jest Żydem.

– I popatrz, z jakim pietyzmem ukazał historyczne czasy, z jakim wyczuciem oddał ducha Polaków.

– Nie wiedziałem.

Przy stole zalega cisza, co wykorzystują kanarki, wypełniając pokój ptasim śpiewem.

C1

Kazimierz Rogala już jest w domu. Nie zastał w nim Krystyny, więc pomyślał, że jest z koleżanką na zakupach lub w kawiarni.

Jak się spodziewał, Krzysztof go zrozumiał. On też pierwszą śmierć swego pacjenta głęboko przeżył. Umierali przy nim inni, niektórzy na stole, lecz nie on ich operował, był tylko asystentem, a to duża różnica. Chciał z nim porozmawiać dłużej, zaparzył kawę, ale musiał go opuścić, gdyż szpital miał dyżur i przywieziono do niego mocno pokiereszowanego mężczyznę. Ciotka, którą potem odwiedził, jest chora na cukrzycę i była osłabiona, niemniej go wysłuchała, ujmując jego rękę w swoją i przekazując współczucie i ciepło, którego nigdy mu nie skąpiła. Dlatego nie matce, lecz jej zwierzał się ze swoich życiowych porażek i sukcesów, jej opowiadał o swoich dziewczynach. O Barbarze też jej powiedział. Niekiedy miłość, jaką się do kogoś czuje – rzekła – paraliżuje i nie pozwala jej właściwie wyrazić. Tak mu wyjaśniła jego miłosną wpadkę. I ucieszyła się, gdy usłyszała, że kolejne kontakty z dziewczynami mu się udawały. Jak poznał Krystynę, stwierdziła, że jest dla niego wymarzoną kobietą, często o nią wypytywała i ostrzegała go przed przywiązywaniem zbytniej wagi do kariery i pieniędzy. Żyje się nie po to – powiedziała- żeby pracować, tylko odwrotnie, pracuje się, żeby żyć.

Ciotka poczęstowała go nalewką, ale tylko jej popróbował, bo miał przyjęcia w poradni. Pacjentów było niewielu. Najwidoczniej coś wyczuli, bo nie zwierzali się ze swoich licznych dolegliwości, jak do tej pory. Po drodze do domu wstąpił do baru, wychylił pięćdziesiątkę i nieznanemu mężczyźnie opowiedział o przeprowadzonej operacji i Józefie, któremu chciał ulżyć w życiu, lecz to mu się nie udało, choć zrobił wszystko, co mógł, żeby było inaczej. Myślał, że mu to ulży, jednak tak się nie stało. Przyjaciel od kieliszka tylko udawał, że go słucha i rozumie, toteż nie zamówił drugiej kolejki, a ochotę na alkohol postanowił zaspokoić w domu.

Musi się dowiedzieć, jaką sprawę ma do niego Bożena. Dwa razy dzwoniła do szpitala, ale był na sali operacyjnej i pielęgniarka nie przywołała go do telefonu. A komórka, na którą pewnie też dzwoniła, milczała, bo nie była to jego komórka, tylko komórka Krystyny.

Wyciągnął z barku whisky, gdy panującą w mieszkaniu ciszę przerwał telefon.

– Kazik? – usłyszał głos Krzysztofa.

– Jasne, że ja – powiedział. – A kto miałby odebrać telefon, Krystyna nie przyjmuje w domu kochanków – zażartował – bo ich nie ma. Na razie – dodał równie żartobliwym tonem. – A co będzie potem, jeden Bóg wie.

W słuchawce zapanowała cisza.

– Dzwoniłem do ciebie na komórkę – przerwał ją Krzysztof – ale nie odbierałeś.

– Pomyliłem komórki i zamiast swojej, wziąłem komórkę Krystyny.

– Jest u nas.

– Komórka?

– Nie, Krystyna.

– Jak to! Co ona tam robi?

– Miała wypadek.

Zaniemówił z wrażenia.

– Wpadła na ciężarówkę. Samochód dokumentnie zniszczony.

– Pal diabli samochód! – wykrzyknął – Co z Krystyną?!

– Złamanie kości podudzia i ramienia. Liczne rany, najgroźniejsza na potylicy.

– A w środku?

– Tego jeszcze nie wiemy.

– Zaraz u was będę.

– Zostań w domu. Domyślam się, że jesteś po wódce, a mój ordynator nie znosi alkoholu.

–To Wiśniewski jeszcze jest?

– Jest. I on się Krystyną zajmie. Ja będę mu asystował.

– Przyjadę.

– Mówiłem ci, zostań w domu i zdaj się na Wiśniewskiego i na mnie. Będę z tobą w kontakcie.

– Nie mogę w domu, sam rozumiesz.

– Rozumiem, więc wypij mocną herbatę i przyjedź, ale nie wchodź na górę, bądź w dyżurce.

Krzysztof jeszcze coś powiedział, ale Kazimierz już tego nie usłyszał. Odłożył słuchawkę, zamówił taksówkę, wypił herbatę, którą wcześniej sobie zaparzył, wyjrzał przez okno i dostrzegłszy nadjeżdżającą taryfę, wypadł na korytarz, windą zjechał na dół i pobiegł do czekającego przed domem samochodu.

E

Przy barku siedział Olek, obok ciemnowłosa trzydziestolatka, z drugiej strony pięćdziesięciokilkuletni facet. Michał postanowił, że wychyli pięćdziesiątkę, popije ją piwem i pójdzie do domu.

– Jak chcesz pogadać, to nie dzisiaj – powiedział Olek, kiedy się z nim przywitał. – Jestem z damą i muszę ją zabawiać.

– Ja też dzisiaj nie mam ochoty na rozmowę.

– To dobrze, bo jakbyś ją miał, poleciłbym ci Apostoła – powiedział Olek, wskazując wzrokiem siedzącego przy barku barczystego mężczyznę, obok którego był wolny stołek.

– Apostoła? – zdziwił się ściszonym głosem. – Takie ma nazwisko?

– Nie, tak go nazywają, bo gdy sobie popije, zaczyna głosić chwałę Boga i nawracać tych, co w niego nie wierzą. Jak wiem, ty do nich należysz, więc uważaj, nie dyskutuj z nim o Bogu, bo zamęczy cię na śmierć. Dotąd wypił tylko dwa czy trzy piwa, toteż o wszystkim można z nim pogadać. Dopiero po piątym browarze wstępuje w niego duch krzewiciela wiary, i to tak żarliwego, że nie sposób go znieść. Trzymaj się!

Olek obrócił się do towarzyszącej mu trzydziestolatki, Michał usiadł na wolnym stołku, tuż przy Apostole.

– Zapalisz? – zwrócił się do niego Apostoł, wyciągnąwszy z kieszeni zmięte opakowanie z kilkoma papierosami.

– Dziękuję – odpowiedział – nie palę.

– Ja też nie, ale przy piwie, to i owszem. Tylko już się spłukałem i sam rozumiesz...

Zrozumiał. Przywołał barmankę i zamówił dwa piwa, co spotkało się z szerokim uśmiechem Apostoła.

– Często tu przychodzisz? – spytał Apostoł.

– Prawie codziennie. A pan?

– Mam na imię Zenon.

– Michał.

Podali sobie ręce, sięgnęli po piwo.

– Pracujesz? – zainteresował się Apostoł.

– Muszę.

– A ja jestem na rencie.

– Wyglądasz zdrowo i młodo.

– Może i tak wyglądam, ale mam już swoje lata.

– Ile?

– Pięćdziesiąt parę. A ty?

– Dwadzieścia osiem.

– To mógłbym być twoim ojcem.

– Mam swojego, a miałem dwóch.

– Jak to!

– Jeden zginął w wypadku samochodowym, drugi, który mnie spłodził, pewnie żyje, tylko go nie znam, bo mi się nie przedstawił.

– Zdarza się.

– Twój jeszcze żyje?

– Już nie. Ale mam dwóch synów, z jednego jestem dumny. Ma chłopak charakter, przykłada się do studiów i będzie z niego człowiek. Z drugim są kłopoty, bo albo ćpa, albo pije.

– Może za mało przy nim byłeś?

– Byłem, kiedy tylko mnie potrzebował.

– A matka?

– Znaczy się, moja była żona, tak?

– To rozwiedliście się?

– Tak wyszło, choć ją kochałem i nadal kocham.

– A ona?

Apostoł nie odpowiedział, nerwowym ruchem sięgnął po papierosa.

– Ja też kiedyś kochałem – powiedział Michał.

– I co? – zainteresował się Apostoł.

– Dziewczyna, którą darzyłem miłością, popełniła samobójstwo.

– To straszne. Ale chyba nie z twojej winy, co?

– Właśnie, że z mojej, choć nie tylko.

Zaległa między nimi cisza. Z boku, gdzie siedzieli na stołkach Olek i trzydziestolatka, doszedł śmiech.

– Różnie bywa z miłością – zauważył Michał – bardzo różnie.

– Ano właśnie – przyznał Apostoł.

– Kochamy, a okazuje się, że nie tak jak powinniśmy, i za mało.

– Miłości nigdy dość.

– To fakt.

– Sęk tylko w tym, żeby ta druga osoba nas kochała.

– Z miłością trzeba umieć postępować. Dbać o nią jak o piękny, drogocenny kwiat, wystawiać ją na słońce i podlewać, choć są kwiaty, które nie potrzebują słońca, a wody tylko ździebko.

– Tu się z tobą nie zgadzam. Miłości nie można skąpić, trzeba jej dawać jak najwięcej.

– Trzeba dawać tyle, ile kobieta jej potrzebuje.

– Co ty tam, młody człowieku, wiesz o miłości!

– Trochę wiem.

– Trochę to za mało.

– Wystarczająco, żeby znać jej naturę i umieć ją w sobie rozpoznać.

– O ile się ją w sobie ma.

– Jej nadmiar czasem szkodzi, jak kaktusowi nadmiar wody.

Apostoł przyjrzał się uważnie Michałowi.

– Nie wydaje mi się, żebyś cierpiał na nadmiar miłości do świata – stwierdził.– Raczej owrotnie.

– Bywa też i tak – ciągnął Michał – że bardziej niż drugą osobę kochamy siebie, swoją dumę, swoje ambicje, swoje ego.

– Niekiedy osoby, które kochamy, nie chcą lub nie potrafią odpowiedzieć na naszą miłość, a to dlatego, że mieszka w nich diabeł – rzekł Apostoł.

Po wypowiedzeniu ostatnich słów, zamilkli, Michał zamówił następną kolejkę piwa.

– Zatem masz problemy z synem.

– Mam, i to duże.

– Może się zmieni.

– Wszystko w rękach Boga, jak mawiał nasz papież.

– A w twoich nie?

– Też, ale ostatecznie On o wszystkim decyduje.

– Nie sądzę.

– Wygląda na to, że nie wierzysz w Boga, co?

– Ano nie.

– Niedobrze, młody człowieku. Życie bez wiary to życie po omacku, bez żadnych odniesień i norm.

– Niekoniecznie.

– To jak ty żyjesz?

– Normalnie, zgodnie z dziesięciorgiem przykazań.

– A jednak coś z religii przejąłeś.

– Owszem, przejąłem, a właściwie tak zostałem wychowany

– Niebo gwiaździste nade mną, prawo moralne we mnie, tak?

– Mniej więcej.

– I to ci wystarcza?

– Wystarcza.

– Ja bym bez Boga nie mógł – stwierdził Apostoł, sięgnął po piwo, pociągnął duży łyk. – Twoja matka żyje? – spytał.

– Zginęła razem z ojcem.

– Kochała cię?

– Oczywiście, że mnie kochała, ale była malarką, całymi dniami stała przed sztalugami i niewiele poświęcała mi czasu.

– A ojciec, ten, który zginął, dobry był?

– Bardzo dobry.

– Wiedział, że nie jesteś jego synem?

– Chyba tak, lecz nie jestem tego pewny.

– A jak dowiedziałeś się, że masz drugiego ojca?

– Mama mi powiedziała, ale dopiero przed śmiercią.

– Podała jego nazwisko?

– Nie. Prawdopodobnie chciała, ale nie zdążyła.

– Mogłeś wypytać jej koleżanki.

– Wypytywałem. Nie mówiłem, że szukam swego biologicznego ojca, tylko tego, który był z nią blisko.

– Rozumiem.

– Wszystkie pytałem, pokazywałem różne zdjęcia, ale nie usłyszałem niczego konkretnego.

Apostoł wypił swoje piwo. Michał poprosił o kolejne, jednak tylko dla Apostoła, bo sam jeszcze swoje miał.

– Ojciec, który cię wychował, też nie wierzył w Boga, co? – podjął Apostoł.

– Był naukowcem i patrzył na świat okiem fizyka.

– Niektórzy fizycy, także ci wielcy, też odwołują się do Boga, bo nie są w stanie wyjaśnić świata.

– Właśnie, z tego zrodził się Bóg, z niemożności wyjaśnienia świata, z lęku przed jego niepojętymi zjawiskami, z jego niezrozumienia.

– A ty go rozumiesz?

Michał nie odpowiedział.

– Bóg jest wszędzie, także w nas, w naszych sercach jest, w każdym razie powinien być.

– Ja go tam nie mam.

Apostoł spojrzał na niego surowym wzrokiem.

– A co masz?

Michał ponownie nie odpowiedział.

– Przez kilka lat wędrowałem po świecie i pytałem o Boga – rzekł po chwili. – Byłem w różnych miejscach, wśród różnych ludzi, także pierwotnych plemion, żyjących poza naszą cywilizacją.

– I co tam znalazłeś?

– Wszyscy wierzą w Boga, tylko inaczej Go widzą, dla różnych ludzi jest inny, nie taki sam.

– Może i nie taki sam, ale ten sam, młody człowieku. Rozumiesz, co chcę przez to powiedzieć?

– Chyba tak.

– Wszędzie on jest, w tobie też, tylko jeszcze o tym nie wiesz, tylko Go nie widzisz.

W barze panowała duchota. Michał podciągnął rękaw koszuli, odsłaniając przedramię pokryte sznytami, spośród których wyróżniał się ten pod łokciem, świeży, jeszcze zaczerwieniony. Apostoł na ich widok lekko się uśmiechnął.

– Mój syn też się chlasta – stwierdził. – Pytałem go, dlaczego to robi, ale nie chciał powiedzieć. A ty?

Michał bez słowa opuścił rękaw, zapiął guzik, sięgnął po piwo.

A

Spiesząc na pocztę Jakub Smuga zapomniał wziąć dowód. Uświadomił to sobie dopiero przed okienkiem, kiedy młoda dziewczyna urzędowym tonem zażądała okazania dowodu osobistego.

– Nie mam go przy sobie – powiedział, przeszukawszy kieszeni. – Zostawiłem w domu.

– To proszę po niego pójść, bez niego nie mogę wydać przesyłki.

– Mam inne dokumenty, legitymację emeryta i jeszcze jedną – powiedział – ze zdjęciem – dodał, podając legitymację członka SPP.

– Pan Jakub Smuga, pisarz, tak? – zainteresowała się urzędniczka, biorąc do ręki wręczoną jej legitymację stowarzyszeniową.

– Od dwudziestu lat – zauważył żartobliwie.

– Widziałam pana w telewizji, książek pańskich nie znam – stwierdziła dziewczyna. – Ale jedną ma moja koleżanka. Powiedziała, że za mało w niej o miłości.

– W tej, nad którą aktualnie pracuję, będzie o niej więcej, dużo więcej.

– Tak? To dobrze, jak tylko wyjdzie, to ją kupię.

– Nie będzie pani musiała, dam ją pani w prezencie.

– Z autografem?

– Z autografem.

– Pamięta pan swój PESEL.

– Jak pacierz.

– To proszę go podać.

Dziewczyna zapisała jego PESEL i po chwili wręczyła mu kopertę z listem.

I

Po wychyleniu kolejnego kieliszka przepalanki, Leopold i Franciszek powrócili do rozmowy o Żydach, tyle że już innej, nasyconej dziecinnymi wspomnieniami.

– Gdyby nie zastrzelono Sabki – powiedział Franciszek – to bym się z nią ożenił!

– Gdybym mieszkał we frontowym budynku, a nie w oficynie, w dodatku w suterenie – powiedział Leopold – ojciec Ady nie potraktowałby mnie jak kundla.

– Gdybym był bogaczem – zaintonował nieoczekiwanie Marian, a Leopold, ku zdumieniu Franciszka, po chwili mu zawtórował, podniósł się od stołu i zaczął tańczyć, pociągając za sobą Franciszka, potem także Mariana – i wkrótce wszyscy trzej pląsali po pokoju, podśpiewując znaną im piosenkę z musicalu *Skrzypek na dachu*:

Gdybym był bogaczem
jaba dyby dyby dajdu dajdu dajdu dagu daj,
cały dzień bym biddy biddy bam
gdybym ja był wielki pan, ej!

Zapomnieli dalszych słów, więc nie przestając tańczyć – z początku oddzielnie i śmiesznie, lecz gdy chwycili się za ręce, taniec ich nabrał właściwego mu rytmu i radosnej powagi – tylko mruczeli, aż Leopold o czymś sobie przypomniał, uśmiechnął się złośliwie i zaśpiewał znaną mu z dzieciństwa podwórzową piosenkę:

Moje tate, co miał pejsy
na pisk, na pisk
wołał:
„Handel na podwórzu!"
dla zisk, dla zisk

Marianowi, którego dziadek był przechrzczonym na katolicyzm Żydem, o czym wiedział tylko Franciszek, nie spodobała się ta piosenka, a że nie mógł sobie przypomnieć innej, powrócił do tej ze *Skrzypka na dachu*:

Gdybym był bogaczem
jaba dyby dyby rajdu rajdu rajdu daj

I znowu trzymając się za ręce tańczyli zgodnie, rytmicznie i radośnie, jak chasydzi, których taniec Franciszek i Leopold widzieli przed laty w kinie.

Dotąd ich comiesięczne spory o Żydów kończyły się wspomnieniami ich chłopięcych miłości, Teraz dodatkowo swoje pojednanie zamanifestowali wspólnym śpiewem i tańcem. Potem Franciszek przypomniał Leopoldowi o Szulcu i uzgodnili, że Leopold po nakarmieniu Funi, przed dziesiątą przyjdzie do niego i będą razem oglądali lot handlarza bielską wełną. Może na niebie pojawi się nie tylko jedna chmurka, ale także druga, z Sabinką, no i trzecia, z której wyłoni się Ada,

G

Henryk D. popatruje z wahaniem na żonę, wreszcie się decyduje:
– Wiesz, Felicjo – mówi – rano żartowałem.
– Tak też myślałam – odpowiada Felicja z ulgą.
– Nie gniewasz się na mnie?
– A czy mogę się na ciebie gniewać?
To uspakaja Henryka. Znowu będzie między nimi tak jak przedtem. Już nie musi się bać choroby ani niczego innego, Felicja to dzielna i dobra kobieta, może na nią liczyć w każdych okolicznościach. Jak mógł jej nagadać tyle niedorzecznych rzeczy.
– Wybaczysz mi?
– Już ci wybaczyłam.
Felicja jest szczęśliwa. Więc to był żart, tylko żart. Bardzo brzydki, przykry i bolesny, ale żart. Po prostu dziecinny, złośliwy żart. Że też mogła pomyśleć co innego. Przecież Henryk zawsze był dobrym i kochającym mężem, nigdy jej nie zawiódł. Jak mogła uwierzyć, że chce od niej odejść.

– Czujesz się już lepiej?

– Znacznie lepiej.

– Zmęczyłeś się spacerem, więc powinieneś wcześniej iść spać. Tapczan już pościelony, możesz się położyć.

– Prześpię się u siebie – mówi Henryk, spogląda na Felicję i szybko dodaje: – na wersalce w gabinecie.

– Wersalka ma obluźnione śruby, może się rozlecieć. Na tapczanie będziesz bezpieczny.

– Muszę odpokutować za ten psikus, którego ci wyrządziłem.

– Nie musisz.

– Tak uważasz?

– Oczywiście.

Henryk chwilę się waha, po czym idzie do pokoju Felicji, gdzie się rozbiera i kładzie na posłanym tapczanie. Felicja poprawia mu poduszkę pod głową, włącza radio i udaje się do łazienki, Henryk odprowadza ją serdecznym wzrokiem. Zatem wszystko wraca do normy. No bo jak mogłoby być inaczej po tylu latach zgodnego życia.

A

List od Ireny był gruby i sztywny, co oznaczało, że oprócz kartki papieru zawierał coś więcej, Zaintrygowany tym, chciał go otworzyć na poczcie, lecz powściągnął swoją ciekawość, postanawiając zaspokoić ją później. I tak też zrobił. Tyle że nie w domu, jak zamierzał, ale w drodze do niego, na ławce w Ogrodzie Saskim, gdzie po przejechaniu tramwajem jednego przystanku, spędził kilkanaście minut, zszokowany treścią listu, jak i załączonym do niego zdjęciem, na które zerknął w tramwaju, gdy nie mogąc utrzymać na wodzy ciekawości, rozerwał kopertę.

E

Znużony rozmową z Apostołem o Bogu i sensie życia, Michał sięgnął do kieszeni dżinsowej kamizelki, aby uregulować rachunek za piwo, wyciągając z banknotami zdjęcie, które Apostoł natychmiast zlustrował wzrokiem i spytał:

– Pewnie ta kobieta to twoja matka, co?

– Zgadza się

– A ten facet obok to kto? Ojciec?

– Jeszcze nie wiem – odparł Michał. – Ale jutro będę wiedział. A to zdjęcie mam przy sobie, bo myślałem, że dzisiaj się tego dowiem.

Apostoł wziął zdjęcie do ręki, przyglądnął się przedstawionemu na nim mężczyźnie, potem Michałowi.

– Macie podobne czoło – stwierdził – oczy, a także usta.

– Tak uważasz? –upewnił się Michał.

– Nie tylko uważam, ale i tak jest, a jego chyba znam. Kiedyś siedziałem z nim na ławce przy Centralnym.

– Chodzisz tam?

– Wszędzie chodzę, a tego faceta spotkałem później w Klubie Księgarza. Kiedyś dawano tam różne kanapki. Najlepsze były te z domowym smalczykiem. Bardzo je lubiłem, a także winko, do którego teraz zamiast kanapek podają pałeczki sera, nic więcej. Biednie się robi w naszym kraju, coraz biedniej.

– I on też tam był?

– Jasne, że był, jako ten twórca, prozaik. Czytał słabo, ale teksty miał całkiem, całkiem.

– Jak się nazywa?

– Poczekaj, niech sobie przypomnę. Smuga, tak, Jakub Smuga.

Michał zdębiał.

– Gdzie mieszka, wiesz?

– Chyba na Muranowie, ale dokładnie gdzie, przy jakiej ulicy, tego nie wiem. Ale jak chcesz, to się dowiem.

– Nie musisz. Jakub Smuga mieszka w tym samym domu co ja.

– I go nie znasz!

– Mieszkam tam od trzech miesięcy i znam kilka osób, ale tylko z widzenia. A jego widziałem raz w windzie, raz tutaj i potem przed kinem, Ale czy to ten sam facet co na zdjęciu, tego nie jestem pewien.

– A ja tak. Mam dobre oczy i pamięć do twarzy. Z liczbami u mnie nie za bardzo, alez twarzami dobrze sobie radzę, każdą zapamiętam.

– Ale to twarz sprzed trzydziestu lat.

– Może i trzydziestu, a może dwudziestu dziewięciu.

– Myślisz?

– On sam ci to powie.

– Wcześniej zapytam go, czy znał moją matkę i czy był w Paryżu

– O Paryż nie musisz pytać. Na spotkaniu, na którym byłem, dużo mówił o swych podróżach i bardzo chwalił Paryż. Powiedział, że czuł się w nim lepiej niż w Warszawie.

– Często do niego jeździł?

– Bardzo często. Pierwszy raz rok przed stanem wojennym, czyli dwadzieścia dziewięć lat temu. Powiedział, że wtedy upatrzył sobie pewną kawiarenkę i potem zawsze do niej zachodził, bo związana była z przeżytym w Paryżu romansem. Czy to ci nic nie mówi?

Michał był poruszony. Po dziewięciu latach znalazł swego ojca, i to dzięki temu nieznanemu mu dotąd zdjęciu, no i Apostołowi.

– Niesamowite! – szepnął.

– Jasne, że niesamowite – zgodził się Apostoł. – No widzisz – dodał pouczającym tonem – trafiliśmy do człowieka, najprawdopodobniej twojego ojca, którego przez dziewięć lat szukałeś. Należy mi się za to jeszcze jedno piwo, albo wódka.

– Pani Steniu – zwrócił się Michał do barmanki – dwie wódki i piwo!

I

Staruszkowie są już na rauszu. Nie pijani – skądże znowu, kto by się upił pół literkiem na trzy gęby – tylko na rauszu. Właśnie skończyli opowiadać o swych przygodach wojennych, o reakcji na widok mundurów niemieckich, o obozach koncentracyjnych i o Powstaniu Warszawskim, kiedy to jeden zniszczył hitlerowski czołg, drugi zastrzelił trzech Szwabów, a trzeci był łącznikiem. Ordery za to otrzymali i sam prezydent ściskał im rękę, ale dopiero rok temu, wcześniej nikt ich nie nagrodził. Co więcej, jednego wsadzono do więzienia, bo po wojnie nie złożył broni, tylko dalej walczył, już nie z Niemcami, lecz z władzą, walczył o wolną Polskę.

W kryształowej karafce połyskiwała w zachodzącym słońcu resztka przepalanki.

– Tylko tyle zostało? – zmartwił się Leopold.

– Ano tyle – stwierdził z żalem Franciszek.

– Szkoda.

– Ano szkoda.

Staruszkowie spoglądają ze smutkiem na stół i sięgają po kieliszki.

– To za co pijemy? – pyta Leopold.

– Za nic – odpowiada Franciszek.

– Jak to za nic!

– Ano za nic, zwyczajnie.

– To nie jest zwyczajnie – protestuje Leopold.

– A właśnie, że jest – mówi Franciszek i żeby nie wracać do tego nieuchwytnego „za nic", którego sam nie rozumie i nie potrafi wyjaśnić, podnosi kieliszek do góry.

– No to lu! – rzuca.

– Na lewą nóżkę! – odzywa się od dłuższego czasu milczący Marian.

– Już było! – stwierdza Franciszek z kieliszkiem przy ustach.

– To na prawą.

– Też było.

– W takim razie – stropiony Marian chwilę się zastanawia, po czym proponuje: – na środkową.

– Chi, chi, chi! – chichoczą jego przyjaciele i nie przestając się śmiać spełniają toast, a zamknięte w klatce kanarki trzepocą skrzydełkami.

J

Jagoda zerknęła na zegarek, wyjrzała przez okno i opuściwszy mieszkanie, wsiadła do czekającego na nią mercedesa. Wyglądała świeżo i bardzo atrakcyjnie, elegancko i zarazem seksownie – w wieczorowej sukni, obcisłej na wysokości bioder i pupy, z głębokim dekoltem i gołymi, pięknie opalonymi plecami. Gdy zajechała pod *Marriotta*, na parkingu, gdzie czekał na nią Damian, spotkała Jolkę, swoją dawniejszą koleżankę po fachu, która kiedyś się za nią ujęła i obroniła przed pazurami ulicznych prostytutek.

Były to ciężkie dla niej czasy. Przechadzając się przeznaczonym dla niej odcinkiem ulicy – przez całą godzinę bezskutecznie, bo mimo że wyglądała seksownie, nie złowiła żadnego klienta – stanęła przed wystawą i wpatrzyła się w nią bezmyślnie, gdy podjechał samochód, z którego wysiadł dwudziestokilkuletni facet w okularach.

– Czekasz na kogoś? – zapytał.

– Może tak, a może nie – odparła dyplomatycznie, obrzucając okularnika taksującym wzrokiem.

– Jeśli nie, zapraszam na kolację.

– Na kolację? – zdziwiła się, gdyż dotąd proponowano jej kawę, a przy barku drinka, nigdy kolację, na którą i tak by nie poszła, bo niewiele na tym zyskiwała. – Do restauracji?

– Nie, do mnie – powiedział okularnik, odczekał chwilę i dodał: – Mieszkam niedaleko, mam w domu alkohol i wszystko co trzeba.

Pomyślała, że ma do czynienia z amatorem szybkich podrywów, polujących na dziewczyny, którym nie udała się randka.

– Nie pożałujesz, dobrze się zabawimy.

Słyszała od koleżanki, że są tacy, którzy przyjeżdżają z kolegą i już w samochodzie obezwładniają i wykorzystują dziewczynę, albo ją zawożą do lasu.

– Jesteś sam? – spytała zerkając na samochód.

– Sam.

To oczyszczało sytuację, ale jej nie wyjaśniało.

– Masz kasę? – spytała obcesowo, dając okularnikowi do zrozumienia, z kim ma do czynienia.

Okularnik jakby był zbiły z tropu, ale tylko chwilę.

– Oczywiście, że mam – powiedział, sięgnął do kieszeni i pokazał zwitek banknotów stu- i pięćdziesięciozłotowych. – To jedziesz czy nie? – zapytał zaraz, ale już innym, ostrym tonem.

– Jadę – zgodziła się.

Pojechali niedaleko, na bliski Mokotów. W mieszkaniu, do którego weszła, siedziało przy stole trzech innych facetów. Zrozumiała, że wpadła w pułapkę, ale na ucieczkę było za późno, gdyż okularnik zamknął drzwi na klucz, a jego koledzy podprowadzili ją do stołu, kazali się napić wódki i po dwóch kieliszkach zgwałcili, wszyscy czterej, jeden po drugim, a potem grożąc pobiciem, zażądali. żeby wszystkich czterech równocześnie obsłużyła.

Tak jak wtedy podle, nie czuła się ani wcześniej, ani nigdy później. Teraz już jej to nie groziło.

– Cześć – powitała Jolkę,

– Cześć! – odpowiedziała jej dawna koleżanka

– Zadajesz się z nią? – spytał Damian spoglądając z pogardą na Jolkę.

– Już nie.

– To dobrze. Musisz trzymać klasę, bo nie jesteś prostytutką, lecz damą do towarzystwa, gejszą.

– Nie tylko – zauważyła – dobrze o tym wiesz.

– Współczesne gejsze też dają dupy, tyle że z własnej woli i wybranym, a nie każdemu, kto ma kasę.

Podawszy Jagodzie ramię, Damian wprowadził ją do holu, a następnie do Sali restauracyjnej, gdzie przy dwóch zastawionych ze sobą stolikach czekali na nich trzej biznesmeni zagraniczni i dwaj krajowi.

I

Opuściwszy mieszkanie Mariana, Franciszek zaczyna się wspinać po schodach. Mógł skorzystać z windy, ale nie chciał. To tylko jedno piętro, da radę, choć trudno mu się oddycha i ma miękkie nogi, jak z waty...

sześć

siedem

osiem

dziewięć

Spocznik – Uff, nareszcie!

Nie przypuszczał, że będzie tak ciężko. Dwadzieścia lat temu, gdy jeszcze pracował, śmigał po schodach jak dwudziestolatek. Rok temu pokonał bez odpoczynku całe piętro, a teraz po dziesięciu stopniach ledwie dyszy. No cóż, starość nie radość. Jak się ma tyle lat... Dobrze, że w ogóle może chodzić. Zygmunt z drugiego piętra już nie może, od kilku lat leży w łóżku, robi w nocnik – i co tu dużo gadać, wrak człowieka. Albo taki Marian, ma tylko słuch, bo nie widzi. A on, jak by nie było, jeszcze chodzi i widzi, więc nie jest z nim aż tak źle. Mógłby wrócić na dół i skorzystać z windy, ale to byłaby kapitulacja. Jeszcze chwilę odpocznie, a potem ruszy dalej. Dziesięć kolejnych stopni to nie tak dużo, na pewno je pokona. Musi. Za godzinę lub dwie pojawi się na niebie chmurka, po niej druga, może nawet trzecia – i zobaczy najpierw starego Szulca z belą najlepszej wełny pod pachą, a potem, jego córkę, Sabinkę, która wczorajszej nocy mu się przyśniła.

13

Marian uprzątnął ze stołu karafkę, talerzyki, kieliszki i szklanki. Zaraz je umyje, a butelkę po wódce wrzuci do kosza na śmieci. Kanarki zasnęły. On też położy się spać, bo kręci mu się w głowie i może się potknąć o krzesło lub stół, a jutro z samego rana mają się wybrać z Franciszkiem i Leopoldem nad Wisłę lub Zalew Zegrzyński, więc musi się wyspać.

12

Kiedy Leopold wszedł do mieszkania, rzuciła się na niego suczka i ugryzła w łydkę – jego, który wziął ją z ulicy i dba o nią jak o dziecko, dobrze karmi i trzy razy dziennie wyprowadza na spacer, choć ma trudności z chodzeniem.

Uzbrojony w sznur od elektrycznego żelazka goni suczkę po pokoju, aż wreszcie ją dopada i bije.

– Ty kundlu! – krzyczy. – Ty niewdzięcznico! Już ja ci pokażę!

Gruby sznur spada na kudłaty grzbiet Funi, a ta się płaszczy i skomli o litość.

– Ty parszywa suko! Tak mi się odpłacasz za opiekę?!

Dopiero teraz, gdy wymierzył suczce karę i Funia zaczęła skomleć, Leopold pomyślał, że psina mogła być wychowywana przez ludzi, którzy często pili i ją bili. I że dlatego go ugryzła, bo wyczuła zapach alkoholu. Doszedłszy do tego wniosku, natychmiast Funię pogłaskał i dał jej na przeprosiny kawałek kiełbasy.

11

Zaledwie Franciszek doczłapał do drzwi, otworzył je i zapominając zamknąć wszedł do pokoju, zakręciło mu się w głowie i padł na podłogę, tracąc przytomność. Kiedy ją odzyskał, leżał na deskach, które niedawno kazał położyć w miejsce zniszczonego parkietu, a po południu obtarł z wody. Chciał się podnieść, ale nie mógł. Nie mógł też poruszyć rękami.

A może ich nie miał? Może w ogóle nie miał ciała, bo nic go w nim nie bolało. Nic nie czuł, tylko sztywność desek. Czuł ją wyraźnie, tak jakby sam był deską.

Czy działo się to we śnie, czy też naprawdę? Był drzewem, wysokim i starym, rosnącym pośród innych drzew pokrytych liśćmi. Ale on-drzewo nie miał na sobie ani jednego listeczka, tylko same suche gałęzie. I naraz dopadł go porywisty i bezlitosny wiatr i powalił na ziemię. Wtedy przyszli ludzie z piłami. Widział i czuł straszliwie boleśnie, jak odcinają z niego gałęzie, potem go gdzieś zawożą, obdzierają z kory i tną na deski.

Tak było, ale czy naprawdę, czy tylko we śnie, tego wciąż nie wie. Leży na podłodze, stopami przy progu, głową przy nodze od stołu – jak deska, a może jako deska. Strasznie się boi, żeby wnuk go nie nadepnął i skaleczył lub zabrudził. Ostatnio wraca do domu pijany i nosi buty o twardej podeszwie, a że ich pokoje są w amfiladzie i chcąc się dostać do swojego, musi przejść przez jego pokój, przekonany, że on śpi, nie zapali światła i przejdzie po nim jak po desce.

Wokół jest ciemno. Zegar ścienny uderzył dziewięć razy. Dziewięć uderzeń – pamięta to z czasów, gdy jeszcze nie był deską – oznacza godzinę dziewiątą, a to późny wieczór, prawie noc. O tej porze wnuk był po kolacji i oglądał telewizję. Skoro go nie ma, to znaczy, że poszedł do jednej ze swych kobiet i prosto od niej pójdzie do pracy. Jutro, zaraz po szkole ma przyjść jego prawnuczka. Lubi go i często odwiedza, nawet wtedy, gdy jej ojciec jest w pracy, bo wie, że ją kocha i zawsze coś jej kupuje, przeważnie czekoladki. Dzisiaj kupił ptasie mleczko. Ale jak je jutro wręczy, skoro nie będzie mógł otworzyć drzwi, bo jest cały sztywny i nie panuje nad ciałem, nawet go nie czuje, jakby faktycznie był deską.

O, coś na sobie czuje. Pewnie robak, bo w ich domu są robaki, we wsypach na śmieci i jak twierdzą sąsiedzi, także w kuchniach, pod podłogą. Stamtąd do niego przyszedł i to niejeden. Coraz więcej ich jest.

Gdyby mógł krzyknąć, albo zaskrzypieć tak głośno, żeby ktoś go usłyszał. Może później to zrobi, bo na razie nie może. Tylko że do tego później może dojść dopiero po kilku godzinach, jeśli nie dniach. Przez ten czas obsiądą go i pożrą robaki. Czuje je na sobie, i to wszędzie.

Szkoda, że zamknął drzwi na korytarz. A może ich nie zamknął, lecz przymknął i to ze wsypu przyszły do niego te robaki, bo w kuchni nie mogło być ich aż tyle. Boże, co z nim będzie!

13

Marian przekręca klucz w zamku i wraca do pokoju. Kanarki ożywiły się, zatrzepotały skrzydełkami. Zaniesione do zlewozmywaka talerzyki, kieliszki i szklanki zmyje jutro. Gdy będzie taka pogoda jak dzisiaj, pojedzie z przyjaciółmi nad Zalew Zegrzyński, bo ojciec znajomej Bronka ma tam jacht. Dotąd pływał tylko kajakiem. Może jutro popłynie jachtem. Potykając się o meble podąża w stronę tapczanu i kładzie się na nim ostrożnie. Zakręciło mu się w głowie. To od wódki. Tak, na pewno od wódki, bo od czego innego. A przecież nie wypili dużo, tyle co zawsze, jedną trzecią butelki.. Cóż, starzejemy się. Ale w sumie nie jest jeszcze tak źle. Gdyby nie był ślepy, byłoby zupełnie znośnie. Ale nie można wymagać za dużo. Zresztą przywykł do swojej ślepoty i jakoś sobie z nią radzi. Ma doskonały słuch, lepszy od innych, i to co oni widzą oczami, on słyszy. A słyszy dużo, niemal wszystko, co się dzieje w domu, zwłaszcza wieczorem i nocą. W tej chwili na przykład nie, bo przeszkadzają mu kanarki, lecz gdy się uspokoją, wówczas usłyszy każdy przejazd windy i każdy krok na korytarzu, a także w mieszkaniu nad nim i obok. I będzie wiedział, kto mówi, a kto krzyczy lub trzaska drzwiami, Wszystkich tych ludzi poznaje po głosie. Wyłączy światło, to kanarki zasną i wtedy posłucha, co się dzieje u sąsiadów, tych przez ścianę i tych z góry.

Podnosi się z tapczanu i, ponownie potrącając krzesło, podchodzi do kontaktu od światła i go przekręca. Kanarki w klatce znieruchomiały. Wraca na tapczan i z uwagą wsłuchuje się w wieczorne odgłosy.

U Franciszka cisza. Pewnie też położył się spać. U sąsiadów z piętra są włączone telewizory, słychać czyjś męski głos, a teraz śmiech.

L

Gustaw Ł. podniósł się od stołu i zaczął się przechadzać po pokoju. Po powrocie do domu opowiedział żonie o wizycie u Mariana i kalekim grajku, którego widok, jak i rozmowa z Marianem odświeżyła w jego pamięci obraz ojca. Potem, gdy żona zajęła się kolacją, wyjął z komódki album rodzinny i otworzył go w miejscu, gdzie były umieszczone zdjęcia dziadków, stryja, stryjenki i Mariana, formalnie brata stryjecznego, a w rzeczywistości kogoś więcej – starszego syna ojca. Dowiedział się o tym od niego kilkadziesiąt minut przed jego śmiercią. Zszokowany wyznaniem ojca, zaniemówił i nim zdążył go spytać, kiedy i w jakich okolicznościach począł ze stryjenką Mariana, weszła do pokoju matka i ona odebrała ostatnie słowa ojca, w którym nie było mowy o Marianie.

Nie wyjawił Marianowi sekretu ich ojca, Nikomu go nie wyjawił, a że stryjenka już nie żyła, on jeden znał skrywaną przez ojca prawdę. Podejrzewał, że znała ją babcia, ale zabrała do grobu. Kochała obydwu synów, ale młodszego z nich darzyła silniejszym uczuciem, choć był chłopcem nieposłusznym, skorym do bitki i zabawy, i zanim się ustatkował, ożenił i rozpierającą go energię ulokował w przejętej po ojcu firmie, uchodził za hulakę i ciesząc się powodzeniem u dziewcząt, zmieniał je jak rękawiczki. W przeciwieństwie do niego, stryj był nieśmiały i niezaradny życiowo, za to bardzo ambitny. I on poślubił dziewczynę, w której obydwaj bracia się kochali. Wybrała jego, bo drugi z braci miał opinię utracjusza i nie nadawał się na męża. Po kilku latach, gdy jej szwagier się ożenił i zapewnił żonie dostatnie życie, a ona borykała się z kłopotami materialnymi, zmieniła o nim zdanie i żałowała, że wyszła za starszego z braci, a nie młodszego. Tymczasem bracia byli ze sobą skłóceni – mieli różne charaktery i różne poglądy polityczne, a ponadto na ich wzajemnych stosunkach ciążył wybór dokonany przez stryjenkę – i rzadko się spotykali, czasami tylko dwa razy w roku, na imieninach swojej matki i przy stole wigilijnym. Zbliżyło ich do siebie nieszczęście Mariana, ale na krótko, bo stryj wstąpił do Partii i był przeciwny inicjatywie prywatnej, a jego młodszy brat ją reprezentował. Ponadto poróżniły ich pieniądze, jakie jego ojciec w tajemnicy przed bratem przekazywał stryjence na rzecz Mariana i ich domu. Dowiedziawszy się o nich, stryj skrzyczał żonę za przyjmowanie jałmużny od żyjącego kosztem innych prywaciarza, a bratu zakazał wstępu do swego domu. Wkrótce zmarł na serce, toteż ojciec mógł już jawnie wspomagać bratową i Mariana. Czynił to systematycznie, za wiedzą i aprobatą swej matki, która po śmierci ojca też wspomagała Mariana i umierając zobowiązała go do opieki nad nim, zapisawszy na starszego wnuka połowę swego majątku.

Przedarłszy się przez gąszcz rodzinnych sekretów, powiązań i zobowiązań, Gustaw wrócił do stołu i wpatrzył się w zdjęcie Mariana, to po wybuchu granatu, gdy Marian był już niewidomym i nosił ciemne okulary.

– To przeze mnie Marian stracił wzrok– powiedział do żony.

– Jak to przez ciebie?! Przecież to on majstrował przy granacie.

– Ale ja go znalazłem i namówiłem Mariana, żeby nim rzucił.

– Nie wiedziałeś, że wybuchnie.

– Wiedziałem, bo się ukryłem za drzewem, żeby mnie nie trafił odłamek.

– Znowu do tego wracasz? Myślałam, że dawno o tym zapomniałeś.

– Nie zapomniałem, Basiu, zawsze o tym myślę, kiedy go odwiedzam, dzisiaj też myślałem.

Barbara usiadła obok niego, położyła rękę na jego dłoni, lekko ją uścisnęła.

– Guciu, byłeś wtedy mały, a on dużym chłopcem, wiedział, co robi, a jeśli nie, to i tak nie powinieneś czuć się winnym.

Barbara obrzuciła spojrzeniem leżący na stole album, zatrzymując wzrok na zdjęciu Mariana.

– Jak się on czuje? – spytała.

– A jak może się czuć człowiek, który nie widzi na oczy i jest samotny.

– Ma nas i dwóch oddanych przyjaciół.

– Franciszek i Leopold są już starzy, a ludzie starzy skupiają się na sobie i coraz mniej interesują się innymi,

– My się interesujemy.

– Bo nie jesteśmy starzy, w każdym razie nie ty.

– Ty też, Guciu. Tylko że całymi dniami nie ma cię w domu, a ja tu sama, nie mam z kim porozmawiać. Jak mieszkała z nami Mireczka, przychodziły do niej koleżanki i Karol i zawsze było u nas gwarno, czasami za głośno, ale nawet bez gości tętniło tu życie, a teraz jest strasznie cicho i nieprzyjemnie. Nie masz pojęcia, jak mnie to męczy. Należę do kobiet, dla których najważniejszy jest dom. Ale dom, który tworzą nie meble, lecz bliscy sobie ludzie. A ty masz swoją firmę, wychodzisz rano i wracasz dopiero pod wieczór. Przez ten czas jestem zupełnie sama. Chodzę po mieszkaniu, ścieram kurze, robię zakupy, przygotowuję obiad lub kolację, dzwonię do Mireczki. Lecz ona na ogół nie ma czasu, rzadko przychodzi, aby po kwadransie pójść na obiad do teściowej, która chce się zająć ich dzieckiem. Będę więc babcią tylko na papierze, i to dopiero po kilku latach, bo Mira robi doktorat, a potem chce pojeździć z mężem po świecie.

Barbara ciężko wzdycha i ponownie spogląda na zdjęcie Mariana.

– Lubisz go, prawda?

– Bardzo.

– To ładnie z twojej strony, ze o niego dbasz.

– Muszę.

– Dlatego, że zobowiązała cię do tego matka?

– Ojciec też.

– Dużo mu zostało na koncie w banku?

– Niewiele. Ale Marian nie musi się martwić, bo w przeciwieństwie do jego konta, nasze wciąż rośnie, a to dzięki firmie, którą prowadzę.

– Jaka tam firma, osiem osób na krzyż!

– Nie osiem, lecz dziewięć, ze mną dziesięć.

– Niedługo przejdziesz na emeryturę.

– Ano przejdę, tylko nie w terminie ustawowym, lecz później, jak najpóźniej, bo nic mi nie dolega. Ciebie nie przeżyję, ale Mariana na pewno.

– Ma na Muranowie przyjaciół, ale ma także nas, swoich krewnych. Może lepiej by było, gdyby zamieszkał z nami.

– A chcesz? – upewnia się Gustaw, bo o tym od dawna myślał i do tego dziś zdążał, nie śmiąc pierwszy to zaproponować. – Chyba nie zamiast pieska, o którym marzysz,

– No wiesz! – oburzyła się żona i zaraz dodała: – Zająłby pokój Mireczki, a jego mieszkanie byśmy wynajęli, albo sprzedali Zaproponuj mu to.

– Oczywiście, że zaproponuję, tylko nie wiem, czy się zgodzi?

– A dlaczego miałby się nie zgodzić?

– Ma w pobliżu park i zna wielu ludzi i okoliczne ulice, którymi codziennie spaceruje.

– Dzisiaj też był na spacerze:

– Tak, i to sam.

– No widzisz, przyjaciele nie zawsze są pod ręką, a ja będę na każde zawołanie, w domu i na ulicy, gdy zechce wyjść na spacer.

Zdążali do tego samego, tyle że różnymi drogami. Gystaw zamknął album, chwilę się wahał, po czym przekazał żonie powierzony mu przez ojca sekret, ku swemu zdumieniu dowiadując się, że ona od dawna go zna – ojciec go jej powierzył, i to wcześniej niż jemu, dzień przed śmiercią. Nie poinformowała go o nim, bo się bała, że zdradzi go matce. Po jej śmierci już tylko dlatego że i tak dbał o Mariana, traktując go jak rodzonego brata, a nie chciała osłabiać jego synowskich uczuć. Wyznawszy to Barbara spojrzała na niego przepraszająco, otworzyła leżący przed nim album i wpatrzyła się w zdjęcie jego ojca, potem Mariana, a potem znowu w zdjęcie ojca.

E

Przechodząc przez Ogród Krasińskich Michał usiadł na tej samej ławce co wczoraj, tyle że o wcześniejszej porze i inaczej nastrojony. Wczoraj rozmyślał nad nędzą świata, a teraz cieszył się z niego, bo prawdopodobnie odnalazł rodzonego ojca, którego szukał dziewięć lat. Odnalazł go dzięki Apostołowi, w domu, w którym mieszkał z nim od trzech miesięcy. Jutro jest święto, nie musi iść do pracy, więc z samego rana go odwiedzi i spyta, co robił późną jesienią 1980 roku, bo wtedy został poczęty. Jeśli w tym czasie Jakub Smuga był w Paryżu, pokaże mu to zdjęcie i zobaczy, jak na nie zareaguje. Potem go spyta, czy miał romans z jego matką i czy wiedział o jego istnieniu. Jeśli tak, nie będzie z nim dłużej rozmawiał, nie będzie też chciał widzieć go więcej na oczy. Czeka go ważna w jego życiu chwila, bardzo ważna, przełomowa. Będzie musiał się upić albo wziąć proszek na sen, bo inaczej nie zaśnie.

A

Jakub Smuga tkwi nieruchomo na ławce, trzymając w ręku list i starą fotografię. Z rozmowy z Ireną wywnioskował, że list zawiera niezmiernie ważne informacje, lecz te, które przy świetle odchodzącego dnia odczytał, przeszły jego wszelkie wyobrażenia. Był pisarzem i w swoich książkach opisywał różne sprawy, także takie, które nie mieściły się w głowie. I właśnie ta do takich należała, wywierając na nim tym większe wrażenie, że dotyczyła zarówno jego, jak i Matyldy oraz jej syna. Najpierw zobaczył fotografię z synem Matyldy, znajomą z Łodzi, na którą natknął się w Paryżu. W Łodzi widział ją tylko jeden raz, u Doroty. Spodobała mu się, lecz był żonaty, kochał Marylę i ani myślał ją zdradzić. A podczas jego pobytu w Paryżu właściwie byli już po rozwodzie, gdyż Maryla, której zaproponował przylot do ich ulubionego miasta, w nadziei, że spędzą w nim kilka dni i razem wrócą do kraju, odpowiedziała telefonicznie, że wniosła pozew o rozwód i nie zamierza go wycofać. Usłyszawszy to, przez cały tydzień chodził po Paryżu jak wygnany na ulicę pies, toteż ujrzawszy znajomą i uśmiechającą się do niego kobietę, ucieszył się na jej widok i przy stoliku przed kawiarnią na bulwarze St. Michel przesiedzieli całe popołudnie. Potem poszli do hotelu i przez trzy dni rzadko go opuszczali, a jeśli już, to po to, żeby coś zjeść. I oto Irena mu doniosła, że ich trzydniowy romans zaowocował dzieckiem. Matylda chciała go o tym poinformować, ale on po odwiedzeniu kuzyna Maryli i kilku telefonicznych rozmowach z żoną, w których próbował odwieść ją od rozwodu, tylko jeszcze miesiąc przebywał w Paryżu. Stamtąd wybrał się do Szwecji i blisko rok mieszkał u przyjaciela, a potem nie chcąc powrócić do kraju, w którym wprowadzono stan wojenny, pojechał do Włoch, następnie do Grecji, Hiszpanii i Anglii, gdzie szukał zarówno pracy, jak i zapomnienia, bo wciąż kochał Marylę i nie mógł o niej zapomnieć. Tymczasem Matylda urodziła jego syna, któremu nadała imię Michał, pewnie na pamiątkę mieszczącej się przy bulwarze St.Michel kawiarni i hoteliku, w którym spędziła z nim trzy noce. Gdyby chciała, mogłaby go odnaleźć, ale tego nie zrobiła, bo doszła do wniosku, że to by skomplikowało jej sytuację, a jemu utrudniło realizację planów twórczych, o których w Paryżu dużo jej mówił i wokół których chciał zorganizować swoje życie. Mąż podejrzewał, że nie on jest ojcem dziecka, ale tylko raz to wypowiedział. Później do tego nie wracał, jakby uwierzył w swoje ojcostwo lub uznał je dla dobra jej syna, którego pokochał i dla którego robił wszystko, co był w stanie zrobić. Prawdę znała tylko ona, jej przyjaciółka, której Matylda się zwierzyła, rok przed swoją śmiercią, prosząc ją o zachowanie tego w tajemnicy. I ona jej dotąd dochowywała, co nie było trudne, ponieważ syn Matyldy po samobójstwie narzeczonej wyjechał na długie lata z kraju. Ale rok temu powrócił i prawdopodobnie zamieszkał w Warszawie. To oraz fakt, że jest śmiertelnie chora, skłoniły ją do napisania tego listu i przesłania zdjęcia, na którym jest jego syn. Chłopak, a właściwie młody mężczyzna żyje samotnie, tak samo jak on, jego biologiczny ojciec, więc powinni się poznać, co im obu wyjdzie na dobre. Dlatego musi go odnaleźć, i to jak najprędzej. Na zdjęciu ma szesnaście lat, a teraz dwadzieścia osiem, ale on, jego ojciec nie powinien mieć trudności z odnalezieniem syna. Nazwisko ma po ojczymie, Krawczyk, na drugie imię Stanisław, duże oczy, wyrazisty nos i niewielką szramę na szyi, ślad po wypadku, któremu uległ w latach szkolnych.

Przeczytawszy list, Jakub osłupiał z wrażenia. Ma poczętego z Matyldą syna o imieniu Michał. Jeśli to ten sam, który mieszka dwa piętra niżej, byłby to przypadek graniczący z cudem. Musi się dowiedzieć, jak ma na drugie imię, bo w Warszawie jest co najmniej tysiąc Krawczyków, w kraju kilkanaście, czy nawet kilkadziesiąt tysięcy, a wśród nich setki czy też tysiące Michałów. Przeczucie mu mówi, że to właśnie ten Michał jest jego synem. Wczorajszej nocy, gdy ujrzał go przed domem, coś w nim drgnęło. Coś, co stłumił nowym pomysłem na książkę, której dzisiaj poświęcił cały dzień. Już ją przemyślał, już opracował jej plan. Gdyby wiedział, że Michał, który występuje w niej jako jeden z bohaterów, jest jego synem, inaczej by ten plan wyglądał. Ale niczego nie zmieni, niech będzie tak, jak sobie wczoraj wyobraził, a dzisiaj napisał w zarysie – rzecz złożona z kilkunastu wątków, z których tylko jeden będzie poświęcony jego synowi. Lecz czy Michał z ich domu jest tym ze zdjęcia, tego niemoże być pewien, musi to sprawdzić.

Wpatrzony w przesłaną mu fotografię, porównywał przedstawiony na niej wizerunek ze znaną mu z windy twarzą Michała. Ich twarze były podobne, ale czy dotyczyły tej samej osoby, tego nie wiedział. Opuścił Ogród Saski i udał się na przystanek tramwajowy. Dowiedziawszy się, że Michała nie ma w domu, usiadł na ławce pod klonem, czekając na tego, któremu postanowił dobrze się przyjrzeć, spytać go o drugie imię, a potem pokazać mu zdjęcie i opowiedzieć o paryskim spotkaniu z jego matką.

Jeśli się okaże, że chłopak jest jego synem, chyba zrezygnuje z napisania kolejnej książki. Życie jest ważniejsze od pisania, czy też innego rodzaju twórczości. Jest ona wtórna wobec niego, czasami pełniejsza, bogatsza, ale zawsze czymś, co je zastępuje lub uzupełnia, wydobywając na wierzch te nasze warstwy, które są nieznane innym, niekiedy także nam samym. Wszystko to dużo kosztuje, bo tworząc nasycamy swe dzieło i występujące w nim postaci uczuciami, których z tych czy innych powodów nie mogliśmy lub nie chcieli przelać na rzeczywistych ludzi. Twórczość wysysa, wyciska z nas uczucia jak ręka wodę z gąbki. Po każdej książce czuł się nie tylko zmęczony, ale także pusty, i nadal niespełniony. Czuł też niepokój oraz towarzyszącą mu tęsknotę za czymś, czego nie potrafił bliżej określić. Żeby to drążące go uczucia uśmierzyć, pisał kolejną książkę, sięgając do coraz głębszych pokładów, coraz głębszych warstw siebie. Tak to wyglądało. Żył książkami i w książkach, obok realnego życia i ludzi, obok miłości, której nie w książkach, lecz w bezpośrednich kontaktach z ludźmi powinien szukać i się podporządkować. Ona jest wszystkim, z niej rodzi się i rozwija życie, ona powinna być jego alfą i omegą. Bez niej jest pusto i mroczno, bez niej nie ma prawdziwego życia, tylko jego surogat, a co najwyżej skazane na niepowodzenia poszukiwania. Pisanie nie zbliżyło go do ludzi, jak tego pragnął, przeciwnie, oddaliło od nich, z każdą kolejną książką coraz bardziej. Wysechł przez nie jak drzewo na jałowej ziemi, skostniał, zeskorupiał. Tak to z nim wygląda. A może nie tak, czy też nie aż tak, sam już nie wie. Szukał miłości, a swoją zamknął w sobie i nie otwierał do niej drzwi, obawiając się, że zostanie wykradziona, wykorzystana i porzucona, jak ta do Maryli. Kochał ją ponad wszystko, była sensem i celem jego życia, a ona po kilku latach ich, wydawało się, szczęśliwego małżeństwa, odeszła od niego. Potem już żadnej kobiety nie kochał. Skoncentrowany na pisaniu miewał tylko romanse. Z Matyldą też go miał. Był cudowny, ale zaledwie trzydniowy, po którym pozostały tylko miłe wspomnienia. Tak myślał, ale okazało się, że zaowocował on dzieckiem. Dlaczego Matylda go nie odszukała, nie powiadomiła o dziecku?! Gdyby to zrobiła, inaczej wyglądałoby jego życie. Całkiem inaczej. Ale stało się, jak się stało. Ma syna, Michała Krawczyka, a czy jest nim ten, który mieszka w tym samym domu, dowie się jutro. Zaprosi go do sienie i spyta o drugie imię, a potem sprawdzi, czy ma na szyi ślad po ranie, no i upewni się, że przedstawiona na zdjęciu Matylda jest jego matką.

D

Zapadł już mrok, gdy Anna i Stefan opuścili kawiarnię. Oboje byli zadowoleni z pierwszej randki. Stefan odkrył w Annie kobietę, jakiej szukał, młodą, mądrą i prawdopodobnie doświadczoną przez życie, pragnącą założyć rodzinę z mężczyzną raczej starszym, mającym za sobą młodzieńcze wyskoki. Mężczyzną, który ją pokocha, będzie jej wierny i nastawiony na wspólne, zgodne życie. W nowym uczesaniu jest jej do twarzy, wygląda w nim pięknie. W ogóle jest piękna i zgrabna, tylko to ukrywała i jeszcze ukrywa, co dobrze o niej świadczy. Ponadto ładnie się uśmiecha. Dotąd widywał ją poważną i raczej zasmuconą, a dzisiaj była pogodna i uśmiechała się do niego. Gdy opowiedział jej usłyszany niedawno dowcip, głośno i wesoło się zaśmiała, jak nieskrępowane konwenansem dziecko, jak poranne słońce na bezchmurnym niebie. Dobrze zrobił, ze się z nią spotkał. Umówili się, że w sobotę pójdą do kina, a za tydzień do teatru. Potem zaprosi ją do jakiegoś lokalu na kolację i jak ją czymś nie zrazi, ich znajomość przerodzi się w głęboką przyjaźń, a może i miłość, której rezultatem może się stać małżeństwo. Bo na krótkim romansie jej nie zależy, jemu również nie. Potrzebuje stałej partnerki, najlepiej żony, która będzie kochał i która też obdarzy go miłością. Chciałby, żeby była nią Anna, a czy będzie, to zależy zarówno od niego, jak i od niej, od wrażenia, jakie na niej wywarł i wywrze w najbliższej przyszłości.

Annie też się spodobał Stefan. Zobaczyła w nim nie tylko przystojnego i szarmanckiego mężczyznę, ale i człowieka kulturalnego, wrażliwego i ambitnego. Zaprosił ją do kina, w przyszłym tygodniu chce się z nią wybrać do teatru, co oznacza, że myśli o niej poważnie, a nie kategoriami samca, któremu zależy tylko na seksie. Jak się bardziej poznają i zbliżą do siebie, opowie mu o dokonanym na niej gwałcie, żeby właściwie odczytał opory, jakie zapewne będzie miała, gdy zapragnie ją dotykać. O ojcu mu nie powie. Nikomu o nim nie powie, nawet Katarzynie. Pewnie jest już w domu, więc zajdzie do niej, opowie o spotkaniu ze Stefanem i dowie się o nim czegoś więcej. Zresztą nieważne, jakim był kiedyś. Liczy się, jakim jest teraz. I że w kawiarni czuła się z nim dobrze, jak na początku ze Zbyszkiem, który jak teraz Stefan, idąc obok niej, co chwila na nią popatrywał, ciepło, troskliwie, serdecznie.

K

Redaktor Wójcik szybkim krokiem zdąża do domu. Po kolegium upewniwszy się, że Lucyna czuje się dobrze i że jest przy niej teściowa, odbył potrzebną mu do artykułu rozmowę z pracownikami pogotowia, a następnie skontaktował się z pracującym w szpitalu znajomym ginekologiem, uzgadniając z nim, że jutro przewiezie żonę do szpitala, jako że z tego, co usłyszał od teściowej, z którą wcześniej rozmawiał, wywnioskował, że jest na to najwyższy czas. Wezwie taksówkę lub pogotowie, bo jego mazda jest w naprawie. Nie opuści szpitala. Będzie w nim cały dzień, a jeśli zajdzie potrzeba, także noc. Musi być przy Lucynie, kiedy będzie rodzić, musi trzymać ją za rękę i powitać ich córeczkę, którą już od dawna kocha, od kiedy poczuł ręką, że jest i się rusza. Dotąd nie chciał dziecka, a teraz chce. Bardzo go chce, na przekór temu, co dzieje się na świecie. Uchroni córeczkę od wszelakich okropności. Zrobi wszystko, żeby się wychowała w jak najlepszych warunkach i wyrosła na zdrową i nieskażoną złem kobietę, jak Lucyna, która się sprawdziła jako wierna żona i czuła kochanka, a teraz będzie musiała sprostać także roli mądrej i troskliwej matki. I na pewno jej sprosta, co do tego nie ma żadnych wątpliwości. Oby tylko miała lekki, nieskomplikowany poród.

Nie wiedział, że matka Lucyny zaprosiła do domu znajomą akuszerkę i że ta stwierdziwszy, że w każdej chwili może nastąpić poród, zaczęła się przygotowywać do odebrania dziecka.

C1

Kiedy Kazimierz Rogala wrócił do domu, natychmiast otworzył barek i wychylił spory łyk whisky. Krystyna bardzo szybko odzyskała przytomność, ale jak go zobaczyła, zaraz przymknęła oczy, a gdy po dłuższej chwili je otworzyła, spojrzała na niego przepraszająco i wyszeptała „Wybacz". A co on ma jej do wybaczenia! Dokumentnie rozbiła renówkę, ale samochód rzecz nabyta, weźmie w szpitalu więcej nocnych dyżurów i więcej godzin w poradni i po roku kupi nowy, taki, jak mu kiedyś pokazywała, z automatyką i wszelkimi bajerami. Cała jest w bandażach, ma złamaną rękę, a także złamane i pokiereszowane nogi. Na szczęście narządy wewnętrzne nie zostały naruszone, a rany na ciele się zagoją. Złamanie ręki też się wyleczy. Gorzej z nogami. Prawa jest nie tylko złamana. ale i tak poharatana, że grozi jej amputacja. Ponadto mogą jej wlepić wyrok. Z pierwszych ustaleń wynika, że to ona spowodowała wypadek. Tym z ciężarówki, z którą się zderzyła, nic poważnego się nie stało, kierowca ma lekką ranę na piersiach, pomocnik niewielkie obrażenia głowy, niemniej Krystyna za tę kraksę odpowiada i wszystko na to wskazuje, że stanie przed sądem. Musi porozmawiać ze Zbyszkiem, aby się zorientować, co jej grozi. Nogę może się uratuje, Wiśniewski jest doskonałym chirurgiem, a jeśli nie, kupi jej najlepszą z możliwych protez, żeby mogła sprawnie chodzić. Ale od sądu nie ucieknie. Ważne będzie zeznanie kierowcy. Trzeba mu dać w łapę, żeby jak najmniej obciążył Krystynę. Otrzyma należne mu odszkodowanie, ale to za mało, trzeba coś do tego dodać, trzy lub pięć kawałków. Z prokuratorem też trzeba będzie porozmawiać, ale nie osobiście, tylko za pośrednictwem ojca, który ma szerokie znajomości i duże wpływy. Najpierw jednak porozmawia ze Zbyszkiem, jest gliną w stopniu komisarza i powinien wiedzieć, jak taką sprawę powinno się załatwić.

Kazimierz R., który już trzymał w ręku szklaneczkę z drugą porcją whisky, odstawił ją na stół i skierował się ku drzwiom, żeby zejść na dół i zaprosić do siebie Zbigniewa Piątka, a także Mirosława Wójcika, który jako dziennikarz miał rozległe znajomości i tez mógł mu pomóc.

D2

Anna zerknęła w lustro i poszła do mieszkającej piętro niżej koleżanki, żeby ta oceniła jej nową bluzkę i fryzurę. Nie usłyszawszy odpowiedzi na pukanie do drzwi, nacisnęła klamkę, a gdy drzwi ustąpiły, weszła do środka i skierowawszy się do dobrze znanego jej pokoju, stanęła w progu jak wryta.

F

Komisarz Piątek dojeżdżał do domu, gdy przypomniał sobie o zabezpieczonej folią torbie podróżnej. Miał ją zawieźć do laboratorium, ale zapomniał, jutro to zrobi. Wysiadając z samochodu, wziął torbę ze sobą i ruszył w stronę drzwi frontowych.

– To torba pani Kasi – zauważył Grzesiek, który kręcił się przed domem, bo usłyszawszy, że Franciszka zabrano do szpitala, czekał aż Leopold wyjdzie z psem na wieczorny spacer, i powie mu, co się stało Franciszkowi, I czy w tej sytuacji będą oglądać lot Szulca, a jeśli tak, to skąd, z dachu czy z okna któregoś z sąsiadów?

– Jakiej pani Kasi? – spytał komisarz.

– Tej, co mieszka obok pana.

Kazimierz schodził po schodach na piąte piętro, gdy do jego uszu doszedł przeraźliwy krzyk, i to głośniejszy niż ten wczorajszy.

Zbigniew Piątek też go usłyszał. Podbiegł do windy. Wiedziony przeczuciem wcisnął guzik wskazujący piąte piętro, swoje piętro, ale także piętro Katarzyny.

Krzyk usłyszał również powracający ze szpitala Bronisław L., który wcześniej zdążył oznajmić Grzesiowi, że Franciszek odzyskał przytomność. Obaj skierowali się w stronę windy.

Podążył do niej także Jakub, a w chwilę po nim Michał, do którego uszu krzyk dobiegł jak wczoraj, gdy zbliżał się do domu.

Anna, która pierwsza zobaczyła leżącą w kałuży krwi Katarzynę, opuściła jej mieszkanie ze zgrozą w oczach – jej przyjaciółka miała rozcięty brzuch i była martwa.

Na korytarz wyszli niemal wszyscy lokatorzy z piątego piętra, skupili się przy drzwiach prowadzących do mieszkania Katarzyny i patrzyli to na osłupiałą Annę, to na szeroko otwarte drzwi, ciekawi, co spowodował, że ich sąsiadka tak głośno i przeażliwie krzyknęła.

I oto ciszę, która zapanowała, gdy kilka osób weszło do mieszkania Katarzyny i natychmiast je opuściło z przerażeniem w oczach, przerwał dochodzący z przeciwnej strony korytarza, inny krzyk, w którym kobiety natychmiast rozpoznały krzyk noworodka.

Chwilę później lekko uchylone drzwi do mieszkania redaktora Wójcika otworzyły się na oścież i stanął w nich rozpromieniony ojciec, z dumą trzymając na rękach nowonarodzone dziecko.

Część osób, których liczba powiększyła się o lokatorów z innych pięter, podeszła do niego, inni zostali przy drzwiach Katarzyny, pragnąc dostać się do środka.

Ale już zajechał na górę komisarz Piątek i podszedł do osób cisnących się do mieszkania Katarzyny.

– Proszę tam nie wchodzić! – krzyknął do sąsiadów. – Zaraz przyjedzie ekipa dochodzeniowo-śledcza. Najlepiej będzie, jak pójdziecie do swoich mieszkań. Pani też – zwrócił się do odrętwiałej Anny, odciągnął ją od drzwi i zadzwonił do komendy.

Na glinianych nogach Anna ruszyła w stronę windy i zobaczyła przy niej Stefana, który usłyszał zarówno jej krzyk, jak i głos Zbigniewa Piątka.

Z windy wysiadł Grzesiek, po nim Leopold i Jakub, a po chwili także Michał.

– Pan Franciszek żyje i niedługo wróci do domu – oznajmił sąsiadom Grzesiek i zaraz zawołał: – Chodźmy na górę! Dziś dzień Icka! Niedługo będzie latał nad domami. Może go zobaczymy!

Tylko Leopold poszedł z Grzesiem. Inni, nieliczni, przejęci zgrozą i żalem, znieruchomieli przy drzwiach Katarzyny, leżącej w zakrzepłej krwi, a pozostali zgromadzili się przy drzwiach Wójcika i z zachwytem wpatrywali się przytuloną do jego piersi córeczkę.

Michał i Jakub też się znajdowali na brzemiennym w wydarzenia korytarzu, pierwszy bliżej drzwi Katarzyny, drugi drzwi Wójcika. Popatrywali to na sąsiadów, to wzajem na siebie, zastanawiając się, czy w zaistniałych okolicznościach wypada sięgnąć po trzymane w kieszeniach zdjęcia i nawiązać rozmowę. Michał chciał zapytać Jakuba, czy wiedział o jego istnieniu, a Jakub chciał poznać drugie imię Michała i dowiedzieć się, czy na szyi ma ślad po ranie.

Wkrótce na korytarzu pojawiła się policja, a redaktor Wójcik wrócił z córeczką do czekającej na nią matki. Zgromadzone przed drzwiami osoby rozeszły się do swoich mieszkań. Poszli do swoich także Michał i Jakub, z trzepocącą nadzieją w sercach. Jutro rano skonfrontują ją z rzeczywistości. Oby ta ich nie zawiodła.

X

Tej nocy Jakub Smuga nie zasnął. Nie zasnął równiej Michał oraz jeszcze kilkoro osób, między innymi wstrząśnięta śmiercią przyjaciółki Anna i pocieszający ją Stefan, a także komisarz Piątek i jego żona, która zszokowana widokiem leżącej we krwi Katarzyny, sięgnęła po ukryty w szafie alkohol, lecz zawahała się i zamiast napełnić nim kieliszek, wylała go do zlewu i wtuliła się w ramiona uradowanego tym męża, usatysfakcjonowanego ponadto śledczym sukcesem. Inni bohaterowie książki zmrużyli oczy dopiero nad ranem. Jedni i drudzy bardzo długo i z przejęciem rozpamiętywali okrutną śmierć pięknej sąsiadki oraz narodziny córeczki redaktora Wójcika, a także zapaść Franciszka, którego Grzesiek ujrzał w jednej z trzech chmurek, jakie pojawiły się nad osiedlem, choć obserwujący z nim niebo Leopold upierał się, że to była Ada.

Jakub widział te chmurki, widział też, jak się do siebie zbliżyły, połączyły, zawędrowały nad dom i opadły rzęsistym, lecz krótkim deszczem

– tak krótkim, że poza nim, nikt więcej go nie widział i nie słyszał, jak sobie później tłumaczył, dlatego, że wszyscy już spali, albo byli tak przejęci wydarzeniami wieczoru, że nic do nich nie docierało, żaden widok, żaden odgłos. Po deszczu niebo pociemniało, potem pojaśniało, na horyzoncie zaczerwieniło się i przy akompaniamencie głosów ptasich zaczął się rodzić nowy dzień, niby taki sam jak poprzednie, a inny, dzień ukwieconych ołtarzy i procesji czczących Ciało Chrystusa, dzień rodzinnych spotkań i serdecznych rozmów przy stołach, ale i dzień refleksji i wspomnień, dzień, w którym żyjący samotnie Jakub Smuga, od strony matki wnuk ojca ośmiorga dzieci, dowiedziawszy się, że przed blisko trzydziestu laty spłodził z Matyldą dziecko, postanowił się upewnić, czy jest nim mieszkający w tym samym domu Michał, który poprzedniej nocy skierował jego uwagę na ich dom i jego mieszkańców, stając się mimowolnym współautorem pisanej przez niego książki, zaledwie naszkicowanej na kilkunastu kartkach, a ważkiej i prawdopodobnie przełomowej w jego życiu, no i w pełnym tego słowa znaczeniu odkrywczej, gdy się okaże, że była ona drogą prowadzącą ich ku sobie, no i zapewne ostatnim etapem jego twórczych zmagań, podszytych samotnością i dotąd bezskutecznym poszukiwaniem miejsca w życiu, miejsca, które dopiero wczoraj odnalazł, gdy mu doniesiono, że ma syna, owoc jego paryskiej miłości. Całą noc o niej myślał, co chwila spoglądając na otrzymane zdjęcie, a nad ranem podszedł do okna i wsłuchany w głosy ptaków spojrzał na ulicę – tam, gdzie dwa dni wcześniej zobaczył Michała – i z rozpierającą go radością wpatrzył się w lekko zaróżowione niebo i wschodzące słońce.

SPIS RZECZY

Skorowidz
Przewodnik po książce

Nakładem Ludowej Spółdzielni Wydawniczej ukazały się następujące książki Bogdana Świecimskiego:

- *W kolorze indygo* – powieść
- *Ucieczka z Centralnego* – opowieść człowieku o odmiennej orientacji seksualnj
- *W rozbitym lustrze* – powieść
- *Nielojalny kundel* – opowiadania
- *Gorycz sierpniowej nocy* – powieść
- *Tajemniczy kamień* – opowiadania
- *U schyłku dnia* – powieść
- *Zatopieni w życiu* – opowiadania

Niektóre z tych książek można jeszcze nabyć w Wydawnictwie bezpośrednio lub za pośrednictwem poczty.

Ponadto Wydawnictwo dysponuje kilkunastoma egzemplarzami *Chichotu papieżycy* – tomu opowiadań miłosnych autorstwa Bogdana Świecimskiego, opublikowanego przez Wydawnictwo Firet.